D0545623

Les Tigres
de la mer de Chine

Marlon Brando
Donald Cammell

Les Tigres de la mer de Chine

roman

Traduit de l'anglais par Philippe Rouard

Préface de China Kong

DENOËL

Texte édité par David Thompson

Titre original :
Fan-Tan
Éditeur original :
William Heinemann
The Random House Group Ltd.

INTRODUCTION

On était en 1982, à Teti'aroa, l'île de Marlon, son sanctuaire. C'était ici qu'il pouvait être lui-même, pas comme à Los Angeles. Les masques n'y étaient pas nécessaires. Je connaissais l'excentrique et survolté Marlon depuis mon enfance, avant même que j'apprenne ce qu'était un acteur de cinéma. Je ne fus donc pas surprise de me retrouver à Teti'aroa en compagnie de mon mari Donald Cammell, écrivain et metteur en scène d'origine écossaise à la réputation sulfureuse, et pour lequel Marlon avait une amitié particulière.

Ils se connaissaient depuis la fin des années 50, quand ils s'étaient rencontrés à Paris. La carrière cinématographique de Marlon était déjà bien engagée, et Donald, qui n'avait alors qu'une vingtaine d'années, était un portraitiste de renom. La sympathie qu'ils éprouvèrent l'un pour l'autre fut immédiate mais elle ne s'approfondit qu'après que Marlon eut découvert *Performance*, le film de Donald.

C'est en Angleterre que Donald avait écrit et mis en scène *Performance*. Ce film rompait avec toutes les règles cinématographiques, notamment celles du montage. Donald jouait avec le temps, le fractionnant d'une façon très structurée (*Pulp Fiction*, de Quentin Tarantino, est un exemple contemporain de cette méthode de récit non linéaire). Séduit par cette approche révolutionnaire, Marlon appela Donald pour lui proposer des idées sur lesquelles ils pourraient travailler de concert.

Leur amitié dura quarante ans, passant d'interminables projets à diverses périodes de détresse, qui n'étaient pas sans rappeler les mariages de Liz Taylor, espérant sans cesse trouver la secrète combinaison, celle qui payerait, cette fois. Ils estimaient leurs talents respectifs, cela va sans dire, et, comme l'exprimait Marlon, c'était une affaire personnelle, une « affaire de famille ».

Teti'aroa était une île paradisiaque, mais un paradis version Marlon : des huttes aux toits de palmes tressées, aux piliers et poutres assemblés sans le moindre clou, avec de grandes conques marines pour éviers et lavabos, et c'était un chef français qui faisait la cuisine. C'était un rêve de paradis des plus charmants.

Nous nous retrouvions tous les trois chaque matin, pour un petit déjeuner de papaye, de mangue et de tous ces fruits divins poussant sur l'île, repas auquel Marlon et Donald attachaient une grande importance. Après quoi, ils se mettaient au travail.

Ils écrivaient tous les jours, discutaient, jouaient, enregistraient, donnant peu à peu vie aux personnages. C'était amusant de les voir arpenter la piste d'atterrissage privée de l'île, silhouettes dissemblables, Cammell toujours mince et Brando enveloppé, vêtu d'un T-shirt déchiré comme dans *Un tramway nommé Désir*, Donald coiffé d'un panama. Donald adorait courir, peu lui importait qu'il fasse soleil ou qu'il pleuve. Et pendant tout ce temps, ils parlaient de ce roman, *Fan-Tan* [1] ! Et c'était là l'idée qu'ils se faisaient de leurs loisirs !

Le non-conformisme liait les deux compères, qui avaient la même fascination pour la culture et les femmes asiatiques. Marlon était réellement heureux à Teti'aroa, et ce temps passé ensemble à travailler était un spectacle en soi. Ce roman est un aperçu de leur obsession, une perle issue de leur collaboration.

Il m'était déjà arrivé de voir Marlon aussi heureux, quand il

1. Titre original du livre. *(N.d.E.)*

ne refoulait pas ses qualités et sa nature espiègle. Je n'étais alors qu'une petite fille. Il était un ami de mes parents, et nous les enfants des deux familles nous formions une petite bande, « son équipage », comme il nous appelait. Il s'amusait à nous emmener voir des films interdits aux moins de seize ans (lui-même déguisé sous une perruque blonde), mais aussi Disneyland. Il aimait le monorail et, parfois, nous réveillait en pleine nuit pour nous emmener dans le parc. Je suppose qu'ils n'ouvraient que pour lui, parce que nous étions toujours les seuls dans le train. Il avait l'air de ne jamais s'en lasser, ou peut-être que c'était nous qui étions inlassables, mais il aimait tellement nous voir nous amuser !

J'espère que vous apprécierez ce roman dans l'esprit qui l'a inspiré : une histoire d'amour, de filouterie et d'aventure, où tous les coups sont permis pour se tailler une tranche de paradis. Une histoire à l'image de ses auteurs : audacieuse et palpitante.

China Kong

1

La prison

Sous un nuage noir, la prison. À l'intérieur de la prison, un joyeux rebelle. Les murs, formidablement élevés et festonnés de tessons de bouteilles, donnaient l'impression — contre toute raison — de se pencher vers l'intérieur tout en bombant vers l'extérieur. Vue des hauteurs de la modeste colline baptisée pic Victoria et coiffée par la résidence d'été du gouverneur de la colonie de la Couronne à Hong Kong, la prison devait paraître très belle. « Si jamais le soleil se décidait un jour à briller, dit Annie au Portugais, ces débris de verre scintilleraient. Ça ressemblerait à un collier de diamants, Lorenzo. Ou à une énorme margarita dans un verre cubique. »

Le soleil se cachait depuis novembre. On était le 2 mars de l'« an de grâce » 1927 (comme disait encore Annie). Le vaste nuage de plusieurs centaines de kilomètres de diamètre et d'une épaisseur tout aussi considérable avait pris ses quartiers au-dessus de cette île sans charme et pissait sur sa prison. Annie Doultry (prénommé Anatole, en hommage à M. France, l'écrivain) négociait à cette heure le cent quatre-vingtième jour d'une peine de six mois. Né à Édimbourg en l'an 1876, il faisait son âge, à la minute près.

Son père était linotypiste. D'un penchant romantique, cet Écossais dont les mains maniaient les caractères aimait les calembours et la tragédie, *Le Roi Lear* et Edward Lear [1]. Belle, courtisée, sa mère était une femme peu banale et point très comme il faut. C'était une MacPherson, mais elle avait le cœur volage. Elle avait eu des amants comme d'autres ont des animaux domestiques. Bien qu'élevée dans l'esprit de raison et, surtout, d'épargne, elle prenait de temps à autre des paris insensés, à commencer par le choix de son mari. Plus tard, les Doultry émigrèrent à Seattle, leur fils et la grand-mère paternelle en remorque comme tant de familles écossaises en ce temps-là (quand il y avait encore une terre où partir). Toute cette histoire restait cependant vague, et Annie était peu enclin à se pencher sur son enfance. Sa mémoire n'était qu'un fatras, ponctué de gros trous comme une vieille chaussette.

D'un autre côté, il pensait énormément à l'avenir. « C'est l'un de mes traits de caractère, Lorenzo », dit-il d'une voix ferme à l'adresse du postérieur du Portugais qui occupait la couchette au-dessus de lui, et qui était pareillement enlisé dans ses songeries vaseuses. Annie faisait du bavardage une question de discipline, une manière pour lui de résister au danger de tourner et retourner en silence ses propres pensées. Cela risquait d'engendrer d'autres réflexions susceptibles, elles, de vous précipiter dans une spirale de régressions, chose dont il fallait se méfier dans les geôles de Victoria. Les hommes ici devenaient fous.

« Si tu penses comme un prisonnier, dit Lorenzo, prisonnier toute ta vie tu resteras.

— Pas moi, répliqua Annie Doultry.

— Et pourtant tu es dedans », répliqua le Portugais, et c'était indéniable. Le remuant, l'amoureux de la liberté, l'imprévisible et spontané Annie était enfermé comme tous les autres.

« Bientôt tu seras vieux, bonhomme, reprit Lorenzo, railleur. On décrépit vite, ici. »

L'avertissement fit son effet. Il voila le visage d'Annie d'une

1. Humoriste, illustrateur et peintre anglais (1812-1888). *(N.d.T.)*

expression songeuse. En prison une fois était une fois de trop. Annie Doultry n'avait guère eu le temps de se demander : « Où en es-tu dans ta vie ? Retomberas-tu comme n'importe quel récidiviste ou bien seras-tu ton propre maître ? » Il avait pris ce dernier espoir comme allant de soi, mais, à son âge, il n'avait plus tout son temps devant lui. D'une certaine manière, la prison en avait fait à la fois un fataliste convaincu et... un individu dangereux.

L'homme avait un nez légèrement tordu vers la gauche. Voici ce qu'il avait écrit au crayon pas plus tard que la veille, 1er mars : « On dit qu'il faut se fier à son nez. Si je suivais le mien, je serais un bolcho. Mais mon nez est un nez qui sait qui commande. » Et voici à quoi faisaient allusion ces quelques mots : à un niveau qui transcendait le simple jeu de mots, son nez au cartilage malmené commémorait à sa façon les moqueries dont son nom de famille avait été la cible, par la faute d'une belle blonde des Highlands. « Doultry rime avec truie. » Et de répéter plusieurs fois ces mots, testant l'efficacité des boules de cire qu'il s'enfonçait dans les oreilles. Des oreilles qui, hormis leurs lobes pendant d'une manière indiquant la sagesse chez les Chinois, n'avaient rien d'anormal et encadraient parfaitement une mâchoire aux joues creuses, réputée pour son insensibilité. « Une gueule à couler mille navires », beugla Annie, pour conclure avec la satisfaction de quelqu'un rendu sourd à sa propre voix, hormis quelques notes de violoncelle dans ses os.

Mais délaissons la vie intérieure de l'homme pour sa situation en trois dimensions : la couchette du bas dans une des cellules du bloc D, longue de deux mètres sur un mètre cinquante, avec ses misérables commodités, seau à merde et fenêtre infâme sans vitre mais gardée d'épais barreaux, son rebord à plus d'un mètre cinquante du sol, hauteur propre à décourager le Chinois désireux de regarder dehors. Pas difficile pour Annie Doultry, toutefois, car il était de haute taille et très vigoureux. Torse puissant, doigts épais, sourcils broussailleux, solides tendons aux poignets, sous le genou et à l'insertion du jarret, un atout non négligeable pour un homme violent qui avait laissé derrière lui sa résistance juvénile, cette époque où se faire jeter d'un bar ou d'une échelle de coupée n'étaient qu'une partie de rigolade. Au tableau, il fallait ajouter une barbe fournie. Ils avaient bien essayé de la lui faire raser, mais il avait mené bataille contre les raseurs, depuis le barbier au gardien-chef, sans parler du gouverneur en personne, et gagné la partie. Ils s'étaient rabattus sur sa tignasse, lui concédant la barbe. Par la suite, ses cheveux avaient fièrement repoussé, bien que plus gris. D'un gris particulier, nuancé de ce reflet cuivré que revêt le bronze en prenant ce que les hommes de l'art nomment patine.

Annie consultait souvent son miroir, avant qu'il ne le perde. Sans être de belle facture, c'était un solide miroir en métal : un carré de douze centimètres de côté en acier inoxydable, sans doute fabriqué à Pittsburgh et destiné au troc avec les indigènes de Polynésie. Le reflet qu'il renvoyait était à la fois tolérant et franc, tel un ami rare. Il soulignait autant la fausse jeunesse et la mauvaise humeur que trahissait la bouche de Doultry qu'il rendait l'inexprimable et furtive beauté de ses yeux. Furtive, parce qu'il ne leur prêtait jamais attention, que ce fût dans ce miroir-ci ou dans un autre. Et si Doultry gardait en quelque sorte ses yeux par-devers lui, c'était par volonté de ne pas s'exposer lui-même. Quant à leur beauté, il la devait à sa mère, car son père était laid ; ou peut-être n'étaient-ils beaux que par contraste avec le rustique ravage de son nez.

Drus, ses cheveux ne l'étaient pas vraiment, rasés ainsi sur la nuque et les côtés, un style très en vogue à la prison, car il rognait l'espace réservé à la multitude des poux.

Il fallait aussi enfiler de la bonne manière ses mains dans ses chaussettes, les paumes des premières bien logées dans les talons des secondes. Hélas, lesdits talons n'étaient que des passoires, et la lumière était pauvre. Quoi qu'il en fût, la tâche était nécessaire, si l'on voulait se garder des cafards.

Le Portugais gémissait, signe qu'il s'était endormi. Aucune

boule de cire au monde n'aurait pu étouffer ce bruit. « Le voici livré au redoutable contenu de quelque rêve jésuitique », susurra Annie. Il aurait bien aimé noter ces mots dans son cahier, mais les chaussettes l'en empêchaient. « Ou peut-être prie-t-il. » La damnation était ce que cet homme souhaitait éviter à tout prix, avait-il confié à Annie. Mais ces gémissements avaient d'autant plus d'ampleur qu'ils composaient une très fortuite polyphonie avec une plainte à la sonorité chinoise qui s'élevait en *mi* bémol d'une bouche béante par la fenêtre ouverte de l'infirmerie-fosse-aux-souffrances située au rez-de-chaussée du bloc A voisin. L'homme en peine avait reçu le fouet deux ou trois jours plus tôt, et, faute de soins, ses plaies s'ulcéraient : bref, la routine. Mais que les choses soient claires, le problème d'Annie ne ressortait ni de l'affectif ni du spirituel, ça n'était qu'un problème de sommeil, dû au surpeuplement et à l'excellente acoustique des lieux.

Il s'allongea sur le dos, les mains dans ses chaussettes. Sur les vastes plaines poilues de sa poitrine se dressait une tasse à thé cabossée, à l'émail bleu gangrené de rouille. Mais Annie l'aimait bien, cette tasse, car elle représentait la dernière de ses possessions dans cette prison tombeau. Ses autres biens — un vieux briquet sans sa pierre, le miroir en métal, la boucle de ceinturon en cuivre à tête de chameau —, il les avait joués aux courses de blattes. Et puis, Annie aimait son thé, et le caporal Strachan, surveillant en chef du bloc D, lui versait du rab dans cette même tasse. Pour le moment, elle était vide comme un péché non récompensé. De chaque côté gisaient ses mains emmitouflées, grises comme le granit, *manos de piedra*, aux phalanges saillantes et aux doigts étonnamment délicats pour s'être fait tant taper dessus.

Il ne bougeait pas. Autour de la tasse, sa poitrine était semée de petites boulettes de sorgho parfumées au gingembre, qu'appréciaient beaucoup les cafards. De sa panse, partait une piste ponctuée de ces mêmes boulettes et descendant par les plis de son pantalon de grosse toile sale jusqu'à ses pieds nus. Les gros orteils reposaient avec une dignité fatiguée sur le châlit rouillé, le long duquel s'égrenaient d'autres appâts, telle la mèche d'un tonnelet de poudre noire.

Allongé sur le dos, Annie Doultry guettait ainsi sa proie avec toute la maniaque préparation d'un chasseur de tigre ou de léopard, sa propre personne jouant le rôle de la chèvre. Car c'était là l'essence même de son stratagème : l'attirance qu'il exerçait sur les bestioles en question. S'il y a un mets que le cafard chinois préfère au sorgho et au gingembre, ce sont les peaux mortes du Blanc. Il ne leur viendrait pas à l'esprit de dévorer un épiderme bien en vie, n'étant pas du genre à chercher la bagarre, mais ils ont un faible pour les durillons et autres cals, de la même façon qu'un rabbin salive à la pensée d'un hareng fumé. Le leur reprocher — aux cafards, pas au rabbin — serait faire preuve d'un indigne préjugé de classe. Or, il s'avère que tout pied nu est sans protection et devient malgré lui un creuset de sensibilité. Dans le cas d'Annie, l'affaire se corsait du fait que les blattes lui grignotaient les doigts tout au long de ces nuits apathiques — ô combien délicatement elles en rongeaient les callosités ! Sans jamais le réveiller, car prudence était leur mot d'ordre. Nul ne doute que les redoutables dimensions de l'homme leur aient donné à réfléchir. « Ne le réveillez pas », se chuchotaient-elles tout en s'adonnant à leurs agapes. D'où les chaussettes aux mains.

Immobile, Annie Doultry attendait. La lumière se faisait pénombre, les nuées s'épaississaient à l'approche de la nuit. Sous le nuage noir, la prison.

La cellule de Doultry ne différait ni en taille ni en configuration des trois cent douze autres. Mais son statut lui conférait des privilèges, tel un vieux wagon des chemins de fer russes, portant en lettres dorées sur ses flancs le label Première classe. Le dernier étage du bloc D comprenait une vue sur la colline de pic Victoria et la résidence d'été du gouverneur avec son drapeau de l'Union Jack, fier torchon alourdi d'humidité. La graille aussi était meilleure : porc deux fois par semaine, soit deux fois plus de porc que n'en avaient les autres, ces autres étant les Chinois, race plus petite et conséquemment moins exigeante en viande, selon le credo colonial. (Et qui prétendra le contraire ? Trop de porc, et le côlon chope la colique. Trop de porc, et son cœur fait du gras.)

Le dernier étage du bloc D était appelé la section E, ce qui ne devrait pas troubler le profane, s'il fait le rapprochement entre E et Européen. Ce E anobli marquait à l'encre rouge sang la tenue réglementaire de toile grossière du détenu Doultry au-dessus d'une large flèche pointant vers la lettre avec fierté ou reproche, selon l'état d'esprit avec lequel on la considérait. Dans le cas d'Annie, ce ne pouvait être que de l'indignation, car il était un Américain, un Américain dans l'âme depuis l'âge de cinq ou six ans (même si dans son cœur il se savait à jamais un Celte des terres de brume, et un vagabond).

Doultry n'était pas le premier Yankee à porter ce E. Comme le lui avait patiemment expliqué le superintendant, le E se référait non pas à la religion mais à la race, et pour la pénitentiaire, un Américain blanc était indiscutablement un E. Il y avait cinq cents A et quatorze E en résidence à Victoria en mars 1927, y compris des détenus en provisoire attendant de passer en jugement. Cette proportion était étonnamment proche de celle de la colonie elle-même. Et cela pouvait être tenu pour digne d'éloges, eu égard à la belle impartialité de la justice britannique, ou bien carrément honteux pour d'évidentes raisons.

Mais assez de considérations morales ; retour aux faits, qui sont plus aveugles que la justice. Annie, prostré sur sa couchette, ses mains dans ses chaussettes et tout constellé d'appâts à cafards, son visage rugueux menacé par l'inquiétant renflement de la paillasse du Portugais, saillant comme un énorme champignon, tandis que le treillis métallique lâchait ses notes rouillées à chaque mouvement de croupion de ce pédé. Une grande tache qui rappelait l'Australie pesait sur les yeux d'Annie avec tout le poids d'un continent charnu, qui en avait sûrement vu plus que de raison au cours de ses pérégrinations. Et encore n'était-ce que la partie externe du matelas. Que devait être l'intérieur, avec le dos poilu, les fesses fripées, le trou noir suintant du Portugais ?

Loin de nous cette vision.

Bien qu'un certain superintendant osât prétendre que la prison de Victoria devait son nom à la souveraine d'un empire sur lequel le soleil jamais ne se couchait, la vérité était autre. L'appellation était d'occasion, telle une divorcée, offerte à la prison par la ville de Victoria, bâtie pêle-mêle sur l'île de Hong Kong. Cette entreprise coloniale n'avait rien de fier ni d'impérial ; Hong Kong n'était qu'une place comme une autre où se faire du fric. Conscients de la frilosité des Anglais, les Écossais débarquèrent et organisèrent astucieusement les choses. C'étaient eux qui dirigeaient la colonie, bousculant l'administration et ne tardant pas à posséder les entreprises marchandes les plus florissantes. Ils géraient le port et les vaisseaux croisant en mer de Chine.

Toutefois, bien qu'il fût jadis écossais lui-même, ce n'était pas l'avenir de la ville de Hong Kong, pas plus que celui du monde, qui occupait les pensées d'Annie Doultry. C'était son avenir à lui, la réalité à laquelle il devrait s'attendre, autrement dit les faits. Mais cela existait-il, des faits « à venir » ? Un certain M. Wittgenstein répondait par l'affirmative. Le sens commun aussi répondait : « Oui ! » La logique disait : « Non ! » *Au diable la philosophie !*, se dit Annie. C'était un excès de réflexion qui lui avait valu d'être en taule, pour commencer, trop de gamberge et trop peu d'action. « Si seulement j'avais flingué ce salopard, tonna-t-il à l'adresse de l'infect matelas portugais, au lieu d'être là à peser le pour et le contre ! Que Dieu m'aveugle pour ma compassion... Dieu, tu m'entends, maintenant ? Agis, vide tes tripes ! AGIS ! » La tasse en émail sur sa poitrine tressautait au rythme de ses récriminations, le grand sanglot à qui il interdirait toute manifestation vibrant sous son culot à l'émail écaillé. Annie domina ledit sanglot et l'exhala dans un soupir proche d'un sifflotement. « Ah, c'était un fameux revolver, ce

Luger. Parabellum 9 mm, aussi mortel pour la chair qu'un colt 45, et une sacrée précision de tir. » Pause. « Mais la messe est dite, et personne ne pleure sur un morceau d'acier Smith & Wesson. » Il caressa le triste émail de sa tasse. « La couleur du fond de la nuit ? Il y a des perles de cette couleur, Lorenzo. (Le Portugais se prénommait Manuel, mais qu'importait ?) Des perles noires comme de l'encre. »

Le Portugais dormait, gémissant dans les marécages de ses propres rêves.

C'était un gros, un mahousse qui faisait bien huit centimètres de long. Il se tenait sur le châlit rouillé au pied de la couchette d'Annie. Après un temps d'observation, il se hasarda sur un orteil. Et de l'orteil passa au pied, qu'Annie avait vaguement lavé dans l'espoir de le rendre plus attractif. Mais la créature ignora les richesses étalées devant elle. Il ou elle : comment, au nom de Dieu, pourrait-on reconnaître le sexe d'un cafard ? (En vérité Hai Sheng en était capable, ainsi qu'il le prouva plus tard en certifiant que la bête était un mâle.)

Sous l'œil vif de la blatte, Annie, par sa taille, devait avoir l'aspect de ce Bouddha de douze mètres de haut, sculpté dans la roche grise d'une montagne du Sri Lanka. Ses cors et cals avaient déjà reçu la visite vorace de plus d'un cafard, et le terrain était aussi lisse et doux que l'anatomie d'une fillette. La bestiole accéléra le pas, remontant les pantalons jusqu'à la colline de la Rotule, puis dévala vers le canyon de l'Aine, où certains morceaux de sorgho, mouillés pour les rendre collants, gisaient dans les crevasses. Mais la bête ignora le festin. D'un pas prudent mais déterminé, elle descendit les plis crasseux du pantalon en toile de chanvre jusqu'aux abords mêmes du gouffre de la Braguette — cette faille dans la croûte du monde que notre blatte commune (pensait Annie avec respect) se ferait un devoir de contourner. Le puits bâillait, d'ennui sans doute, d'étranges filaments grisâtres bouclant aux abords de l'ouverture désertée de tous ses boutons, victimes eux aussi du goût d'Annie pour le jeu. Les antennes de la splendide créature en captaient la moiteur éthérée, et sa carapace brillait, telle l'armure de Belzébuth, d'une couleur de goudron frais. La blatte sondait les ombres de ses petits yeux noirs, et la vue devait l'avoir suffisamment étourdie pour qu'elle n'entende pas le murmure d'Annie : « Vous n'êtes pas un gentilhomme, monsieur. » Annie parla ainsi pour qu'on ne pût dire plus tard de lui qu'il n'avait soufflé mot et, donc, n'avait pas joué franc jeu. Puis la sinistre tasse de thé s'abattit tel le suaire du diable sur le fier appendice et le cafard qui le lorgnait.

Les courses se tenaient dans une rigole d'environ dix mètres de long qui traversait la cour de promenade. Par convention, cette excavation délimitait l'Europe de l'Asie. Faite en ciment, elle avait vingt-quatre centimètres de large sur douze de profondeur, et elle était tapissée d'une crasse verdâtre que Doultry se plaisait à appeler « ce gazon d'émeraude » ou encore « la pelouse de ce bon vieil Epsom ». S'il vous plaît, mettez-vous à sa place : il s'efforçait d'être britannique.

Alors que tintait la cloche de départ (en fer-blanc), les blattes furent lâchées dans le brouhaha des encouragements côté nord. Le plus souvent, les bêtes choisissaient de rester dans le droit chemin, encouragées dans ce sens par un martèlement de pieds des deux côtés de la gouttière. Par vent en poupe, les meilleures filaient à plus de vingt kilomètres à l'heure, autrement dit la vitesse d'un homme ayant le diable à ses trousses. Il était impératif d'attraper les coureuses avant qu'elles ne disparaissent dans l'égout situé un mètre après la rigole, sauf dans le cas où la paresse d'une concurrente lui valait l'élimination sous le talon d'un propriétaire déçu, destin banal et cafardeux que celui s'achevant dans cet égout. « Ce sont des bêtes fatalistes, dit Annie à Hai Sheng, éleveur lui-même. Elles préfèrent le déshonneur à la mort, qu'il pleuve ou qu'il vente. »

Hai Sheng cracha avec une belle sonorité, signifiant qu'il approuvait de telles paroles. Il parlait pidgin mais comprenait bien l'anglais. Son pur-sang noueux, Merveilleux Oiseau d'Espoir, n'avait pas encore perdu. Ses gains s'élevaient cette saison à plus de dix dollars en espèces, ce qui vous donne une idée du profit qu'on pouvait tirer d'un bon cafard dans les geôles de Victoria.

Au-delà de la rigole, la plus grande partie de la cour était destinée au travail forcé des détenus chinois, qui se faisait par équipes. Ils défilaient des kilomètres de vieux cordages qui, ainsi défaits, formaient ce qu'on appelait de l'étoupe, et qui servait à calfater les coques en bois de chêne des vaisseaux de Sa Majesté. Or, en cette année 1927, cela faisait plus de cinquante ans que la marine construisait des bateaux en acier. Aussi l'étoupe était-elle entreposée en prévision du jour où les membrures de bois remonteraient des profondeurs de Trafalgar et de la baie de T'ien-tsin, où une frégate avait sombré en 1875 sous les salves des antiques bombardes de la forteresse de l'empire du Dragon.

La récolte de l'étoupe était sans fondement mais elle n'en prétendait pas moins à l'utilité. Son appellation officielle était Travail forcé n° 2. La partie est de la cour était celle où la crème des condamnés subissait le Travail forcé n° 1, appelé encore la Fonte. Ce labeur-là tenait de la transcendance ; il n'avait d'autre but que le labeur en soi.

Les « Fondus », comme on les appelait au pénitencier, marchaient toute la journée en cercles. En quatre endroits sur le périmètre dudit cercle se dressaient de petites pyramides de boulets de douze kilos chaque, pyramides qui n'étaient guère distantes de plus de cinq pas les unes les autres. Les boulets étaient en fonte noire et aussi lisses que les fesses d'une diablesse. Pendant plus de trois cents ans, ils avaient alimenté l'armement d'appoint de la Royale, ainsi que les canons tous usages de l'armée de terre. Et puis, du jour au lendemain, vers le milieu du règne de la reine Victoria, l'adoption, bien que tardive, de l'obus tiré par un canon strié avait relégué les boulets au rang d'antiquités. Le sifflement d'un projectile fendant l'air devint leur chant funèbre.

Les boulets s'accumulèrent par millions. Telle une multitude marquée au sceau du mépris contemplant leur génocide, ils déprimaient aux quatre coins oubliés de l'Empire par grappes pyramidales sur lesquelles aimaient pisser les écoliers. Ainsi confia-t-on à ce pénitencier sans âge de Hong Kong le soin de leur redonner une utilité. Et ce fut là, dans sa prison, que l'ombre de cette irréfutable vieille dame, *alias* reine Victoria, souleva pour la dernière fois ses jupons pour révéler aux oublieux que ces couilles de fer qu'on lui avait tant prêtées n'avaient rien perdu de leur vigueur... elles avaient encore le pouvoir de briser la volonté des hommes.

Chaque condamné avait ainsi pour tâche de prendre un boulet de la pyramide, pour aller d'un pied léger le reposer avec soin sur la pile voisine distante de cinq pas, puis de gagner toujours d'un pied léger le tas suivant, pour une fois de plus se pencher, soulever, emporter, replacer, *et cetera et cetera*, pendant les deux heures de son quart, et cela huit heures par jour.

Bien entendu, il n'était pas question de balancer sa charge sur le tas. L'équilibre de la pyramide était de la plus grande importance ; cela exigeait de chaque homme une précision, un rythme d'ensemble, un dynamisme discipliné de la part de ces Chinois (car, du temps de Doultry, les Européens n'étaient jamais condamnés à la Fonte). Les surveillants étaient des Indiens, de grands gaillards (nombre d'entre eux étaient des Sikhs aux immenses barbes nouées derrière leurs oreilles) qui arpentaient le cercle, leur canne de rotin à la main (un mètre vingt de long pour un diamètre de deux centimètres) revêtus de beaux uniformes, maniant la canne et l'encouragement avec une grande impartialité, bref, dirigeant l'exercice, car c'en était un. Ils étaient pour la plupart des soldats de métier qui avaient eu la bonne fortune (blessures de guerre et maladies faisaient l'affaire) de trouver ce boulot pépère. Ils n'étaient nullement sadiques. Mais quand un homme laissait tomber son boulet, les cannes cinglaient l'air, car ainsi était la règle.

Il arrivait qu'entre deux courses, Annie observât les Fondus. Les détenus chinois portaient tous des chapeaux de paille de coolies d'une taille unique, cela faisait partie du règlement. Il y avait une étrange symétrie dans le spectacle qu'ils donnaient à voir : la pâleur des coiffes coniques s'inclinant aux quatre coins du cercle, le tintement des boulets, les pyramides qui se défaisaient et se reformaient, les dos qui se courbaient, les esprits aussi. Une fois, il lança d'une voix forte : « T'as une chance de cocu, Annie. »

Cette peine de six mois n'était qu'une réprimande d'après Andrew O'Gormer, l'avocat qui l'avait défendu. Et encore n'était-ce pas six mois de travaux forcés mais une simple détention. En dehors des courses de blattes, le seul exercice obligatoire auquel Annie était astreint était une heure de promenade chaque matin après le petit déjeuner. Avec interdiction de parler, bien sûr, mais il s'était fait un ami du caporal Strachan, et tous deux marchaient souvent de concert en bavardant avec circonspection. Bref, Annie savait comment occuper son temps et il maîtrisait la situation.

Bien entendu, O'Gormer avait détroussé Annie jusqu'à son dernier cent. D'un autre côté, le prisonnier aurait pu s'en prendre pour dix ans en vertu de l'ordonnance de 1900 sur le trafic d'armes et de munitions. On ne sait jamais ce qui se passe dans le cabinet d'un magistrat entre deux verres de gin tonic. Annie avait expédié sa cargaison à Hong Kong de manière très régulière, inscrivant de sa propre main sur le manifeste destiné aux douanes, « cargaison en transit à destination de T'ien-tsin, province de Shantung, république de Chine », à savoir une modeste quantité d'armes qu'il s'était procurées à Manille auprès de sources proches des forces armées de l'Oncle Sam stationnant dans la région. On pouvait ainsi lire noir sur blanc :

neuf cent douze fusils Garand en bon état avec baïonnettes réglementaires ; dix-huit mitrailleuses de calibre 50 (usagées) plus neuf excellentes Hotchkiss ; deux cent mille cartouches (pour les fusils) ; vingt-quatre caisses de grenades Mills ; et un assortiment d'armes de poing, des colts 45 automatiques (le modèle classique de 1910) et autres pistolets de calibre 38, sans parler de quelques vieux mortiers aux mécanismes luisants de graisse.

En vertu de lois coloniales parfaitement libérales, on n'avait pas à se soucier de permis ni de paperasserie, dès l'instant où les marchandises étaient destinées à l'extérieur de la colonie. En matière d'armement, Hong Kong se voulait un marché mais n'était pas client. Les difficultés commencèrent quand un certain gentilhomme polonais se présenta à Annie au Torrence's Bar et lui offrit une somme ridicule pour une demi-douzaine de colts 45 et quelques cartouches allant avec. « J'en ai été profondément offensé, monsieur, dit Annie au juge. Je lui ai dit de garder son foutu argent, car je savais parfaitement, Votre Honneur, que la loi interdisait qu'on vende une arme à feu à un résident de Hong Kong, sans un permis signé du superintendant de la police. Je le savais très bien, ça. Il y a ici des communistes, Votre Honneur, et nous ne tenons pas à ce qu'ils mettent leurs sales mains sur de bonnes armes américaines, je suis d'accord avec vous sur toute la ligne. » Annie pensait que ces paroles seraient favorablement reçues par le jury, car on était à la Cour suprême.

« M. Doultry, corrigea le juge, quand on s'adresse à moi, on dit monsieur le Juge.

— Monsieur le Juge », répéta Doultry.

Mais une chose en entraîne une autre. Annie eut beau protester que les armes du délit lui avaient été dérobées à bord de son bateau, pendant que Bernardo Patrick Hudson, son quartier-maître, souffrait d'une méchante crise de paludisme, contractée selon lui en buvant de la bière chinoise, les jurés avaient, en dépit de la sympathie que leur inspirait le bonhomme, refusé de le croire. L'émissaire du légitime client d'Annie, le maréchal Sun Chuan-fang, alors seigneur de la guerre de Nankin et des plaines sud du Yang-tseu-kiang, ne lui avait été d'aucun secours. Le bonhomme était en vérité très ennuyé, car la police de Hong Kong avait non seulement interdit la livraison mais, appliquant la lettre de la loi, avait saisi la cargaison. L'armée de rapaces du maréchal était alors engagée sur plusieurs fronts dans une guerre larvée avec Chang Kaï-chek. Les détails étaient lassants, mais il était parfaitement naturel que la Couronne britannique n'aimât guère les articles du *South China Weekly News* dépeignant la colonie comme une foire aux armes ouvertes aux deux bords, voire à tous les bords, puisqu'on comptait une bonne douzaine d'armées indépendantes guerroyant entre elles à travers la Chine. Il existait même sur le papier un embargo international, datant du 5 mai 1919. La chose avait été diligentée par le ministère américain à Shanghai et signée par la Grande-Bretagne, la France, la Russie et le Japon — en vérité toutes les grandes puissances, sauf l'Allemagne, qui tenait en Chine un énorme marché d'armement. Les Russes ne tardèrent pas à briser l'embargo quand ils commencèrent à soutenir l'alliance des nationalistes et des communistes, et ledit embargo ne fut bientôt plus qu'un bout de papier. L'Amérique fournissait au principal arsenal des nationalistes à Canton les machines destinées à la fabrication des mitrailleuses Vickers et des munitions pour les fusils russes (une production de sept cent mille cartouches par mois). À Hong Kong, on pouvait acheter ce qu'on voulait, depuis les masques à gaz jusqu'aux avions. En vérité, il était seulement interdit d'en parler.

Annie connaissait et comprenait très bien la situation dans laquelle il s'était fourré. Il était déprimant de devoir suivre cette catastrophe chinoise en cours, mais c'était là pour lui une occasion de commercer. Et puis, bien qu'il n'appréciât guère la nourriture, il trouvait les femmes chinoises formidablement attirantes, ce qui ne l'empêchait pas de s'interroger sur cette attirance. Annie était tout sauf naïf. Pour remuer le couteau dans la plaie, Barney (Bernardo Patrick) Hudson avait eu la frousse de vendre les colts au Polack, et après que l'affaire eut éclaté, il ne cessa de répéter à Annie en se gondolant comme un hystérique : « Je te l'avais dit, je te l'avais dit. » Il avait de la chance de ne pas être dans le box avec Annie.

Annie avait le sentiment de ramollir. Il savait pertinemment qu'il s'était fait piéger. Toutefois, il préférait considérer avec philosophie qu'il s'était agi d'un pari, d'un pari aux chances truquées, aux dés pipés et aux consommations à la charge du perdant. Mais ce fut en prison qu'il devint un joueur.

Il avait subi un changement profond depuis ce 4 septembre, jour où il avait revêtu pour la première fois sa tenue ornée du E et de la flèche rouge. Pour commencer, jamais il n'avait fait de la taule, et il était maintenant bien trop vieux pour ça. Il se trouvait également plongé pour la première fois de sa vie dans une promiscuité forcée avec les Chinois, ceux des ruelles étroites et des taudis puants, les coolies qui, aux yeux des hommes blancs, ne semblaient pas appartenir tout à fait à l'espèce humaine. Or, au lieu du dégoût, c'était de la sympathie qui avait, bon gré mal gré, germé en lui.

Soyons clairs, Annie s'était toujours bien entendu avec les Britanniques — une entente qui, faite de la nostalgie d'une Écosse dont il se souvenait à peine et de son pernicieux talent d'imitateur, l'avait conduit à se prendre pour un Rosbif. (Il était capable d'incarner aussi parfaitement un cockney qu'un Écossais.) Mais sa tolérance pour les Anglais, une étrange race qui (comme le prétendaient les Chinois) vivait dans la certitude d'être supérieure à toutes les autres, avait probablement rendu irrésistible à ses yeux la tentation de leur jouer un bon tour. Sa condamnation ne l'avait pas aigri. Il avait été pris la main dans le sac, comme l'avait souligné l'inspecteur Kenneth Andrews ; il avait joué et avait perdu. Mais le perdant entre quatre murs est un animal qui a six mois de paiement devant lui, capital et intérêts compris, et cela a de quoi amplifier l'aversion éprouvée à l'égard de ce pouvoir qui l'a mis au trou. Autrement dit, si l'Empire britannique plonge la tête d'un homme dans sa propre merde pendant six mois, il doit s'attendre à ce que le bonhomme ne voie plus l'Empire en question avec les mêmes yeux. Ajoutez à la sauce l'aversion d'Annie pour toute forme d'autorité. Pour établir les origines de cette antipathie, il aurait fallu remonter à son enfance, une enfance oubliée de tous, à commencer par l'intéressé. Et pourtant, cette enfance était à ce point toujours présente que l'homme revendiquait un prénom de fille. Bref, ce qui avait été un simple bouton d'acné rebelle dans son esprit devait avoir pris dans les geôles de Victoria la grosseur d'un furoncle : un furoncle à la fesse de son âme, enflé d'un énorme germe, au bord de l'éclatement.

« Lui, trop grand », dit Hai Sheng, le renommé propriétaire de blattes de course, observant la bête de son adversaire. « Merveilleux Oiseau va vite parce que très petits pieds. » Merveilleux Oiseau d'Espoir, le vainqueur le plus doté à ce jour, n'était âgé que de trois semaines, et cela d'après Sheng qui connaissait ses cafards. Le Chinois possédait, comme preuve de son savoir, un tas de pièces de monnaies étrangères, quelques épingles de sûreté, des comprimés d'aspirine, des boutons, des brosses à dents, quelques boulettes d'opium, des pansements, et la boucle de ceinturon d'Annie avec la tête de chameau.

« Comment toi appeler ton gros animal? demanda Hai Sheng d'un air sceptique.

— Dempsey. » Sur la carapace de vernis noir de l'énorme insecte, Annie avait gravé un grand D et frotté la fine rainure d'un peu de plâtre, pour faire ressortir la lettre.

« Ha. Dim-si fini champion. »

Il s'ensuivit une longue pause. Doultry se demandait si le Chinois n'était pas devenu fou. « Quoi?

— Jackee Dim-si battu par plus jeune. »

Annie se frotta le visage, avec l'impression de sentir sous la main un vieux pneu d'automobile. « Tu veux bien répéter ?

— Jackee Dim-si, lui battu par Chin Tun-hi [1]. »

Annie devina où résidait la confusion. Gene Tunney, un Marine, s'était fait une célébrité pour s'être fait sévèrement corrigé par un Harry Greb dans ses vieux jours. Tunney était un mi-lourd. Et un bêcheur, un vrai rigolo. Ça n'était pas possible ; il avait défié Jack l'été dernier, mais le champion lui avait ri au nez. « Shengy, dit Annie d'un ton serein au Chinois, celui qui t'a raconté ça s'est payé ta tête. »

Les lèvres de Shengy s'étirèrent en arc de cercle sur sa bouille ronde, mais c'était bien plus une expression de politesse qu'un sourire. Les deux étaient présentement assis côte à côte dans les latrines, à l'arrière de la buanderie : un alignement de trois trous à la turque, qui permettait les transactions et le bavardage. « Ouais, celui qui t'a dit ça s'est vraiment foutu de toi », insista Annie.

Hai Sheng répondit que c'était par décision de l'arbitre. Chin Tun-hi était tombé à bras raccourcis sur le champion ; Dim-si avait l'air d'un vieil homme. Le match était en plein air, la pluie était tombée des nuages, et les coups de l'homme jeune s'abattaient comme la foudre. Hai Sheng avait appris cette histoire parce qu'il y avait eu d'énormes paris à Hong Kong, où les hommes jouèrent tout ce qu'ils possédaient sous le ciel et sur la terre. Hai Sheng savait garder l'oreille collée au sol.

Finalement, Annie accepta le sort de Jack de Manassa. Il n'avait jamais douté de la véracité des informations récoltées par les Chinois ; ils s'en étaient même fait une spécialité. « Ainsi va le destin de toute chair, dit-il en secouant la tête d'un air qu'assombrissaient de violents souvenirs. « C'était un spécial, Jack. Une terreur du corps, voilà ce qu'il était. Un ennemi juré du foie et des côtes, c'était là qu'il tapait. » Hai Sheng hocha la

1. Jack Dempsey perdit le titre de champion du monde des poids lourds le 23 septembre 1926. Il perdit aussi sa revanche, à Chicago, le 22 septembre 1927. *(N.d.A.)*

tête, les lèvres pincées. « D'un autre côté, on peut dire que l'homme était un droitier pur et simple, alors que le puncheur ordinaire ne déteste pas le crochet du gauche, comme moi, par exemple. »

La justice universelle décida que Dempsey le cafard remporterait la course de quinze heures quinze par quatre longueurs d'avance sur Merveilleux Oiseau d'Espoir. Il fit mieux que gagner : il s'échappa. La grande et rapide bestiole vira vers l'égout juste après la ligne d'arrivée, dédaignant le sanctuaire du petit sac qui l'attendait. Personne ne songea à l'écraser sous le pied. Écrabouiller les perdants était une chose ; les évadés en étaient une autre. Dempsey contourna comme une flèche l'homme chargé du sac, un bien joli mouvement, et disparut dans le trou. « C'était un virtuose et un exhibitionniste », déclara Annie. Il éprouvait un sentiment de perte, mais il n'en voulait à personne, encore moins à cette noble créature. Il n'y avait rien d'étonnant à ce qu'un cafard éveillât chez un homme ce que celui-ci avait de meilleur. Doultry ramassa près d'un dollar, plus deux épingles à nourrice, une petite tablette d'opium et sa boucle de ceinturon à tête de chameau. Hai Sheng n'en secoua pas moins la tête d'un air peiné pour cette perte qui embrumait la victoire. « C'est la vie, lui dit Annie. C'est vraiment ça, la vie. » Et de gratifier le Chinois d'une tape dans le dos. Il aimait bien leur taper sur l'épaule ou leur délivrer de gentils coups de poing, toujours sur l'épaule. Les Chinois détestaient ces démonstrations mais ils ne protestaient jamais, ce qui amusait Annie et l'incitait à en rajouter.

Le seul endroit où les E bavardaient avec les A était cette rigole dans la cour de promenade. Toute conversation entre Blancs et Chinois était interdite, Dieu seul savait pourquoi. Redoutait-on que s'échangent de clandestines informations ? Une contamination des cœurs et des esprits ? Ce n'était que sur le champ de course que l'interdit tombait, esprit britannique oblige : le sport était le sport. Les matons ne crachaient pas sur les paris, tout le monde aimait jouer. Ainsi la rigole séparait-elle et réunissait-elle en même temps les E, les A, et les gardiens sikhs avec leurs longues barbes entortillées. La faiblesse humaine soufflait doucement parmi les blattes, avec leurs noms gravés sur les carapaces, Démon de la Rivière, Bourgeon de Pomme et Merveilleux Oiseau d'Espoir et, avant son évasion, Dempsey, le bourreau de Manassa.

« Sheng, dit Doultry le lendemain, toi et moi nous sommes des hommes du monde. Nous aimons le sport, hein ?

— Ça être vérité.

— D'accord, alors dis-moi, pourrais-tu me faire une fleur, camarade ? Je suis prêt à te faire une offre pour Merveilleux Oiseau.

— Merveilleux Oiseau pas pour vendre. »

Un mensonge, un mensonge éhonté. Les négociations prirent trois jours. Quelque chose poussait Annie à persévérer sans qu'il en sût la raison. Il aurait pu essayer de trouver un autre crack, mais une voix dans sa tête lui soufflait qu'il avait eu de la chance et que, maintenant, cette chance avait tourné. Et puis Sheng se décida enfin à vendre, dans le secret espoir de filouter Annie. « Tiens, tu veux vendre ce salopard, maintenant ? Parce qu'il a perdu, hein ? Juste une fois ? Ça m'étonne pas, va. »

Il paya en or ; plus précisément la moitié du plombage d'une molaire, bas de laine materné en vue de jours pluvieux ou d'une telle opportunité. Le plombage, coupé en deux par la baïonnette du caporal Strachan, fut pesé par le dentiste en personne, un souriant Bengali. Quatre grains d'or d'une valeur de cinq dollars américains, ce qui faisait à l'époque dix dollars de Hong Kong : un prix jamais atteint dans les annales de la vente de blattes de course. « Moi apporter Oiseau demain, mister Annie. Dans boîte en bois de Jonkau. » Hai Sheng avait tracé sa signature sur le reçu d'Annie, en caractères d'une grande élégance.

Les « Fondus » tournaient en rond au milieu de leurs pyramides de boulets, tels les âmes dans le brouillard du purgatoire.

C'était le soir d'après la vente d'Oiseau Merveilleux, le soir précédant sa livraison, dans sa boîte en bois de Jonkau. Hai Sheng disait que cette boîte avait jadis contenu une grosse perle sertie d'émeraudes, qui avait été dérobée à T'ien-tsin de la dot de Tzu Hsi, l'impératrice Dragon, par l'un de ses illustres ancêtres. Annie était allongé sur sa paillasse dans la pénombre ; il était presque vingt heures.

Il suçotait sa boulette d'opium. Elle avait la taille d'une pastille à l'anis et à peu près sa longévité, si on la suçotait lentement, sauf qu'elle était noire et ne devait en aucun cas être avalée. Le goût était atroce, une impression de sucer des crottes de rat, ce qui renforçait le plaisir après coup. Un plaisir auquel s'ajoutait l'agrément de la solitude, car le Portugais était à l'hôpital. D'après le toubib, il souffrait d'une tuberculose bien avancée. À cette époque, il se trouvait des médecins qualifiés pour prétendre que le fouet menait à la phtisie, peut-être parce que la flagellation affaiblissait un corps déjà en ruine.

En tout cas, quel que fût le mal dont il souffrait, il pouvait s'attendre à rejoindre promptement ses aïeux. On l'appelait le Portugais, mais il était aux trois quarts de sang chinois. À Macao, d'où il venait, cela suffisait pour se dire portugais — un pur snobisme. La plupart de ces Chinois étaient venus au Christ et au pape par tutelle parentale, alors qu'une minorité plus réaliste avait la sagesse de vénérer les ancêtres. Le Portugais qui couchait au-dessus d'Annie était l'un de ceux-là. Son E, il le devait probablement à l'obligeance du gouverneur de Macao.

Du fond du cœur, Annie remercia Dempsey, le Grand D, pour cette pilule. Non seulement il avait le cœur lourd après cette abrupte séparation d'avec son champion, mais le Portugais lui manquait aussi. En plus de tout ça, on procédait en ce moment même à une flagellation. C'était bien cruel de la part des fouettards que d'en pratiquer une à cette heure, mais ils formaient une bande sans pitié. Juste au moment où vous commenciez de les trouver pas si mauvais bougres que ça, ils vous concoctaient une saloperie de ce genre : une punition à l'heure du coucher, dans le but de faire peur aux terreurs, comme disaient les Anglais.

Les flagellations fréquentes étaient pour Doultry un aspect de la vie en prison qui menaçait sa raison. Les rites de punition étaient célébrés dans une petite cour réservée à cet effet, mais la prison était petite, et on ne pouvait manquer d'entendre les cris. La canne en rotin (une neuve pour chaque flagellation) était appliquée avec force sur les fesses des Chinois et lacérait la peau au point d'y laisser des cicatrices à vie. Cet aspect de la punition était ce que les Chinois détestaient le plus. Ils pensaient également que plus l'homme criait plus le médecin conseillerait au bourreau de frapper moins fort. Bien entendu, il n'en était rien, et certains n'émettaient pas un son.

Annie, sur sa couchette, s'efforçait de penser à cela comme le ferait un Chinois, parce que c'était toujours le Chinois le fouetté. Les Chinois s'étaient toujours flagellés sans merci les uns les autres, et il n'y avait donc pas de raison de se culpabiliser ou de s'en prendre aux gardiens qui punissaient les prisonniers récalcitrants à la prison de Victoria. L'un de ces matons était un Gallois et l'autre, un cockney de Stepney, un type qu'il connaissait bien et qui, par ailleurs, était champion de fléchettes de Hong Kong. Mais où que vous tourniez votre regard, la chose était dégueulasse à voir et, surtout, à entendre. Il n'y avait pas d'heure pour ce genre de rituel — on le pratiquait à l'aube comme juste après le thé — mais pour Annie ce moment s'appelait toujours Douleur. Que Dieu nous vienne en aide en nos heures de besoin.

Annie Doultry au caporal Strachan : « Je choisis une bonne branlée, Stew, n'importe quel jour de la semaine, plutôt que le fouet. »

Caporal Strachan : « Moi aussi, j'ai jamais craché sur une bonne branlée. »

Strachan — originaire de Carlisle, sur la frontière — avait

été réformé du 52e bataillon de ligne, corps des Highlanders de l'Argyle et du Sutherland. En vérité, il était toujours simple soldat après vingt-six ans de service. Il avait été par deux fois nommé sergent et deux fois rétrogradé. À ce titre, le major Bellingham — le superintendant — lui donnait du caporal par quelque compromis respectueux avec l'histoire. Strachan avait une balle afghane dans la hanche, qui lui faisait des misères, et des médailles glanées en maints endroits dont les noms tiraient les larmes à tout Écossais, sans parler de cette saleté de Somme, où les deux tiers du fameux régiment avaient péri. Strachan n'avait qu'un problème : la boisson.

Pendre faisait partie de ses attributions depuis des années, et il appréciait la tâche pour le supplément de paie : trois livres sterling et va te faire voir. Il aimait bien aussi l'humour macabre. Et du macabre, cette prison n'en manquait pas. Tous les jours, les Européens passaient sous le gibet, aller et retour. Et cela parce que par mesure d'économie, ledit gibet n'était rien d'autre que la passerelle en béton reliant le bloc A au bloc C. Il fallait ainsi franchir ce pont pour se rendre à la cour de promenade. Il y avait au milieu du tablier une trappe carrée s'ouvrant sur l'allée en dessous, cinq bons mètres plus bas.

« Stewart, ce n'est pas une bonne chose, lui dit une fois Annie. Ils devraient faire preuve d'un peu plus de respect. Pas pour les salopards qu'ils pendent mais pour ceux qui s'en chargent. » Quand il s'adressait à Strachan, il parlait toujours une espèce d'écossais bâtard. Annie était incapable de garder sa langue ; elle parlait pour lui. « C'est ma langue qui parle au nom de ce qui me reste dans le cœur », dit-il au caporal en lui dévoilant l'organe coupable. Sa langue avait une forme tubéreuse, d'un gris poussière mais joliment rose en dessous, avec une pointe en spatule qui formait un délicat instrument, aussi mignon que celle d'une fillette. « La peine capitale, ils appellent ça. Ils auraient dû dresser un vrai gibet. Ce trou dans le plancher ressemble à une chiotte. On s'attend à ce qu'il en tombe des étrons, pas des pendus. » La comparaison fit se tordre de rire Strachan.

La moitié de ceux qui faisaient le dernier saut en 1927 étaient des pirates de métier. Le délit de piraterie était puni de mort, et sans considération des circonstances. Un pirate pris en flagrant délit de préparation ou d'association d'une manière ou d'une autre à une entreprise de piraterie était pendu, et sans discussion. Ils le méritaient car c'était une espèce barbare et bien trop nombreuse en mer de Chine.

À cinq heures un quart, alors que le soleil devait déjà être levé à Singapour, Annie fut tiré du sommeil par un rêve dans lequel nous n'entrerons pas. À Hong Kong, seule une trompeuse lumière jaunâtre léchait le gris plafond de nuages audessus de la prison. Annie se réveilla parce qu'il s'était préparé à le faire. C'était encore là un de ces tours, une des ingéniosités dont cet homme malchanceux était prodigue. Il se cognait la tête contre le mur, avec force, à chaque heure du matin, et avec plus de douceur à chaque quart d'heure. C'était finement calculé. La pendaison l'aurait de toute façon réveillé mais trop tard, et il aurait raté le spectacle.

L'événement tenait de la routine tout comme la flagellation, mais il était moins fréquent, et ils étaient nombreux parmi les E à se lever mâtines pour y assister. Et cela leur était d'autant plus facile que le pont des Soupirs se tenait juste en dessous des fenêtres de leur section, offrant même une vue plongeante à qui se hissait sur son seau à merde. En ouverture, il y avait le martèlement des pieds bottés, un son caverneux et lugubre ébranlant le tablier de ciment et résonnant comme les tambours de la mort dans un égout. Le doux croassement de M. Hugh Llewellyn, le gardien-chef, donnant ses ordres, flottait dans la brume, suivi par les indications de Strachan concernant la personne du Chinois, qui respirait ses dernières bouffées d'air humide. « Environ neuf pierres et demie [1], monsieur. Je lui laisserai vingt bons centimètres au-dessus de son p'tit cou. »

Annie poussa son bidon jusque sous la fenêtre. Il lui fallait bien de la foi pour confier son poids au couvercle de la chose,

1. Unité de poids valant quatorze livres, soit un peu plus de six kilos. *(N.d.T.)*

car il devait faire maintenant dans les cent kilos en dépit de tout le poids que lui avait fait perdre l'infâme et trop maigre pitance des geôles de Sa Majesté. À travers les barreaux, Annie leva les yeux vers le ciel fumeux. La phosphorescence putride du grand nuage lui donnait une consistance presque terreuse, comme s'il avait été victime de son excès d'humidité. En dessous, on voyait très bien la demeure cossue du gouverneur, son grand drapeau pendouillant si bas sous cette haleine mouillée qu'il semblait en berne. En berne pour l'âme de Li Weng-chi.

Li Weng-chi avait un visage asymétrique. Il avait dû recevoir un formidable coup quand il était petit. La rage qui animait ses traits les rendait inoubliables. Et la rage n'était pas propre aux condamnés dans cette prison, bien qu'il fût absurde de prétendre que les Chinois acceptaient la mort avec bien plus de sérénité que les Blancs. Ç'aurait plutôt été le contraire ; Annie Doultry avait des raisons de penser que les Asiatiques avaient une horreur de la mort et de son cortège d'abominations bien plus forte que les papistes et les musulmans réunis.

Li Weng-chi, ramené de l'île de Lantau après avoir été capturé par les hommes de la canonnière *Thames Ditton*, n'avait pas passé plus d'une semaine au mitard avant son procès. Doultry ne l'avait encore jamais vu. L'homme était ligoté entre deux gardes panjabi, aux turbans bien serrés pour la revue de détail du matin, leurs pantalons repassés et leurs pensées toutes au petit déjeuner qui les attendait. Strachan avait les mains dans un sac noir poussiéreux, prévu pour des patates irlandaises mais qui servirait de cagoule pour l'occasion. Li Weng-chi gratifia le sac d'un puissant crachat de glaire lumineux qui s'écrasa sur la trappe devant lui. Et il se mit à parler, à moins que ce ne fût un chant, une mélopée dans une langue qui n'était pas du cantonais mais un dialecte chung chia qu'on parlait dans les contrées sauvages du Sud. Le chapelain, le révérend Edwin Trevor, de l'Église d'Angleterre, ignora superbement cette litanie païenne et recommanda l'âme de Li Weng-chi au dieu des juifs.

Annie détourna son regard de Trevor, offusqué qu'il était par l'absence de tolérance du bonhomme, avec son col blanc crasseux qui faisait d'autant plus honte à sa foi qu'à côté de lui se tenaient bien droits dans leurs tenues impeccables les gardes indiens, hommes tenus pour inférieurs par les petits Blancs de son espèce. Annie était fasciné par la rage étincelant dans les yeux de Li Weng-chi. De nombreux Chinois arboraient des expressions souvent effrayantes. De l'avis d'Annie, la disposition des yeux nichés dans ces paupières fendues, bien protégés par l'os temporal, suggérait la primauté de l'instinct de survie et, par voie de conséquence, la violence. Les boxeurs avaient des yeux semblables après une cinquantaine de combats, mais les Chinois, eux, étaient nés avec. Pendant qu'il l'observait, cette pensée, associée à d'autres tout aussi pessimistes, retentit jusque dans ses entrailles. Son estomac se contracta en d'infinis et douloureux replis, car lui non plus n'avait pas pris son petit déjeuner. Oui, les mouvements de ces perles noires dans leur solide écrin osseux le dérangeaient. Doultry professait que les Chinois pouvaient fixer l'ardeur du soleil comme aucun homme blanc ne le pourrait jamais. Cette opinion était peut-être fausse, et la science se ferait un plaisir de la démolir, mais la supériorité de la vision du Chinois en mer, équivalente à l'endurance des Écossais dans la salle des machines, n'était pas une chose que ces respectables hommes de science avaient envie de quantifier. Eh bien, n'était-ce pas là une raison de douter de ces gens de science ? La science, Annie la respectait, mais il se sentait blessé quand elle se laissait aller à ses leçons de morale pusillanimes, qui étaient plus dégueulasses encore que celles de la religion.

Et comme il poursuivait son observation, hissé sur son seau à merde, il vit que Li Weng-chi ne priait plus ; il accusait à présent, et il le faisait dans un cantonais parfaitement articulé.

Li Weng-chi se tenait déjà sur la trappe, avec autour du cou le nœud coulant que Strachan ajustait d'une main experte. Li Weng-chi s'adressait au Dr Cathcart, médecin militaire de la colonie. Cathcart vivait à Hong Kong depuis vingt ans et parlait couramment le cantonais. Il écoutait attentivement. Le gardien-chef Llewellyn commençait à s'irriter de tout ce charabia. « Poursuivons, docteur. À moins que le condamné ait un malaise. » Un homme appelé à être pendu devait l'être en état de bonne santé.

« Il désire faire une déclaration, M. Llewellyn. Et il tient à ce qu'elle soit portée par écrit.

— Finissons-en, docteur. Ce n'est plus le moment pour lui de faire une déclaration.

— Je crois comprendre qu'il s'agit d'une dénonciation.

— Ce rigolo cherche à gagner du temps, Doc, intervient Strachan. Allez, qu'on en termine.

— Comme vous voudrez, M. Llewellyn, dit le Dr Cathcart, mais l'homme prétend qu'il y a ici même en prison un pirate important, et qu'il a décidé de le dénoncer. »

Annie suivait les événements comme s'il s'était agi d'un film. Il suçotait ses dents avec un bruit de salive, signe chez lui d'une vive impression. Sur le pont des Soupirs, M. Llewellyn sortit sa montre et consulta l'heure. « Je suppose que le prisonnier a demandé à ce qu'on sursoit à son exécution.

— Non, M. Llewellyn. Il ne réclame rien de la sorte. »

Dans ces conditions, le gardien-chef accepta de recueillir par écrit la déclaration demandée. Le Dr Cathcart sortit stylo et bloc-notes. Dans la lueur croissante d'une journée grise, le docteur tendit l'oreille aux phrases bien formulées de Li Weng-chi. De temps à autre, le scribe se faisait répéter un mot. Le pirate développait, le docteur hochait la tête, absorbé par ce défi linguistique. Il tourna enfin la tête vers le gardien-chef, qui se mouchait le nez avec de grands gestes impatients. « Voilà ce qu'il a déclaré, monsieur. » Il se racla la gorge et entreprit de lire à haute voix et non sans fierté à l'égard de ses propres capacités.

« Si les loups de la mer doivent mourir... — non, pardonnez-moi, "être détruits" plus exactement — être détruits par la syphilis de ces chiens d'étrangers, ces chiens de la rue, alors celui qui se fait appeler Hai Sheng doit périr du supplice des cent morceaux. Parce qu'il est le chef de soixante pirates — un lieutenant, je présume, avança le docteur — qui sous la bannière de Montagne de Richesse ont trahi les hommes de la rivière de l'Ouest — je suppose, intervint encore le docteur qu'il fait allusion au gang de la rivière de l'Ouest, ne pensez-vous pas, M. Llewellyn ? Puissent ses couilles pourrir. Puissent les vers rouges grouiller dans les entrailles de ses fils — voilà une phrase bien tournée, ne trouvez pas, monsieur ? ajouta le docteur en corrigeant un mot.

— Caporal Strachan, dit le gardien-chef. Vous apposerez votre signature à titre de témoin. »

Ce que fit Strachan.

Le pirate Li Weng-chi souriait, une chose qui ne devait pas lui arriver souvent, car ses traits n'avaient ni la configuration ni le talent pour cela. Bref, c'était un sourire à l'arraché, mais la lumière permettait maintenant à Annie de bien voir cette grimace, pendant que Strachan faisait glisser le nœud coulant derrière l'oreille gauche. Puis le vieux soldat écossais éthylique dégagea la cale de la trappe d'un coup de pied, et les lois de la pesanteur firent le reste.

Cinq minutes plus tard, debout sur un escabeau que maintenait Strachan, le Dr Cathcart prenait le pouls du pendu qui se balançait doucement dans l'allée. Le cou de Li Weng-chi était exagérément allongé et ses pieds nus dégoulinaient d'excréments, mais son expression n'avait pas changé. Pis, le pouls battait encore. Mais cela n'avait rien d'extraordinaire. Dans quelques minutes, il ne serait plus de ce monde.

Le soleil se levait à l'horizon, clair comme un gong de cuivre. Pour la première fois depuis novembre, sa lumière pénétrait la prison. Un rai perça sans façon l'allée (alignée d'est en ouest) et embauma le sourire de Li Weng-chi au bénéfice des quelques témoins privilégiés qui en garderaient le souvenir. Puis la lumière se retira dans la perpétuelle nuée noire, et emporta avec elle les dernières résistances du couvercle du seau sur lequel Annie était juché, avec pour conséquence que son pied s'enfonça dans deux bonnes chopes de pisse tiède, ce qui était fort heureusement tout ce que contenait le seau à cette heure matinale.

Ce fut avec un pied pisseux et un ventre vide qu'Annie songea qu'il tenait une chance d'intervenir, une chance de jouer un rôle. Pourquoi ? Pourquoi un homme fort de cinquante années de survie se porterait-il volontaire ? Était-ce au nom de la vérité ou bien Annie Doultry reniflait-il Dieu sait quelle chance ?

« Votre Honneur, dit Annie au superintendant, Hai Sheng n'est pas un pirate. Je frissonne à cette seule idée. » Et d'agiter son ample carcasse. Cet entretien se tenait dans le bureau du superintendant, qui bénéficiait d'une vue encore plus restreinte que celle qu'Annie avait de sa cellule. Le major Anthony Bellingham (à la retraite) était assis derrière son bureau, les ventilateurs soufflant bruyamment sur les murs humides. Le prisonnier n° 43141/E, Anatole Doultry, était au garde-à-vous devant lui. Le Dr Cathcart occupait l'autre chaise d'un air absent. Il y avait un planton à la porte, et il pissait dru dehors.

« Doultry, veuillez avoir l'obligeance de ne pas m'appeler Votre Honneur. Monsieur suffira.

— Monsieur, Hai Sheng a été cuisinier à bord de mon bateau, *Fortune-de-mer*, un schooner, monsieur, un schooner de commerce jaugeant quatre-vingt-dix tonneaux. Un bien beau bateau, vous sauriez apprécier son élégance, monsieur. Cet homme a été mon cuisinier de mai à janvier dernier. L'art culinaire lui était passablement étranger, mais il gérait parfaitement les provisions de bord, et puis l'équipage ne s'est jamais plaint de sa tambouille. Ajoutez à cela qu'il était bon marin. C'est moi, monsieur, qui ai dû lui apprendre à faire du bon porridge. »

Annie avait non seulement l'accent écossais, celui de ces bavards au parler lent de la vallée de la Clyde, mais il avait pommadé sa moustache à la cire de bougie, de telle manière que ses bacchantes pointaient de chaque côté de sa bouche telles deux épées aux pointes jaunies. Il se tenait bien droit, en appui sur une jambe, l'autre relâchée, tel le cornemuseur d'un régiment, et les mains gentiment jointes sous le ceinturon, comme si elles soutenaient l'escarcelle en cuir noir.

« Votre cuisinier, hein ? Un cuisinier drôlement violent, dites-moi, souligna le major Bellingham.

— Violent ? Ma foi, monsieur, je ne dirais pas qu'il le soit particulièrement. Il a son caractère, que voulez-vous. Si, par exemple, vous critiquez ses nouilles, si vous lui dites qu'elles sont toutes entortillées comme un vieux caleçon et qu'elles baignent dans une sauce qui colle aux dents, Shengy vous courra après avec son hachoir. La moindre remarque vous met réellement en danger, je le reconnais. Et d'ailleurs, monsieur, vous pourriez à n'importe quelle heure du jour l'arrêter pour tentative de meurtre. »

Sur ce, Annie se permit un gloussement, destiné à chasser l'ennui qu'il avait l'impression de distiller. « Et quand il ne peut pas vous avoir avec son hachoir, il vous liquide avec sa soupe au serpent de mer. Mais soyons sérieux, monsieur. » Annie jeta un regard à son auditoire. « Est-ce qu'un cuisinier violent fait un pirate des mers ? Pour autant que je m'en souvienne, c'était fin janvier que Shengy s'est fait agresser dans la maison de Mme Trentham-Smith par un matelot du *Suffolk*, dont le nom m'échappe. C'était la première fois que mon Hai — je l'appelle mon Hai — s'est fichu dans les ennuis. Je n'ai pas une tendresse particulière pour les Jaunes, monsieur, comme tout le monde ici le sait bien, mais un homme ne peut pas rester muet quand il voit la justice bafouée par les accusations mensongères d'un suceur de bites gibier de potence.

— Surveillez votre langage, Doultry.

— Je vous prie de m'excuser, monsieur. Je me suis laissé emporter. Comme je vous le disais, Shengy est un brave cuisinier.

— Doultry, je crois comprendre que vous êtes américain, mais vous n'en avez pas l'air, du moins pas si je me fie à mes oreilles. »

Annie poussa un profond soupir et secoua la tête, comme si cela lui était bien difficile d'aborder un sujet aussi douloureux. « Monsieur, je suis né britannique. À Édimbourg. Je me suis engagé dans la Royale à l'âge de quinze ans, j'ai servi dans l'Atlantique Nord pendant la Grande Guerre. Le *Derry Castle*, un dragueur de mines, monsieur. Qui fut torpillé sous moi et vingt-six autres qui survécurent. Je pourrais continuer, monsieur. J'ai encore mon certificat de réforme et mes décorations. »

Il se fit un silence. Le major Bellingham avait une façon bien à lui de hausser ses sourcils couleur paille jusqu'en haut de son front tavelé. Sa tête penchée en arrière renforçait cette formidable expression de scepticisme, qu'accompagnait un froncement du nez, tandis que ses bajoues pendaient au-dessus du col de l'impeccable chemise kaki. Ajoutons au portrait que l'homme était chauve comme une fève. Il regardait Doultry d'un air narquois, le sourcil haut. *Une telle gymnastique faciale serait impossible sur un visage aussi banal que le tien*, songea Annie dont le bout de la langue brûlait déjà d'un nouveau mensonge.

« Votre passeport est américain, n'est-ce pas ?

— Oui, ma famille s'est établie à Seattle, monsieur. J'ai de bons souvenirs de cette belle ville. Pardonnez mes gros mots de tout à l'heure, monsieur, mais je suis sincèrement étonné que les divagations d'un condamné — de toute évidence une vieille querelle personnelle — puissent porter préjudice à mon cuisinier. Maintenant, comme mon Hai me l'a fait comprendre, Li Trucmuche a pété les plombs dans une gargote qui fait à la fois maison de thé et de passe, et le bonhomme a fait un tel raffut qu'il s'est fait foutre dehors — et par l'oreille encore — par mon fidèle Hai, qui travaillait là à mi-temps, pendant que mon navire se faisait refaire une beauté dans le bassin de radoub n° 2 à Whampoa. Mon Sheng s'est senti obligé de courir après ce pirate de Li... avec son hachoir. » Il marqua une pause. « Shengy est un costaud, monsieur. Il s'est attiré des ennuis dans une maison à la mauvaise réputation, ce qui peut arriver à n'importe qui. À la vérité, je lui manquais. Il a agi sous l'empire de l'inconscient. Disons que la lame est sortie à son insu de son manche et... »

Le major Bellingham leva la main. « Arrêtez vos sornettes, Doultry ! » Il pointa son index sur le dossier du détenu Hai Sheng qu'il avait ouvert devant lui. « Coups et blessures et agression à l'arme blanche ! Bon sang, il a arraché l'œil de cet homme avec le couvercle d'une boîte de sardines ! Je me souviens très bien de l'affaire.

— C'est comme je disais, monsieur, c'est un gars solide. Mais ce n'est pas un pirate. Ça, monsieur, c'est que de la médisance et du mensonge. »

Le Dr Cathcart leva la main, comme le faisaient les écoliers, dans le temps. « Oui, David ? demanda le major.

« Je pense personnellement, Anthony, que le condamné disait la vérité. »

Ce godemiché doit avoir le sentiment d'être lui-même l'auteur de ces déclarations, tant il est fier de sa traduction, pensa Annie.

« Qui ou qu'est-ce, cette Montagne de Richesse, David ?

— Je ne sais vraiment pas. Je suppose que c'est le surnom d'un chef de gang. Il a utilisé le mot *Tao-shou*, qui est un vocable très ancien, et il signifie, si ma mémoire est bonne, chef de guerre ou commandant.

— David, vous auriez dû interroger cet homme à ce sujet. Montagne de Richesse, cela fait un peu trop mélo. » Le Dr Cathcart alluma un cigare bon marché d'un geste qui trahissait son agacement.

« Que voulez-vous, Llewellyn avait hâte d'en finir. Il ne voulait pas que ça traîne. Il n'arrêtait pas de me dire, allez, allez, finissez ! Bon Dieu ! » Le docteur expira un jet de fumée.

Doultry soupira de conserve mais beaucoup plus fort.

On entendit un bruit de pas dans l'entrée. Un garde se présenta. « Le n° 294 991 est ici, monsieur. » Hai Sheng fut poussé à l'intérieur et s'immobilisa devant le major.

« Mon brave homme, on prétend que vous êtes un pirate.

— Moi, pas pi'ate. Moi, cuistot. »

Annie lui avait passé le mot. Il n'était pas difficile de transmettre des messages dans les geôles de Victoria, si vous connaissiez les ficelles et ce qu'on attache avec. Le plus difficile était d'expliquer pourquoi : quelle raïson avait Annie de sauver la peau d'un Chinois rencontré dans le très petit monde des courses de blattes ? Nourrissait-il quelque perverse inclination pour les pirates chinois, une aimable disposition à l'égard de ces sanguinaires loups des mers ? Certainement pas. Doultry était un marin, et les pirates étaient ses ennemis naturels. Ce devait être quelque obscure intuition qui le motivait, à moins que ce ne fût l'ennui ou enfin un pari comme un autre.

Au cours de la seule année passée — entre le 18 décembre 1925, quand le *Tung Chou* fut abordé puis capturé et, le 27 janvier 1927, quand le *Seang Be*, de la Ho Hong Company, jaugeant 3 784 tonneaux, fut piraté sur la route de Singapour à Hong Kong, quatorze navires à vapeur avaient fait l'objet des attaques des pirates, sans parler des innombrables jonques. Chaque année, depuis la fin de la Grande Guerre, le nombre de navires piratés s'était considérablement accru. Ce qui était un fléau était devenu une plaie dévorante. Les pertes étaient nombreuses. En 1924, toutes les compagnies côtières se dotèrent de moyens de défense et embauchèrent des gardes armés recrutés dans le privé ou dans la police de Hong Kong en vertu d'une ordonnance intitulée « Prévention et piraterie ». Un an plus tard, notamment après la prise du *Hong Wha*, dont le port d'attache était Singapour, ces précautions furent étendues aux navires desservant l'Indochine, la Malaisie et les Philippines.

Le *Sunning* était un cas intéressant. Il ne transportait qu'une centaine de passagers, dont deux Européens en première classe. Le bateau quitta Shanghai le 12 novembre 1926, fit escale à Amoy, où il embarqua d'autres passagers, et reprit sa route le 15. Sept heures plus tard, il était abordé par vingt-cinq hommes, dont l'un était armé d'une mitraillette Thompson. L'assaut fut donné en pleine relève de la garde à quatre heures du matin. Les pirates s'empressèrent de détruire la radio. Il y eut des échanges de coups de feu, mais on ne compta qu'un seul blessé parmi les gardes. Les pirates croyaient que le *Sunning* transportait un demi-million de livres en espèces, mais celles-ci se trouvaient sur un autre bateau. Il y avait cependant à bord une riche cargaison de soie, sans parler de tous ces passagers à rançonner et le coffre du navire à vider.

L'histoire fit grand bruit, parce que le mécanicien en second, William Orr, et le bosco, Andrew Duncan, refusèrent de se rendre à la fatalité. Le premier s'empara d'un plomb de sonde avec lequel il assomma l'un des pirates, qu'il délesta de son arme, tandis que de son côté Duncan courait à sa cabine où il avait caché deux revolvers.

Ils tuèrent deux autres pirates et reprirent possession de la passerelle de commandement, libérant le premier officier, Beatty, et son second, Hurst. Pendant des heures, les hommes repoussèrent les attaques d'une vingtaine de pirates endurcis qui s'efforçaient d'avancer en poussant devant eux le chef des machines George Cormach et deux garçons de cabine chinois. Cormach fut blessé par balles aux deux bras ; cinq passagers chinois furent tués ou blessés.

Puis, à trois heures de l'après-midi, les pirates mirent le feu au bateau, dans l'entrepont, afin d'enfumer les défenseurs. Les assaillants tenaient toujours la salle des machines mais ne pouvaient plus gouverner le navire. Une tempête se leva, le vent attisa le feu, étendant l'incendie, et les pirates décidèrent d'abandonner le bateau. Ils tuèrent le télégraphiste anglais qui leur avait servi d'interprète et s'enfuirent dans deux canots de sauvetage, laissant derrière eux quatre morts et cinq blessés.

Le feu faisait rage à bord du *Sunning*, ses moteurs étaient immobilisés mais ses officiers parvinrent à descendre à la mer un canot en partie brûlé sous le commandement du second officier, Hurst ; après neuf heures sur une mer en furie, un navire marchand norvégien les secourut et appela par radio Hong Kong. Plusieurs vedettes armées furent dépêchées sur les lieux. L'une d'elles, la *Bluebell*, repéra les embarcations des pirates et captura sept d'entre eux. Plusieurs préférèrent la noyade à la corde qui les attendait.

Le *Sunning* fut rejoint par le *Ya Kid* qui le remorqua. Le navire n'était qu'une ruine fumante, mais il atteignit tout de même Hong Kong. Le total des victimes se montait à treize : cinq Chinois appartenant à l'équipage étaient portés disparus, et il était probable que, complices des pirates, ils aient fui avec eux. Un grand dîner fut donné en l'honneur des héros ; Bill Hurst et George Cormach furent décorés de l'ordre de l'Empire britannique.

Li Weng-chi ne comptait pas parmi les sept pirates capturés, qui furent tous jugés et pendus avant Noël. Mais il fut dénoncé par l'un de ces hommes condamnés, assouvissant sans doute quelque vieille rancune. Li Weng-chi était un bandit bien connu, et la police se saisit de lui sur l'île de Lantau, le 1er janvier de l'an chrétien.

Annie était bien sûr en prison quand cela s'était passé. Mais il avait beaucoup navigué dans ces eaux depuis le printemps 1925, surtout aux abords des Philippines, se livrant au trafic d'armes. C'était là-bas qu'il avait des contacts et où un modeste opérateur avec un petit bateau pouvait se faire un peu d'argent en dessous de la ligne de flottaison et, pourquoi pas, au-dessus. C'était ce même besoin d'argent qui l'avait conduit entre quatre murs. L'argent, d'ailleurs, était ce qui l'avait poussé à faire ce très long voyage depuis les îles de San Juan, dans l'État de Washington, qui avait été un peu sa terre natale pendant près de seize ans. Évidemment, il connaissait cette peste, la piraterie. Il avait même une vieille connaissance, le capitaine Hans Eriksen, qui s'était fait blesser par balle quand son *Sandviken* s'était fait aborder l'été dernier, un mois seulement après la chute personnelle d'Annie. Eriksen avait manqué perdre son bras droit dans l'affaire, et Annie avait maudit ces fumiers, comme le faisaient tous les hommes de mer, quels que soient leurs propres péchés.

N'y avait-il donc pas lieu de s'étonner qu'Annie risquât son cou épais pour sauver la peau d'un pirate présumé du nom de Hai Sheng ? Inventer cette saga de cuisinier imaginaire, sans parler de sa carrière dans la Royale sur un dragueur de mines pour une raison aussi perverse ? Un tel comportement avait de quoi surprendre.

Il se pouvait tout simplement qu'il eût de la sympathie pour ce Chinois. Mais jamais Annie, pas même la main sous le couperet, ne l'aurait admis. Si vous lui aviez épinglé les jambes contre un mur avec le pare-chocs d'un tracteur à vapeur, il se serait contenté de dire que tout ça n'était qu'une bonne blague. Alors, pourquoi ne l'aurait-on pas cru sur parole ?

Annie n'avait nullement honte de sa perversité, qui était immense et vaine. Les maigres récompenses qu'il tirait d'un art ou d'un vice mineur lui suffisaient. Le mensonge était un violon sur lequel il jouait tel un Paganini de bazar. Il mentait pour le plaisir et avec autant de dévotion qu'un croyant en mettait à prier son Dieu.

Mais assez de spéculations : qui pourrait dire quels ressorts entraînent les rouages d'un esprit tel que celui d'Annie, passé maître dans l'art de faire un pas en avant, deux en arrière et trois de côté ? Et revenons dans le bureau du superintendant, tandis que dehors tombe une pluie rageuse, et qu'à l'intérieur l'atmosphère s'embrume de la fumée de cigare du Dr Cathcart.

Cathcart, justement, sentait bien que le superintendant ne pesait ni le vrai ni le faux, pas même le peut-être que oui et le peut-être que non. Le major ne voyait guère de raison de se donner du mal. Il y avait de bien meilleurs endroits où passer la matinée que ce foutu bureau cloisonné dans cette prison sinistre, des endroits comme le Bowling Green Club, par exemple. Sous le nez de Bellingham, il y avait cet E encré sur la tenue froissée de Doultry et aussi sur son visage buriné qui gardait toutefois cette teinte rosée propre aux Blancs. Bien qu'Annie fût un pécheur et un criminel, Li Weng-chi, le pirate de Bias Bay, était une créature d'une caste bien inférieure, dont le cadavre couleur de lard était en route vers l'université de médecine pour y endurer un destin qui inspirait une bien plus grande terreur aux Chinois que la pendaison... une crainte toute pragmatique, car un corps démembré, éviscéré, partait avec un énorme handicap dans la course à la réincarnation. Quant à Hai Sheng, qui était sur la sellette, il entendit le gardien-chef dire de lui qu'il était un gars sans histoire qui travaillait dur à l'atelier de reliure. Hai Sheng, debout là avec son front lisse un rien perlé de sueur, sa fossette au menton et ses yeux bridés remplis d'étonnement, n'avait décidément rien d'un pirate.

« Oublions les présomptions », dit avec un soupir résigné le superintendant.

2

Annie remis en liberté

De l'opinion personnelle du superintendant, Annie Doultry était un brin déséquilibré. Une fois clos ce qu'il tenait pour un « imbroglio insensé », il s'entretint, un rien moqueur, avec le Dr Cathcart de Doultry, le temps que son boy mette une dernière retouche à ses bottines avant de se rendre au Green Club de Kowloon.

Sans doute Doultry était-il un personnage grotesque, même ici, même à l'aune de cette prison. Contraint et forcé entre quatre murs, il s'était armé de tout son être contre la bassesse des lieux, car la vilenie ne manquait pas ici. On le moqua pour ça. Et cependant, il n'avait pas l'air de s'en apercevoir. Le major Bellingham lui-même mêlait volontiers sa voix aux railleries dont Doultry était la cible. Le superintendant était un homme cordial mais incontestablement retors. Le Dr Cathcart, équipé d'une intelligence plus fouineuse, ne croyait pas un mot de tout ce que racontait Doultry. Il ne faisait pas du tout confiance à cet homme soupe au lait, d'une nature exubérante et aux feintes intonations écossaises. Il ne voyait nulle fantaisie dans les diverses et variées versions que Doultry vous servait de son passé, et qui dépendaient du jour où vous lui posiez la question. David Cathcart était toujours profondément mal à l'aise en présence de Doultry. Il lisait les indices de la formidable colère de cet homme tandis qu'il le regardait s'éloigner d'un pas léger et nonchalant, le long de l'allée menant des bureaux à la cellule de son bloc : cette rage hibernant dans sa grande carcasse comme un ours dément dans le creux d'un gros arbre. Le plus grand des gardiens, un ancien peaussier de Peshawar, allait derrière lui, et c'était comme si cet homme n'avait pas eu de substance pour Doultry. Soudain, ils rencontrèrent le dentiste, le Bengali, en route vers son cabinet, et Cathcart (qui observait toujours depuis la fenêtre du bureau), vit Doultry tapoter l'épaule de l'homme en lui faisant un clin d'œil et lâcher une vanne, probablement sur le déclin de l'Angleterre.

Dans l'armurerie — une petite pièce nue —, de solides rangées de fusils Lee Enfield formaient autant de sentinelles autour des deux hommes. « Il est temps de se faire une petite goutte », dit Strachan. Et de sortir de sa grande poche une bouteille bleue, Lait de magnésie du Dr Phillips, dont il versa une rasade dans la tasse d'Annie. « Où est-ce que tu comptes aller, alors ?

— Je vais retourner sur mon bateau », répondit Annie.

Sirotant le Johnnie Walker, il balaya du regard la une du *Hong Kong Weekly Press and China Overland Trade Report*, un journal qui était aussi pesant que son titre était long. Les nouvelles de la guerre en Chine étaient aussi incohérentes que d'habitude, mais l'Armée nationale de la révolution, l'armée du Guomindang, commandée par le généralissime Chang Kaï-chek, était donnée vainqueur. Les quartiers du généralissime avaient été dressés tout à côté, à Canton, l'immense cité du Sud (célèbre pour la multiplicité de ses marchands, pour sa cuisine, et pour sa corruption), une ville dont Hong Kong n'avait jamais été que le parasite. Mais ces derniers mois, l'illustre commandant du Sud avait avancé vers le nord, remportant de nombreuses batailles, à la fois réelles et forgées de toutes pièces. Le maréchal Wu Pei-fu avait reculé.

Changsha tomba. Le maréchal Wu Pei-fu battit en retraite. Le généralissime s'empara de Wuhan, la ville des Trois Cités, qui se situe à la croisée des routes de l'immense pays, là où la principale voie ferrée nord-sud traverse le fleuve Yang-tseu-kiang. Ici, au grand dam des nationalistes, leurs alliés du Parti communiste de Chine fondèrent leur propre gouvernement. Chang Kaï-chek ne leur pardonnerait pas cette effronterie, encore qu'à l'époque il ne pouvait que les en féliciter tout haut en les maudissant tout bas. (Histoire de passer ses nerfs, il fit bombarder un destroyer britannique dans les eaux du Yang-tseu-kiang.)

Les rouges étaient-ils bons à prendre ou à jeter ? (Cela du point de vue d'un homme d'affaires avisé, prudent à l'égard de ses contacts et doté d'un nez ouvert à tous les effluves de l'avenir.)

Et que faisait le maréchal Sun Chuan-fang, son client number one ?

Les armées du Nord aux ordres de maréchaux aussi différents que singuliers, et dont le chef désigné était Chang Tso-lin, connurent bien des malheurs en 1927. Le maréchal Chang avait baptisé son armée du joli nom de Ankouchun, qui signifiait : « La grande armée de la pacification du pays ». Son quartier général était à Pékin, capitale de la république fragmentée. La tradition, dernière chose à tenir encore debout dans ces régions, voulait que quiconque parvenait à trôner à Pékin représentait le gouvernement de la Chine.

À l'orée de chaque ville, dans les antichambres de leurs wagons privés, les maréchaux nouaient des alliances pendant que des tranchées étaient creusées et que l'artillerie canonnait à tout-va. On échangeait, on marchandait, on trahissait de vieux compères, on se répartissait les droits de pillage de la prochaine ville enlevée, on achetait ou vendait des bataillons d'hommes que cette guerre sans fin avait rendus féroces. C'était un dessin animé, une caricature de la Chine dans toute sa perfidie : un puits puant de vénalité et de corruption, les corps des fantassins devenus fous et ces paysans désespérés qui se rassemblaient dans ces plaines battues par les vents, noyés dans des canaux gris, la gangrène faisant amok dans les infirmeries de campagne. Il avait fallu deux ans à l'empire du Dragon pour tomber en morceaux. Et ces morceaux étaient là, des restes pulvérisés par la similitude même des choses, mais servant encore à épaissir chaque page du *Hong Kong Weekly*, épais et lourd d'encre sur les genoux d'Annie Doultry, qui s'essayait à deviner l'avenir.

« Alors, le généralissime a fait un pas de trop. »

Strachan astiquait le chargeur du fusil-mitrailleur Maxim, qui était la fierté de la maison, une arme construire pour faucher des hordes. « Qu'est-ce qu'il a encore fait, le généralissime, Annie ?

— Il a annoncé que les rouges sont des traîtres, Stewart. Qu'ils sont des traîtres à la nouvelle nation chinoise. Il a foutu à la porte son pote Chou En-lai, à qui il aurait dit : " Va te faire mettre par ton pote Staline. " »

Annie ne partageait pas la haine de Strachan pour les rouges. Il n'avait pas encore décidé de prendre position à leur sujet. De toute façon, les étiquettes le troublaient toujours. « À mon avis, Stew, les cocos sont arrivés au terminus. Leur émissaire, M. Borodin, a tout foiré à son retour en Russie. Quelle trahison ! Ces Ruskofs doivent manger leurs chapeaux. »

Le foyer de la pipe de Strachan luisait de satisfaction. Il n'était pas très fort pour la lecture et, pour lui, c'étaient là des nouvelles fraîches. « Y a jamais eu une armée chinoise avec des godasses aux pieds avant le généralissime. Pas un seul de chaussé ! Mais est-ce que ces pompes ont fait de ces bolchos des gens loyaux, Annie ? Jamais de la vie ! Pour ces Chinois, les bottes te vaudront seulement la trahison. La trahison est cousue à cette terre comme les pissenlits le sont dans not' bon vieux Dumfriesshire, souviens-t'en bien, Annie. »

Strachan arrivait à la fin de sa bouteille de lait de magnésie.

« Je pense que les rouges sont cuits, Stew. Ils n'ont aucun avenir en Chine. »

Et puis naturellement, il y avait le maréchal Sun Chuan-fang, le client préféré d'Annie.

S'il y eut jamais seigneur de la guerre ne faisant allégeance qu'à la guerre elle-même, ce fut bien le maréchal Sun. Il avait une armée inconstante qui pouvait varier de cinquante mille à deux cent mille hommes, cela dépendait du vent et des marées. En 1925, il avait occupé et systématiquement pillé la ville de Shanghai. Des fenêtres de leurs concessions, les étrangers l'avaient vu faire, abasourdis par sa tortueuse iniquité. Théoriquement, il était l'allié du maréchal Chang Tso-lin et de l'armée de la pacification, mais le maréchal Sun voyageait seul dans un train privé, bondé de concubines, et à ses yeux seul l'or était digne de loyauté. Il était fort de deux cent mille fusils, tous mercenaires. C'était également un grand tacticien, le meilleur général de toute l'Asie. Les consortiums de Shanghai et les banquiers de Hong Kong lui auraient fait des ponts d'or pour qu'il protégeât leurs intérêts, en d'autres termes : combattre les rouges. Le maréchal Sun avait fait son beurre de sa réputation de casseur de rouges. Ses maîtresses s'étaient multipliées ; il avait entrepris de se doter d'une force aérienne privée. Les avions — ces excellents aéronefs français des frères Caudron — s'écrasèrent, mais les femmes ne connurent pas ce sort-là.

Les troupes du maréchal Sun étaient régulièrement payées, généreusement d'ailleurs — le chef pouvait se le permettre —, et son armée avait stoppé l'avancée de l'armée de Chang Kaï-chek en 26. Puis, soudain, en 27, le maréchal avait dû battre en retraite. Il y eut une grande bataille, sanglante, autour de Nachang. Les pertes étaient lourdes des deux côtés, mais la rumeur souffla que Chang Kaï-chek avait traité avec le maréchal en mauvaise posture et que la bataille de Nachang n'avait été qu'un spectacle. En vérité, Sun Chuan-fang, manipulateur de guerre et d'argent, avait fait retraite en bon ordre. Nombre de ses femmes (qui étaient surtout françaises, russes blanches ou américaines) portaient les derniers chapeaux à la mode de Paris. Après quoi, les nationalistes entrèrent dans Shanghai, et les soldats du maréchal Sun filèrent un coup de main aux gaillards de Chang Kaï-chek, chaussés de bottes russes, et appelés à massacrer les communistes qui infestaient la métropole et se donnaient le nom de prolétariat. C'était presque désolant, rien que d'y penser.

« Faut reconnaître que ces saloperies de rouges ont des couilles, dit Annie, le nez dans le journal. Ils croient en quelque chose. Tous les autres vendraient leur propre mère. Les Chinois n'ont pas de religion — c'est rien qu'une feinte — et ils ne croient pas non plus en la nature humaine. C'est un peuple désespéré.

— Mieux vaut vendre sa mère, conclut Strachan, que d'être un bolcho. »

Le lendemain, Annie Doultry était libéré, et il prit le chemin du port où l'attendait son bateau. Il donna à Strachan Merveilleux Oiseau d'Espoir dans sa cage en bois de jonque, un cadeau pour son ami de la prison.

Annie ne revit pas Hai Sheng. Après lui avoir vendu son célèbre cafard, Shengy ne reparut pas sur la pelouse de ce bon vieil Epsom. Cet individu taciturne devait s'être fermé comme une huître, après la dénonciation qui aurait pu lui coûter la vie. À ce sujet, Annie ne reçut aucun message de reconnaissance, si ce n'est trois boutons de braguette lui appartenant, entortillés dans un bout de papier, qui accompagnaient la livraison dans sa cellule d'Oiseau Merveilleux. Il oublia ce cuisinier de son invention, car toutes ses pensées étaient maintenant tournées vers son propre avenir.

Avant de quitter les geôles de Victoria, Annie serra la main de M. Llewellyn, ou plutôt le bout des doigts, et dit de sa voix naturelle d'Américain : « Hugues, c'est l'instant des adieux. Triste, n'est-ce pas ? Mon vieux, tu me manqueras, parole de scout. Mais je veux que tu saches tout le plaisir que j'ai eu à séjourner dans cet endroit charmant. Je voudrais surtout te féliciter pour la cuisine. J'avais pensé laisser un petit extra au chef, mais malheureusement j'ai oublié mon carnet de chèques. Mais j'ai quelque chose pour toi. »

Annie portait son costume marron à damiers prince-de-galles. Il était un poil chiffonné après six mois de solitude, et tout le bureau du major empestait depuis peu la naphtaline, mais Doultry n'en avait pas moins fière allure. Il avait donné sa cravate bleue à pois au dentiste, en remerciement de sa gentillesse et de son tact (on n'était jamais assuré contre le risque de retourner au trou) et lui avait fabriqué un petit drapeau à la bannière étoilée, qu'il avait taillé dans un fanion de yacht-club, gardé en réserve dans sa valise, en cas d'urgence. Et, roulé sous son bras, il tenait le présent destiné à Llewellyn. Il le lui donna.

Les mots manquèrent à Llewellyn. Il n'avait pas la moindre réplique sous la langue. Mais il accepta la chose.

C'était un très beau dessin au crayon de la cour de promenade. Annie y avait croqué le caporal Strachan, debout devant la porte des latrines. À droite, on pouvait voir l'allée ; le pont était remarquablement rendu. Sous son tablier, un corps pendait au bout d'une corde. Le corps de Li Weng-chi ? La distance était trop grande pour le dire. Mais le bonhomme aux bras appuyés sur le parapet et qui tournait son sourire vers le spectateur était manifestement Llewellyn, la large face carrée barrée d'une petite moustache rousse interdisait toute méprise. Annie avait coloré la bacchante d'une goutte de son propre sang. Un artiste vivait en lui.

Llewellyn accepta le dessin et parvint à articuler : « Je vous remercie infiniment, Doultry. » L'œuvre était signée au dos, d'un « Avec toute sa reconnaissance pour Hughes, Anatole Doultry ». Llewellyn fixait encore le dessin d'un regard sans expression, quand Annie ressortit avec un grand sourire pour les plantons et autres hommes de garde, et s'en fut, parapluie sous un bras, mallette en faux croco à la main et fausse et étincelante Rolex au poignet. En franchissant la grille de la poterne, il adressa un salut de son chapeau avant de s'en recoiffer. C'était un vieux feutre acheté à San Francisco et qui n'était pas trop lustré pour son âge. Il portait sur le bord, à gauche, une perforation, vestige d'une balle, qui relevait plus de la décoration que du défaut : un appel à la conversation en somme.

Il avait cessé de pleuvoir, mais le temps était plus frais que d'ordinaire pour un mois de mars. Le costume d'Annie était parfaitement de saison, les quarante dollars qu'il avait glissés dans une chaussette en septembre lui avaient été restitués au greffe de la prison (la chaussette aussi), et ils avaient plus de valeur que jamais à Hong Kong (vingt dollars US), même si l'inflation était rampante en Chine. Comme il descendait Chancey Lane et hélait un rickshaw dans Hollywood Road, il remarqua un accroissement du nombre de mendiants. Il y avait dans l'air une tension.

Le trajet était tout en descente, le rickshaw freinait, et le coolie prenait avec bonne humeur les directives impérieuses d'Annie qui retravaillait son cantonais et surtout ses façons autoritaires, dont il avait fait peu usage ces derniers mois. Sur ses instructions, ils s'arrêtèrent un instant face à la devanture du chapelier Borsalino. Annie se sentait redevenir lui-même : un capitaine. Tournant le coin dans Ice House Street, il revit les quatre signes gravés sur le mur de pierre, qui avaient jadis excité sa curiosité. Un ami chinois lui en avait donné la traduction : *J'ose défier*. Le message était adressé aux démons qui pourraient descendre dans Queens Road pour y chercher une victime. D'après la manière de voir des Chinois, le démon devinerait qui, dans telle ou telle maison, était homme à ne pas se laisser faire. Alors, le démon reprendrait son chemin, à gauche ou à droite, pour s'en aller chercher quelqu'un d'autre.

Annie demanda au coolie de prendre le long chemin autour de Statue Square. Le coolie s'arrêta, et ils marchandèrent un supplément pendant quelques minutes. Le coolie montrait combien Annie était grand et lourd, et Annie tombait d'accord, mais demandait à l'homme si celui-ci avait déjà fait un rabais à une petite personne, un nain, par exemple, et les nains, ça courait les rues en Chine. Ou encore à une jolie petite poupée au corps souple ? Annie la décrivit avec des gestes, ce qui fit beaucoup rire le coolie, qui n'en esquiva pas moins une réponse franche. « Oui, dit-il, moi toujours faire course vite aux petites personnes. »

Annie engagea une grande énergie mentale dans la discussion. Il expliqua qu'il souhaitait voir la statue du duc de Connaught. Ils se mirent d'accord sur le prix et repartirent.

Arrivé au square en question, Annie descendit pour se dégourdir les jambes. Il y avait là des grand-mères et des enfants, tout paraissait normal, mais quand il examina le visage de bronze du duc, il remarqua un changement dans l'expression du grand homme. C'était un neveu de la reine Victoria et un homme fort averti. Annie connaissait maintenant assez bien la vision que les Chinois se faisaient du monde pour savoir que la statue du duc était soupçonnée par des gens qui étaient de grands lettrés — philosophes et intellectuels — d'abriter un démon. La nature de ce dernier était discutable, mais le sujet n'était jamais abordé en présence d'étrangers. Et c'est un point à porter au crédit d'Annie que d'avoir eu envie de découvrir ce qu'il en était, révélant ainsi un aspect positif de son caractère.

Le démon l'intriguait. Il devait certainement partager quelque chose avec le duc. Avait-il, par exemple, accès aux souvenirs de son hôte ? Ou quelque autre facette de cet homme réputé pour sa courtoisie et son talent d'observateur ? Le capitaine Doultry regarda dans les yeux le duc de Connaught. « Que se passe-t-il, duc ? » lui demanda-t-il. Deux petits mômes blancs jouaient au pied de la statue avec un modèle réduit de bateau en métal d'une quinzaine de centimètres de long, quand les yeux du duc répondirent à ceux d'Annie. Le coolie aussi regardait la statue en caressant sa lèvre inférieure mais il restait prudemment à distance. Il éprouvait un surcroît de respect pour son passager, peut-être un peu trop, diraient certains.

Le grand nuage, ou palais des nuages, se faisait plus brillant à l'ouest. Annie enregistra ces indicateurs météorologiques, alors qu'ils descendaient à une gentille allure Hennessy Road, dans le quartier appelé Wan Chai, avant de tourner à gauche à l'arrêt des trams dans Lun Fat Street. Les bars étaient allumés, les filles arpentaient le trottoir, les gargotes attisaient leurs réchauds fabriqués dans de vieux fûts métalliques, les travailleurs baguenaudaient, mais Annie, lui, avait à faire.

Le Bar and Grill de Stoffer était moins distingué que son enseigne. Mais ce qui intéressait Annie, c'était la bouffe de l'établissement, pas son standing. Le cuisinier était teuton, et sa cuisine excellente. Annie Doultry ne mangeait chinois que par nécessité ; il ne s'était jamais vraiment fait au goût. Six mois durant, il avait pensé au Stoffer. Mais cette préoccupation n'était pas seulement motivée par la boustifaille.

Ils maintenaient là-bas une atmosphère berlinoise avec cette vaine espérance propre aux expatriés. Il y avait de la bière Tsingtao à la pression, brassée avec toute la rigueur de la méthode allemande dans la ville du même nom et située loin dans le Nord. Deux marins, un Suisse et un Norvégien, pleins à ras bord de bibine, discutaient âprement au sujet d'un cheval de course ; ils argumentaient dans la langue de Shakespeare. Doultry connaissait le Suisse, un véritable homme de mer, en dépit des blagues sur son origine montagnarde. Ah, le simple plaisir de serrer les mains de vieilles connaissances ! Rien ne le surpasse !

Le barman était un nouveau visage pour Doultry, un métis, qui se débrouillait très bien en anglais. « Dis-moi, Pete, dit Doultry, après sa deuxième Tsingtao, connaîtrais-tu par hasard un type du nom de Fred Olson ? Ou Philly Fred ? »

Le barman souriait, les joues comme les fruits du grenadier ; ses dents de devant étaient fortes mais toutes les autres partaient en se rapetissant de manière si égale qu'elles évoquaient un collier de nacre. « Mister Fled ? » Il avait un regard vif. Annie hocha la tête. « Non, monsieur. Pas de Mister Fled venir ici. »

Annie alla s'asseoir dans le fond, commanda le dîner dont il rêvait depuis six mois, et empoigna sa fourchette.

Le lieu s'était un peu rempli, mais de toute évidence l'affaire ronronnait. Stoffer apparut au rôti de bœuf, l'air grave et préoccupé comme d'habitude, et souhaita à Annie un bon retour. « Comment c'était, Java ? » demanda-t-il. Il savait d'où Annie arrivait, bien sûr, mais Bernardo Patrick Hudson avait fait passer le mot : Annie était parti à Java traiter une affaire de perles. Annie répondit à Stoffer qu'il avait fait un temps pourri, et Stoffer dit qu'il n'avait jamais autant pissé sur Hong Kong. Ils se serrèrent la main. Un peu plus tard, Stoffer fit porter à la table d'Annie une bouteille de schnaps avec les compliments du patron. Le temps qu'arrive le munster, Annie se sentait dans de bonnes dispositions pour penser à la Chine.

Le fouet convenait-il aux Chinois ? Annie était un homme qui aimait formuler clairement une question dans son esprit, puis y atteler ses réflexions. Le passé était déjà assumé, et il n'y avait aucune raison de revenir à l'envi sur les événements antérieurs. C'était la seule manière de considérer des problèmes tels que la flagellation, sinon, comme le savait bien Annie, cela vous restait en travers de la gorge avant de se déplacer dans ce recoin de votre cerveau où étaient fabriqués et entreposés les rêves. Si on s'y prenait assez tôt, ce n'était qu'une question de raisonnement, voire un supplément d'enquête, dans tous les cas une question ancrée dans l'avenir. C'était la meilleure façon de se débarrasser des rêves.

Il était tout à sa réflexion sur le châtiment corporel, quand Philadelphia Fred fit son entrée. Il ne remarqua pas tout de suite la présence d'Annie. Il resta au bar en compagnie d'un homme qui avait un air italien. Fred lui-même, avec son costume à rayures aux larges épaules, avait adopté le look rital. Il semblait être en forme et prospère, et cela, serait-on tenté de dire, avant qu'il n'aperçoive Annie Doultry. Son air de prospérité lui resta, bien que son sourire exagéré eût été plus à sa place au chevet d'un vieil ami à qui on rend visite à l'hôpital. Annie aussi souriait tout en tapotant la table à côté de son assiette de strudel aux pommes. L'invitation ne souffrait nulle équivoque.

Fred Olson avait sûrement songé à s'éclipser rapido, une réaction parfaitement cohérente chez un homme dans sa position. Mais tout en caressant l'idée de fuite, il se sentait irrésistiblement poussé par les conventions à avancer vers son ancien associé avec ce sourire en bouclier, derrière lequel bourgeonnait une trouille bleue. Il se pencha au-dessus de la table et tendit une main dont les gros doigts d'Annie serrèrent les extrémités, comme il l'avait fait avec Hugh Llewellyn. Alors qu'il s'exécutait il pensa : *Ça, je l'ai appris des Chinois.* Le Annie Doultry d'antan n'aurait jamais serré la main de Fred Olson de cette façon, et cela en dépit de la froideur qu'exprimaient ses doigts. « Assieds-toi, mon pote, dit-il à Fred. Tu sais, j'étais juste en train de me dire : Bon sang, j'aimerais bien que Philly passe ici ce soir, parce que, sûr, ça me ferait plaisir de le revoir. » Sentant les doigts de Fred qu'il n'avait pas lâchés tenter une retraite, il resserra sa prise avec force. « Bois donc une goutte de cette merveille, garçon, dit-il en approchant la bouteille de schnaps de sa main gauche. « Alors, où te cachais-tu ?

— Annie, je resterais volontiers avec toi, répondit Philly Fred, mais j'dois m'occuper de ce type, c'est un client. Content de t'avoir revu, l'ami. Ça fait un bail, hein ? » Et puis, comme il ne pouvait arracher sa main des doigts de son hôte, il choisit de s'asseoir. « Si on se retrouvait demain, dis-moi ?

— Fred, dit Annie. Les Chinois vivent dans un monde d'apparences. Ils ont grandi en pensant que le monde n'était qu'une scène de théâtre, ahhh ! »

Fred opina avec chaleur. « Shakespeare », dit-il, encouragé d'un hochement de tête par Annie. « Fred, j'essaie de parvenir à quelques conclusions sur ces oiseaux... Par exemple... » Il s'interrompit pour verser un verre de schnaps à Fred. « Par exemple, ici, en taule, ils les battent s'ils font des difficultés. Il y en a qui refusent de travailler, tu comprends. De foutus insoumis. Ils ne veulent pas transporter ces boulets autour de ce cercle. »

L'index d'Annie décrivit une ronde, que suivirent les yeux de Fred, qui se demandait où était le piège.

« Donc, ils les battent, Fred... ils sont fouettés. J'ai discuté avec les types, là-bas. Ça doit être moralement répugnant pour l'Empire britannique. Les Anglais sont censés être civilisés. » Il enfourna le dernier morceau de strudel. « Je peux le prouver. Il y a trente ans, on pouvait se prendre jusqu'à cent cinquante coups de chat à neuf queues. Puis c'est descendu à soixante, et il n'y eut plus du tout de chat ensuite, seulement la canne en rotin, et encore trente-six coups maximum, et toute peine de plus de douze coups doit avoir l'accord du magistrat résident, car c'est ainsi qu'on appelle dans le coin un petit juge de troisième ordre. Tu vois un peu la tendance. Et il est probable qu'ils abolissent tout ça, finalement. Les Britanniques ne sont pas, tant s'en faut, des sadiques, sauf envers leurs propres familles, bien sûr. Il y a donc toute une ribambelle de vieilles dames qui mènent campagne contre, tu comprends ? »

Philly Fred opina du chef ; il était tout ouïe.

« Eh bien malgré ça, ils continuent de battre comme plâtre ces foutus Chinois. Et pourquoi ? »

Il y eut un bref silence. « À mon avis, c'est pour leur faire entrer la trouille de Dieu », dit Fred avec conviction, alors qu'il n'avait fait que hasarder une supposition.

Annie secouait déjà sa grosse tête au nez tordu avec sa terrible coupe de cheveux, son index battant de droite à gauche comme un métronome. « Non, Fred. Non. C'est pour l'humiliation. Ils pensent aux Chinois. Ils se demandent pourquoi les Chinois se sont toujours punis entre eux à coups de fouet ? Les Chinois ne se sont jamais donné la peine de construire des prisons, ils se sont contentés de fouetter, de marquer au fer rouge, d'amputer, que sais-je encore.

Il se pencha en avant, baissant la voix. « Pour l'humiliation, Fred. Les Chinois ont toujours fouetté le coupable en public. Tu lui abaisses son froc, tu le mets cul nu, et tu le tringles, façon de parler, tu le cingles. Inutile d'entrer dans les détails des blessures et des souffrances, et tu sais pourquoi ?

— Non, répondit Fred.

— Parce que c'est sans importance pour un Chinois. Ça n'est pas de mise. Ce sont les cicatrices qui vont le marquer, si je puis dire, parce qu'elles seront la preuve de l'humiliation qu'il emportera dans la tombe. Et au-delà, à l'endroit même où on décide de ce que sera ta prochaine vie. Ils lui demanderont, là-haut, au bureau de la réincarnation : "Hé, mec, pourquoi tu t'es fait fouetter ? Qu'as-tu fait ? Dis-nous-le !" » Annie marqua une pause ; son propre discours l'émouvait. Il plongea son regard dans celui de Fred. « C'est comme ça qu'on peut se retrouver réincarné en cafard. Tu savais ça, Fred ?

— Non.

— Quand tu perds le cul de cette façon, c'est la face que tu perds en prime, dit Annie. Quand les gens parlent de perdre la face, ils ne savent pas de quoi ils parlent. Pour le Chinois moyen, ça signifie tout. La face, c'est la vie. La face, c'est ce qu'on a à prouver. C'est de la fierté devenue dingue, Fred. D'accord, tu vas me dire, c'est pas une saloperie d'excuse de la part des Anglais, qui se considèrent civilisés, que de continuer à fouetter les Chinois ici en 1927 ? Où est la civilisation dans le fouet ? La Royale a abandonné depuis longtemps les punitions corporelles. »

Fred secoua lentement la tête. « Je ne voulais pas le dire, Annie, mais tout le monde sait ici que tu es toi-même très ferme avec les Jaunes. »

Annie promena un regard distrait dans la salle. Il se frotta le visage et vida son verre de schnaps. « En effet, Fred, et tu avais raison, ça leur fout la peur de Dieu. » Ainsi encouragé, Fred opina plusieurs fois du chef. Annie, l'air songeur, remplit à ras bord le verre du Philadelphien. « Fred, tu m'as aidé à mieux comprendre l'Empire britannique, le sais-tu ? Ils ont la trouille d'arrêter de fouetter, voilà. Ils savent ce que diraient les Chinois : "Les barbares aux cheveux rouges se ramollissent, taillons-les en pièces." » Il s'accorda un solennel gloussement, auquel se joignit Fred, mais sur un ton beaucoup plus aigu.

Annie repoussa en arrière sa chaise, s'essuya la bouche et le nez avec sa serviette. « Fred, il faut que j'y aille. Je serai là, je veux dire ici, demain soir, alors on se reverra demain, d'accord, mon pote ? Il faut que je te parle de Java. »

Fred lui fit un grand sourire idiot tout en acquiesçant et bafouillant, « Sûrement, mon vieux, sûrement », pendant qu'Annie se levait. Il posa doucement la main sur l'épaule de Fred et sortit du bar sans s'arrêter à la caisse, sachant que Fred s'en chargerait.

Une fois dehors, il coiffa son chapeau. Une fine pluie atténuait la lumière des becs de gaz, qui s'harmonisait avec les dernières lueurs d'un soleil faiblard qui faisait sa sortie.

Annie tourna dans l'allée voisine de celle de Stoffer. Il connaissait les lieux. Il y avait là une gargote réputée, qui faisait bien plus d'affaires que Stoffer avec une clientèle indigène. On y mangeait de l'anguille et les plus étranges des poissons. De petits vieux proprets dans leur pantalon et veste de coutil bleu prenaient place sous l'auvent pour se gaver et discuter affaires dans la fumée des marmites d'anguilles, pendant que le cuisinier découpait au hachoir quelque gros poisson. Une famille de chats vivait sous la roulante. Des chats et des entrailles de poisson, il y en avait partout, et l'odeur y était rassurante, si on s'était pris d'amour pour Hong Kong.

Annie s'arrêta pour regarder un Chinois souffler des beignets. Il n'en avait encore jamais goûté. Ils étaient moins redoutables que les anguilles ; un gosse n'y verrait qu'une pâte gonflée fourrée d'un peu de confiture de prune. Il souleva son parapluie et consulta sa montre. Puis, attirant l'attention du bonhomme, acheta six beignets. Il avait encore terriblement faim. Les gâteaux étaient délicieux. Du coup, il en reprit six. Le danger lui donnait de l'appétit.

Personne ne lui prêtait attention. Debout sous son parapluie, le chapeau sur la tête, il ressentait un authentique bonheur. Il demanda au vendeur comment on appelait ces beignets. Le bonhomme ne comprit pas la question et, secouant la tête, répéta, « Pas aujourd'hui. Demain. » Mais un gamin qui travaillait chez Stoffer sortit la tête de la porte de la cuisine donnant dans la ruelle et lui fournit la réponse.

Philly Fred Olson régla sans un murmure la note du capitaine Doultry. Il avait retrouvé tout son calme, à présent, et il se dirigea vers les toilettes des messieurs. Olson ne payait pas de mine, mais son corps rétréci sous le voyant costard italien à rayures se déplaçait vite et avec résolution. Il déboutonna sa braguette avant même de pousser la porte, tant ça lui pressait. Les lieux étaient célèbres pour leurs carreaux verts de faïence de Delft ou d'ailleurs ; les urinoirs étaient beaux et imposants avec leurs amples réceptacles en porcelaine de Chine gargouillant d'eau dont le fond jauni par les hommes avait quelque chose de rassurant.

Freddie commença de pisser, s'accompagnant d'un long soupir. De l'émotion pure, qui s'alliait aux relents âcres des lieux. Un très vieux Chinois était assis sur un tabouret à côté d'une table de marbre encombrée de bouteilles colorées, de brosses, de peignes et autres ustensiles. Il était là à son aise, lisant le journal, près d'un lavabo surmonté d'un miroir au cadre en cuivre et très bien éclairé. L'intention du vieux Chinois était de vous forcer à vous regarder dans la glace et, à ce titre, de lui refiler cinq, dix cents, un dollar même, si vous étiez exceptionnellement satisfait de votre gueule après pisser.

La porte de l'une des stalles s'ouvrit, et Annie en sortit, mastiquant le dernier beignet fourré de son sac en papier.

« Hé, Freddie, fit-il d'une petite voix aiguë. Comment ça boume ? »

Freddie pissa plus dru. « Qui c'est ? demanda-t-il.

— Ton pote, dit Annie de son timbre aigrelet.

— J'ai pas de potes, dit Freddie, sans prendre la peine de tourner la tête. Annie froissa le sac en papier et le jeta dans la poubelle à côté du préposé.

« T'en as un, dit Annie tranquillement, donnant au vieil

homme, qui était vêtu d'une longue veste verte avec des boutons de cuivre, un billet de cinq dollars. Le Chinois le remercia d'une inclination de la tête très retenue, alors que Fred se tournait enfin en reboutonnant sa braguette et découvrait qui était là.

« J'ai pensé que je te trouverais ici », dit Annie. Il avait une trace de confiture au petit doigt ; il la fit disparaître d'un coup de langue. Prenant un ton confidentiel, il dit à Fred : « Je suis venu rencontrer le mec qui n'avait pas besoin de se répandre parce qu'il s'était tapé une belle frousse. »

Freddie passa à l'action mais trop tard. Annie savait que la main droite de son vieil associé allait plonger vers le pistolet qu'il portait sous son bras. Il en était tellement sûr que leurs mouvements coïncidèrent. Celui d'Annie était le bon vieux crochet du gauche, qui surprit Fred dans une position vulnérable et lui percuta douloureusement le foie.

L'erreur d'Annie, si l'on peut dire, était de ne pas savoir que Fred Olson portait un flingue sous chaque bras. Le poing d'Annie puncha la deuxième arme, un Spécial 32 et il ressentit une douleur dans la phalange du majeur. Le coup enfonça l'arme dans les côtes de Fred, en fêlant une ou deux au passage ; il en eut le souffle coupé et resta sonné pendant un moment. Annie fut obligé de le finir avec son seul poing droit, et cela prenait un tour plus difficile que prévu. Fred gardait la tête basse (ce n'était pas la première fois qu'il se prenait une branlée), et Annie le frappait par en dessous, à coups de genoux, qu'il avait lourds comme des souches.

Quand Fred commença de vaciller, Annie le releva et, de son poing blessé, il lui colla un pur uppercut que Jack Manassa aurait apprécié. Après quoi, tout ne fut plus qu'un doux rêve pour Fred.

Dans ce rêve, toutefois, il y avait Annie qui le tirait jusqu'à l'urinoir et collait sa tête tuméfiée dans la flaque. Si c'était un rêve pour Fred, c'était un vrai plaisir pour Annie. Un plaisir encore que d'appuyer sur la chasse d'eau et d'observer la flottille de mégots détrempés envahir la gorge de Fred qui s'appliquait, toujours dans son rêve, à retrouver son souffle et supplier grâce. « Réveille-toi, Fred », dit Annie, le souffle court, en jetant un regard à ses phalanges. « Réveille-toi, je veux te parler. »

Il ne reçut en réponse qu'une série de gargouillis. Annie posa le pied sur la nuque de son vieil ami pour lui maintenir la tête dans l'urinoir, et presser, car de la pression Annie en avait en réserve.

« Tu peux m'entendre, Fred ? Oh, Fred, tu m'entends ?

— C'était toi ou moi, Annie, répondit Fred dans un gargouillis.

— Où est le fric que t'as reçu pour me balancer ?

— Je l'ai perdu, dit Fred. À Happy Valley. » Ce n'était pas une excuse, ça. Annie pesa de quarante livres de plus sur la nuque d'Olson. « Oh, Annie, tu me fais mal. Lâche-moi, tu veux ?

— Te lâcher ? Ouais, de trente mètres de haut. Défais-moi cette ceinture à billets. Sors ton fric tout de suite. » Le ton d'Annie était dur, insensible, et Fred réussit de ses doigts tremblants à se défaire de la ceinture tout en ayant la tête maintenue dans l'urinoir. Annie s'empara du ceinturon et défit les pressions de la doublure, d'où il sortit quelques coupures froissées. « Tu bouges pas, Fred. Parce que si tu bouges, je vais te briser tous les os du corps. Vraiment. » Il n'y avait que douze dollars et deux billets de loterie. Décevant.

Annie défit sa braguette, sortit son membre. Il avait formidablement envie de pisser sur la gueule de Freddie. Il voulait le noyer dans la pisse comme un chien malade. Mais ses mécanismes corporels, saturés de bière, de schnaps et d'indignation, répugnaient soudain à répondre aux commandements du cerveau, mettant en panne l'énorme pénis d'Annie braqué sur le visage froissé de Fred, dont la nuque était toujours sous pression. Le reste de la personne d'Olson commençait toutefois de ramper sur le morne chemin menant au recouvrement des sens. Le vieux Chinois lisait le journal, comme s'il était seul au monde. Quelqu'un entra, probablement pour uriner, et fit aussitôt demi-tour. Annie ne se retourna pas, concentré qu'il était sur son robinet ; la vengeance animait son regard, mais les circuits et les valves refusaient pour quelque obscure raison de fonctionner. Il essaya de se détendre. Il pensa à des cuves de bière tout en visant de son gland renflé l'œil tremblant de Fred.

Et puis jaillit enfin le jet.

Annie visait les divers orifices que Fred s'efforçait de garder clos. Mais il lui fallait bien respirer, alors il respirait la pisse d'Annie. Il s'en tirait comme il pouvait, somme toute. Outre le soulagement d'uriner, Annie ne boudait pas non plus le plaisir de voir son ennemi à ce point humilié. C'était le plaisir d'une conquête du corps par l'esprit. Avec son propre corps, son propre esprit. Cela relevait de la méditation, du dépassement de soi, cet effort pour écraser et contenir les gigotements du prisonnier. Ce fut du coup d'un ton méditatif qu'Annie confia à Fred : « Il n'y a rien de pire qu'une commère, Freddie. Rien de pire. Si jamais il y avait une prochaine fois, je ne me contenterais pas de seulement te pisser dessus. »

Alors qu'Annie quittait les toilettes, le vieux Chinois leva les yeux vers lui, puis son regard glissa en direction de Freddy toujours vautré dans l'urinoir. « Qu'est-ce que lui avoir ? demanda-t-il.

— Il a très soif, mais d'une boisson qu'on sert pas au bar », répondit Annie. Il rajusta son chapeau, vérifia soigneusement sa mise dans la glace. Pour cinq dollars, il pouvait prendre tout le temps qu'il voulait.

Le temps qu'Annie embarque sur le ferry pour gagner Kowloon (le continent en vérité), la nuit était tombée telle une masse — comme toujours dans ces latitudes — et avec elle s'abattit une bruine qui vous rappelait la présence éternelle du grand nuage noir. Tout de même, c'était bien agréable, cette traversée sur le ferry *Star*, car un bateau était un bateau, et en sentir un sous ses pieds relevait bien de la jouissance. Du pont supérieur, en première classe (dix cents), il pouvait s'imprégner des parfums du port, l'un des plus grands du monde et formidablement peuplé d'embarcations de toutes sortes. La vue du port Victoria ne pouvait jamais perdre son charme, surtout de nuit, car la loi obligeait chaque bateau jusqu'au plus petit sampan à avoir un feu. La police maritime était sévère à cet endroit. Elle se déplaçait sur de jolies barges à vapeur, et on ne savait jamais quand elles allaient surgir. Le ferry avait une porte en proue et une autre en poupe, ce qui lui évitait de manœuvrer au retour. Penché à la lisse de tribord, Annie avait tout loisir d'examiner la merveilleuse apparition qui se dressait le long de l'arsenal de l'Athena. Immense et bizarre, c'était le premier porte-avions jamais construit ; il portait le nom d'*Hermes*, et sa silhouette s'imposait par sa puissance et son mystère dans la nuit criblée de feux, derrière le rideau de brume et de bruine. Les lumières des jonques et des sampans rassemblés en poupe éclairaient le commerce mené là entre le petit peuple du port et certains membres de l'équipage, une pratique officiellement désapprouvée mais de fait facilitée par la règle exigeant des hommes qu'ils ne descendent à terre que le lendemain de leur arrivée. Toutefois, ça leur démangeait fort dans les braguettes, aux marins (même si on savait que la Royale n'avait jamais manqué de pédérastes). Et faire monter à bord des femelles chinoises sur un bâtiment de cette taille n'était pas un problème si les quartiers-maîtres se mettaient de la partie, ce qu'ils faisaient avec d'autant plus d'entrain qu'ils étaient les premiers servis. Les filles abattaient une besogne considérable durant cette première nuit. C'étaient des filles tanka, ces gens de la mer d'ordinaire méprisés par leur nation qui les tenait pour des primitifs, tout en les redoutant, parce qu'ils alimentaient les contingents de pirates et formaient décidément une caste à part. Jusqu'à l'époque du troisième empereur mandchou, les Tanka n'avaient pas eu le droit de vivre à terre et ils ne pouvaient non plus envoyer leurs enfants à l'école. D'autre part, une grande partie du commerce quotidien en Chine était entre leurs mains, car les marchandises circulaient par mer, rivières et canaux. Aussi fallait-il compter avec les Tanka.

Il y avait très peu de passagers en première classe à cette heure, car les Chinois préféraient le passage à dix cents dans l'entrepont, mais ils étaient nombreux à observer avec curiosité l'énorme masse du *Hermes* et peut-être se demandaient-ils si sa présence était de bon ou de mauvais augure. Parce que l'*Hermes* était venu de l'autre bout du monde pour rejoindre l'escadre de Chine et faire la guerre aux pirates, dont les espionnes étaient en ce moment même à son bord, attelées à vider les couilles de ses matelots.

Il y avait dans le faubourg de Mongkok un bar qu'Annie fréquentait. Il se glissa dans sa direction. Peu d'endroits sur terre offraient des bars plus sordides que ceux de Mongkok, le quartier chaud de Kowloon. L'établissement était sombre comme le péché et bien plus redoutable, avec sa pénombre trouée par les faces luisantes qui se tournèrent vers la grande carcasse d'Annie à son entrée. Des visages balafrés, borgnes, appartenant à des individus débraillés, occupés à vaincre l'ennui et la terreur que leur inspirait la vie. L'odeur âcre de l'opium franchissait le rideau dans le fond de la salle pour se mêler à d'autres relents de nature excrémentielle.

« Il est où, le gros ? » demanda Annie au barman, occupé à essuyer lentement un verre avec un torchon. Il rendit son regard à Annie de ses petits yeux qui avaient l'air de charançons au milieu d'une boule de fromage hollandais. Ce n'était pas un Chinois, avec son visage venu d'un archipel lointain au milieu de ces eaux sans nom que les Chinois méprisaient et détestaient, et qu'un explorateur venu de l'Occident et ayant de la religion avait baptisé Pacifique. Faisant un effort de prononciation, Annie répéta sa question.

Le barman eut un mouvement de tête lugubre en direction du fond de la salle.

Le gros homme, le séant posé sur un tabouret, fumait un cigare en se faisant masser le crâne par une petite Philippine. Elle faisait profession de coiffeuse, à en juger par les baguettes qui transperçaient ses cheveux ramenés en un chignon brillant d'huile. Le gros était tout enveloppé dans une espèce de robe, son visage sombre voilé par la fumée malodorante de son cigare, qui venait se mêler à celle des pipes d'opium. Il sourit à Annie et continua de sourire pendant que le capitaine lui posait une question dans son cantonnais rudimentaire. Autour de la pièce carrée et sans fenêtres gisaient les fumeurs d'opium auprès desquels s'affairaient deux ou trois gamins trottinant de pipe en pipe tels d'étranges rongeurs.

« Elle est en haut », dit le gros homme à Annie en roulant ses petits yeux brillants et rieurs. Annie se dirigea vers l'escalier à l'arrière d'un pas léger et précautionneux, semblable à celui d'une grande créature à fourrure qui voudrait éviter de déranger les royaumes de rêves nichés entre ces murs. L'escalier était étroit. Sur le palier, en haut, il y avait une porte sur laquelle étaient collées plusieurs couches de feuilles de prière, ainsi que des signes rouges, noirs et roses, pour se défendre du mauvais œil et s'attirer la protection des dieux. Ce fut à cette porte qu'Annie frappa.

Une femme ouvrit. Elle portait une robe chinoise à haut très ajusté, qui moulait ses chairs rondes ; le vêtement se fendait le long de la jambe depuis la hanche au galbe voluptueux. Elle déporta son poids sur sa jambe, de manière à dévoiler une chair crémeuse, qui capta la vision d'Annie et lui arracha un sourire.

« Salut, princesse. Comment va ? »

Elle lui flanqua son poing droit sur la mâchoire. Petite et douce était la main, mais cette jeune dame devait avoir appris à cogner aussi bien qu'à charmer, car la fameuse mâchoire d'Annie, ce roc, en fut bien secouée, et c'est involontairement qu'il porta sa main à sa joue dans un geste aussi délicat que celui de la dame avait été brut. Il haussa les sourcils au-dessus de ses beaux yeux, voilés d'une ombre de douleur bienséante.

Le visage que levait vers lui Yummee, plantée devant sa porte, était gravé dans le fiel : large comme le pont d'un canot de pêche philippin, les joues ciselées s'effilant vers le bas jusqu'à évoquer la forme en losange du fruit de la passion, les narines dilatées et les lèvres retroussées si fort que ses dents éclatantes se teintaient du sang de son rouge à lèvres. L'adrénaline la faisait haleter, et elle crachait du venin avec chaque mot de cette langue honnie et que seules les conditions de son métier l'obligeaient à parler.

« Toi en retard, dit-elle.

— Bébé, je suis désolé. Mon bateau a sombré.

— En retard un an et demi, pine puante ! » Il craignit qu'elle ne le frappe encore, et fut rassuré qu'elle s'en tienne à la violence verbale. Les mots giclaient de cette bouche angélique et, tout frein ayant abdiqué, des postillons de salive perlée volaient au visage d'Annie en une rosée sulfureuse.

« Tu dis, "Revenir demain soir", et puis... Oh, moi déchirer ta gueule, monsieur ! Où être mon argent ? où, où, où ? » La petite main parfumée au santal vint s'agiter sous son nez « Où être mon argent, sale grosse bite puante ?

— Je l'ai caché dans mon soutien-gorge », dit-il avec cette lueur canaille qui avait triomphé des femmes quarante ans durant. (*Triompher, c'est beaucoup dire*, songea-t-il. Il était trop vieux pour être un enfant, et bien trop impur pour faire un saint.)

« Pas essayer tromper moi ! Toi faire ça, moi bien m'amuser. Moi aussi, faire bonnes plaisanteries. Un jour, toi te réveiller avec concombre coupé, Annie, oh oui, oui ! »

Elle dut prendre tant de plaisir à cette idée, qu'un sourire lui échappa, un sourire de plaisir et qui était délicieux, même aux yeux d'Annie. Il saisit l'occasion de passer devant elle, caressant de son ventre au passage l'opulente paire de seins, et entra dans la pièce familière.

« Pas mal du tout », chuchota-t-il aux draperies soyeuses qui tombaient de toutes parts pour masquer la décrépitude des murs. « C'est beau, c'est ravissant », dit-il. La lumière verte d'une petite lampe baigna son sourire d'un éclat mystérieux, alors qu'il se posait sur le lit aux ressorts fatigués et s'y allongeait sur le dos avec un grand soupir d'aise. « Alors, quand est-ce qu'on s'amuse ?

— Beaucoup s'amuser déjà. » Yummee avait l'esprit acéré comme un couteau à découper. Elle savait qu'il allait ensuite annoncer qu'il avait faim. Rempli à ras bord ou vide comme un puits asséché, l'estomac de cet homme était la mère de son comportement, et son appareil génital en était le père, du moins d'après Yummee. Quand on sait que le comportement d'Annie était le plus imprévisible qui fût, on mesure combien cette femme était futée.

« Écoute, bébé, j'ai faim, dit-il.

— Moi avoir poison pour toi.

— D'accord, donne-moi du poison et une bouteille de schnaps, chérie. Chop-chop, d'accord ? Le sourire d'Annie brillait au milieu des plis ombreux de la couche en désordre. « Yummee chérie, si tu ne me donnes pas à manger, je vais t'arracher à coups de dents un morceau de ton gros cul. » La salive lui coulait entre les mots. Yummee pensa en philippin : *Ce bandit est incorrigible. Il est celui contre lequel ma mère m'avait mise en garde, et aussi la déesse Tsai-ah-Mieu.* Elle ferma la porte et traversa la pièce en ondulant des hanches. Parvenue au pied du lit, elle le regarda de haut (l'angle de vue qu'elle préférait dans ses relations avec les mâles, qu'ils fussent ignobles ou gentils) puis attrapa le cordon d'une sonnette et tira dessus.

Un grand doigt langoureux se posa comme un papillon sur la cuisse crémeuse dans la fente de sa robe.

« Enlever sales pattes, dit-elle tout bas.

— Princesse, je peux tout t'expliquer.

— Pas toucher moi avec mains puantes.

— Ma petite princesse. » Les mains, bien récurées à cette occasion — ongles coupés et polis — ne perdaient pas une seconde.

« Ma petite Yummee, tu m'as manqué. Tu m'as beaucoup manqué. Ton odeur, surtout. J'ai encore jamais rencontré une fille qui sente aussi bon que toi. Quand j'étais là-bas à Java, je cherchais partout ce parfum et je ne le trouvais jamais. Et puis j'ai compris que c'était pas ton parfum, mais toi, rien que toi. Yummee, dis-moi quelque chose de gentil. J'ai parcouru deux mille miles en mer rien que pour l'entendre, et je suis un homme fatigué. »

(Une pause s'impose; les doigts d'Annie se faisaient plus pressants mais restaient toujours aussi doux, et la petite femme rondelette se tenait immobile, la main d'Annie fourrée dans la fente de la robe, une fente inventée à Hong Kong dans cette intention.)

« Un homme fatigué. Et puis je t'ai vue, chérie. Et maintenant je ne suis plus fatigué du tout. »

Le lit gémit sur ses vieux ressorts, quand Annie passa à l'offensive avec son ventre affamé et la salive aux lèvres. D'un revers de main expert, il dégagea un peu plus le pan de la robe pour dénuder toute la cuisse. Sans qu'elle parût esquisser le moindre mouvement, Yummee avait les jambes écartées, les muscles détendus, offerts, comme s'ils ne servaient plus à la soutenir et qu'elle flottait dans l'air moite comme une femme-ballon. Évidemment, le fait qu'Annie fût en train de lui lécher expertement l'intérieur du genou gauche contribuait à la soutenir, en attendant de la faire vaciller.

Quand arriva ce moment, ce fut plus un atterrissage qu'une chute. La main gauche d'Annie était diversement occupée, chaque doigt jouant sa partition sur l'une ou l'autre des délicates complexités de sa chatte, aussi était-ce probablement le majeur droit qui glissa entre ses fesses et l'éleva, flottante, jusqu'au lit ou plus exactement sur Annie, sur son large ventre bardé de rangées de muscles, qu'il laissa se détendre pour fournir un digne matelas de chair celtique. Un son inintelligible s'échappa de la gorge de Yummee quand elle se retrouva enfourchant Annie. Peut-être était-ce la prière d'une déesse, peut-être était-ce une menace.

Un boy entra dans la pièce. Savamment maquillé, il portait des pyjamas de soie verte, et ses cheveux remarquablement longs et parfaitement lissés le désignaient comme homosexuel. Yummee était nue, assise à califourchon sur Annie, qui n'avait pas bougé quand elle lui avait dégrafé les boutons et enlevé chemise et pantalon. Il s'étalait maintenant ouvert à l'air chaud et aux mains fraîches de Yummee, tel un gros poisson amoureux battant de la queue sous les mains d'une Orientale. Il commanda d'une voix rauque au garçon de leur monter un chop suey et deux bouteilles de Tsingtao.

C'était une grassouillette, pas de doute. Mais sa qualité première, son émoi amoureux, sa dévotion à l'art de la chair, et ce que nous devons appeler ses aspects spirituels, faisaient d'elle une femme follement attirante pour Annie Doultry. Elle avait tant fait l'amour, depuis sa tendre enfance jusqu'à ce jour où elle en faisait métier, qu'elle était totalement à l'aise dans l'univers du stupre, comme un pêcheur l'est sur la mer, et un fermier dans ses champs. D'autre part, si elle était empêchée par les circonstances de pratiquer huit à dix heures par jour, elle pouvait se montrer irritable. Sans doute était-ce la faute d'Annie qui l'avait fait attendre depuis sept heures du soir, heure à laquelle il avait promis d'être là, d'où sa colère quand il s'était pointé à dix heures. Ces trois heures d'impatiente inactivité, alors qu'elle aurait pu les passer à baiser, l'avaient assombri plus sûrement que les « six mois » d'attente qu'elle s'attribuait.

Annie fit tout ce qu'il put pour la radoucir, et il y parvint avec succès. Elle lui dit que tous ces vilains mots étaient une comédie parce qu'il avait blessé ses sentiments. Elle ne lui dit pas qu'elle l'aimait, mais eut d'autres mots destinés à lui faire entendre que c'était vrai. Elle lui donna aussi le bain.

Trempant dans la baignoire de Yummee, Annie chercha l'Australie parmi les incroyables décolorations du plafond. Soulagé de ne pas la trouver, il laissa son regard errer sur des vues familières : la loupiote rose dont la flamme éclairait le redoutable entrelacs de tuyaux, le grondement du chauffe-eau, sa flamme de dragon bien visible si l'on osait regarder dans sa gueule. Yummee avait installé cette nouveauté pour impressionner ses clients. Cela avait d'ailleurs été une suggestion d'Annie, une fois qu'ils se furent liés d'amitié. Le dragon coûtait beaucoup d'argent, mais Annie avait raison : les affaires reprenaient. C'était à cette époque qu'il commença de la baiser gratis et de se dire avec délice qu'il le méritait. Yummee avait deux ou trois filles qui travaillaient pour elle à la maison dans Lun Fat Street; l'affaire s'étendait, on aurait même pu dire qu'elle se tendait. Yummee devait avoir près de trente ans, après tout, et elle méritait le succès après tant de dévouement à une profession à laquelle son père l'avait conduite, moyennant espèces; un père qui était fermier à Luzon, quand la famine de 1906 avait sévi. Le fait qu'elle ait réussi à s'échapper d'un bordel à Manille (ou peut-être avait-elle acheté son évasion) était un signe que ses déesses étaient bien disposées envers elle.

Un autre signe avait été ce marin norvégien qui l'avait traitée avec respect et lui avait ouvert une fenêtre sur le cœur de cette race étrangère. Elle avait appris qu'à la différence de ses clients chinois, malais ou philippins, les Blancs cherchaient un peu de sentiment, quelque chose provenant du cœur. Ce devait être chez eux une tradition qui leur venait de leur religion chrétienne et de tous ces appels à l'amour, à moins que cela n'eût quelque chose à voir avec leurs mères. Et peut-être était-ce la femme blanche la responsable du besoin, chez son compagnon, de cette illusion? En tout cas, Yummee s'informait et apprenait à accomplir les rites que ces hommes désiraient secrètement. Elle leur offrait un bout de son cœur, enveloppé de chair d'Asie.

Annie avait, bien entendu, déjà réfléchi à tout cela. Yummee n'était pas encline à l'introspection. Mais quand Annie baignait dans l'antique baignoire émaillée qui avait pris une teinte verdâtre et se ridait de rouille, il pensait aux femmes dans le cadre d'un grand tableau paysagiste. D'autres fois, il gisait là, pensif sous le regard dur du dragon, et il songeait à ces quelques femmes mémorables qui, qu'elles l'aient aidé ou pas, avaient fait de lui ce qu'il était.

Les mains de Yummee étaient dans l'eau mousseuse, comme pour venir en aide à Annie dans sa quête de souvenirs. À ce moment, elles caressaient doucement l'énorme appendice sexuel relativement flasque. Le savon lui chatouillait les narines, la vapeur décrassait ; le rugissement du dragon puis la chaleur du flot au robinet de cuivre tout verdi dans les coins, tels les os d'un naufragé. Le petit poisson-doigt de Yummee rampa sous la large poche des couilles, provoquant un flottement de tout l'engin, un engin qui avait une gravité spécifique, légèrement plus lourde que la normale, Dieu merci. Annie avait de temps à autre observé aux bains des hommes étalant sans honte leurs parties sexuelles, et il ressentait une profonde gratitude d'avoir hérité un modèle mahousse. Une fois, dans une maison de bains japonaise, il avait vu flotter toute une légion de petites bites. Quelle rigolade ! Il l'avait partagée avec Barney, jusqu'à ce que quelques jours plus tard, dans cette même baignoire, chez Yummee, il vît le prépuce noir de Barney flottant impunément à la surface de l'eau.

Les eaux de l'oubli prodiguèrent leurs faveurs à Annie. Le savon en forme de citron dans les mains de Yummee était un instrument à plaisirs indicibles. Il y avait la vapeur, le piano du désir, le moteur d'Annie ronronnait.

Elle grimpa dans le bain. Puis, doucement, doucement s'assit sur le rostre bandé. « Petite salope », lui murmura-t-il à l'oreille. L'eau giclait sur le carrelage. Au-dessus de l'île de Hong Kong, le grand nuage noir aussi s'ouvrit en deux, et laissa entrer la lumière des étoiles.

Dans le lit, il lui dit : « Je ne pourrais jamais me passer de toi. J'ai pensé à toi, Yummee. J'ai fait un rêve. » Il tendit la main vers sa bouteille de bière posée par terre. « J'ai rêvé que tu étais une mangue. Avec des ailes brillantes comme un papillon. » Il se rallongea, se pénétrant de son bien-être, avec la tête de Yummee sur son épaule. Il soupira. « Cela me fout le cafard à la pensée que je vais devoir repartir bientôt. Ton rire me manquera. Et voir gigoter ton beau cul le matin quand tu te lèves pour aller aux toilettes.

— Mon cul, trop gros ?

— Bien sûr que non. » Il en avait une fesse pleine dans sa main. « Yummee, je te dois six cents dollars.

— Toi demander encore plus ? »

Annie garda le silence un instant. Il vida sa bouteille, la lâcha par terre et elle roula sur le plancher. En dessous, dans l'antre de l'opium, les yeux pleins d'étonnement d'un employé de banque se levèrent vers le plafond. Il lui avait semblé entendre un coup de tonnerre.

Annie dit : « Deux cents, ça irait ? Pour réparer la machine. Celle du bateau, je parle.

— D'accord », répondit Yummee.

3

Fortune-de-mer

Le lendemain, avec Yummee dormant étalée sur lui comme une poupée, le toujours fringant Annie se dégagea de ce corps délectable en se gardant, malgré la tentation, de la réveiller. Une tâche l'attendait, et il avait deux cents dollars pour l'accomplir. Il était persuadé que son fidèle mais irresponsable second, Barney Hudson, avait négligé le bateau pendant que lui, Annie, fulminait en prison. Mais un homme de mer tel que notre capitaine Doultry ne pouvait être entièrement lui-même sans son navire, et il ressentait maintenant dans ses os passablement secoués par Yummee ce besoin pressant de sentir un pont sous ses pieds.

« Bon Dieu », grommela Annie, qui venait de distinguer à cent mètres de là les lignes franches de sa goélette dans le port, et il en ressentait autant d'émotion que pour Yummee. *Fortune-de-mer* avait été construit à Gloucester, Massachusetts, en 1892, une goélette de vingt-huit mètres de long et sept de large. Il y avait des navires plus rapides, et bien d'autres plus beaux, mais ils n'appartenaient pas à Annie Doultry. Il avait acquis *Fortune-de-mer* à Portland, Oregon (sur un coup de poker, mais c'est encore une autre histoire), juste après le retour du bateau qui avait contourné le cap Horn pendant la ruée vers l'or dans le Klondike en 1897.

Mais plus Annie se rapprochait de *Fortune-de-mer*, plus son cœur se serrait. À vue d'œil, le bateau n'avait pas vu la mer plus de dix jours en six mois, et un bateau avait des souvenirs. *Fortune-de-mer* était drapé de tristesse, comme si une gaze noire avait voilé de deuil ses gréements distendus. La peinture craquelait sur la coque. Pas une goutte de vernis n'avait touché les ponts. La voile elle-même paraissait en lambeaux. « Et dans quel état doit être le moteur ? » grogna Annie, car c'était le cœur du bateau.

« Y a rien qui décon' avec c'te moteur, Annie », assurait Barney. Bernardo Patrick Hudson était un grand Noir de Tulepo, Mississippi, qui avait grandi sur le fleuve. Plus tard, à La Nouvelle-Orléans, il s'était attiré des ennuis et avait déguerpi. Annie l'avait rencontré dans les îles Salomon, où Barney était tombé malade et se trouvait en piteux état. Il n'avait peut-être que quarante ans, comme il le prétendait, mais il faisait beaucoup plus.

Annie le recruta comme matelot. En bon salopard, il avait fait en sorte que son geste passe pour de la charité, alors que Barney ne devait son nouveau statut qu'à la seule particularité de savoir accorder un piano et aussi en jouer.

Fortune-de-mer était amarré à la jetée nord dans l'abri de Yaumatei, protégé par un mur antityphon. Cet abri était de construction récente, une espèce de port artificiel délimité par une haute barrière de blocs de granit. Il était déjà encombré de jonques de toutes dimensions, chacune occupée par toute une famille et, parfois, plusieurs familles, tout un clan, aussi bien d'un point de vue physique qu'économique. Protégés des assauts de la mer, ils avaient rapidement métamorphosé le plan d'eau en un village flottant, où les jonques et les lorcas — des marchands de gréements et de charpenterie de marine — côtoyaient des bâtiments occidentaux. Les barges à vapeur n'aimaient pas accoster à Yaumatei. C'était un lieu pour les jonques, les pêcheurs, et quelques individus comme Annie Doultry, qui n'avaient pas les moyens de s'offrir un amarrage à Wan Chai.

Le ciel s'ouvrait grand à un soleil de cuivre. Le nuage noir s'en était allé. L'air était chaud et, comme d'habitude, saturé d'humidité, et aussi nimbé d'une pâleur faite de l'ombre moite qu'avait laissé en souvenir la nuée sombre en partant. Barney était torse nu, sa profonde noirceur épousant des formes reptiliennes. Il était mince comme un grillage d'encre.

Annie Doultry était devant la lisse et contemplait le navire qu'il considérait comme son père et sa mère. *Fortune-de-mer* était bien mal en point. Et elle puait. L'expression d'Annie était sombre, mais intérieurement il se sentait parfaitement bien.

« Espèce de bâtard, souffla-t-il dans le cou de Barney, t'aurais au moins pu faire les cuivres. »

Barney se marra. Il avait un marteau à la main, avec lequel il aplatissait des boîtes en fer. Il en était à sa vingtième boîte, ce matin, mais il continuait. Ses frappements accentuaient les rythmes de son rire, un peu trop métallique.

« Hé ! Annie ! croassa-t-il. Hé ! mon pote, mon capitaine, que Dieu te pardonne, t'as même pas envoyé une putain de carte postale, cap'. » Il tapa sur la boîte qu'il tenait avec une paire de pinces. Tout à côté, sur une jonque, un rideau de poisson séché pendant d'un bout à l'autre de l'embarcation, toute une bande de petits Tanka observaient avec fascination ce qui se passait sur le bateau étranger.

« Enfoiré, répliqua Annie. C'est toi qu'aurais dû me rendre visite. C'était le moins que t'aurais pu faire. »

Barney reprit son ricanement et son martèlement. Il en avait tout un sac, de boîtes. La sueur dégouttait de son front, s'infiltrait dans ses favoris ternes, pour venir grossir dans les creux escarpés de ses clavicules. Tout son corps semblait usé par quelque terrible et omniprésent océan.

Annie gratta la vitre abritant le compas du bout de l'index, comme une vieille maniaque vérifiant la propreté. Il gagna la porte menant au salon, descendit les marches, et regarda à l'intérieur. Il huma l'air, entra. Il était chez lui. La table des cartes, son fauteuil, son sextant à sa place, sa couchette, les cartes postales, les photos de ses enfants. Son piano.

« Tu as transporté de l'opium, n'est-ce pas Barney ? »

Le martèlement continua. Annie renifla derechef. Au nez d'un profane, le mélange des odeurs — relents de cuisine à trois pas de là, de goudron, de gasoil, de peinture, de paraffine et de vieux bois — aurait pu masquer toute odeur particulière.

Annie quitta le salon, gagna le panneau vitré au-dessus de la cuisine et regarda Barney. Celui-ci ne riait plus et était tout à sa tâche.

« Nous avons eu une longue discussion, Barney, et on était d'accord, pas d'opium. Pas sur mon putain de bateau, Barney ! J'ai eu assez de problèmes comme ça, Barney. » Le joyeux état d'esprit d'Annie, dû au bonheur de se sentir libre, commençait à décliner vers la normale. Il était bougon. Les hommes de mer ont une tendance à la grogne, car c'est une rude vie.

Barney se leva. Avec son mètre quatre-vingt-dix, il était plus grand qu'Annie. Avec le marteau dans sa main, ses longs bras tendineux et sa face scarifiée de Ghanéen, que l'indignation assombrissait si besoin était, il faisait très grand nègre féroce. « Ton bateau ? Ton putain de bateau ? De quoi tu parles ? C'est mon bateau à moi, mec. Alors je te le demande, de quoi tu parles ? »

Annie le regardait en silence. Barney se tapait la poitrine de sa main. « Le bateau à moi, Barney.

— Dis donc, tu serais pas en train de nous faire une de tes crises, des fois ?

— Non, j'fais pas une de mes crises. T'as parié avec moi. Sur *Fo'tune-de-me'*, Annie. Et tu me dis que t'as pas joué ton bateau avec moi ? »

Annie posa sur Barney un regard dénué d'expression, mais qui n'en disait pas moins : « Barney, t'es vraiment fêlé et t'es bon pour l'asile des dingues. »

En réponse, Barney secoua la tête avec vigueur. Il n'allait pas tomber dans ce piège. « Non, m'sieu', non, m'sieu', non ! Tu veux pas respecter ta parole, hein, salopard. Tu voulais jouer ce bateau avec moi, et j'ai dit, gaffe, Annie, tu vas te faire mettre tout seul, et j't'ai dit aussi, gaffe, ces enculés vont te balancer aux flics, j'l'avais bien reniflé, va. Merde, j'l'ai dit, j'lai dit.

— J'lai dit, j'lai dit », reprit Annie en se marrant doucement. Cette histoire commençait à lui plaire.

Barney pointa son marteau en direction du ciel laiteux et adressa cette supplique : « Dieu est mon témoin, cet homme a perdu son bateau au jeu. Maintenant, cet homme, Seigneur, il veut plus rien savoir. Qu'est-ce que je dois faire avec lui ? »

Son regard fiévreux exigeait une réponse. Et peut-être en reçut-il une, car il s'apaisa soudain. Ôtant son feutre, il sortit de sous la bande un bout de papier plié. La chose avait été arrachée à une feuille de cahier appartenant à Annie, et elle portait quelques mots griffonnés au crayon. Barney tendait le papier devant lui, feignant de savoir lire. Et d'une voix de prédicateur qui résonna sur les eaux de Yaumatei, il lança : « Je promets de payer un bateau à Bernardo Patrick Hudson si mon affaire avec le maréchal Sun me rapporte pas comme prévu mille dollars de Hong Kong. » Il marqua une pause. « Et c'est signé, A. Doultry.

— C'est pas ma signature, ça. Tu as contrefait ma signature.

— C'est pas ta signature ? » Barney fourra le papier sous le nez d'Annie. D'un preste revers de la main gauche, Annie l'arracha des doigts de Barney et le fit disparaître dans son poing. « Non, c'est pas mon écriture. Ça ressemble au gribouillis d'un ivrogne aveugle, et tout le monde sait que je ne me soûle jamais, n'est-ce pas ?

— Rends-moi ça, dit Barney en levant son marteau d'un air théâtral et grotesque.

— D'accord », dit Annie. Et il jeta à l'eau la petite boule blanche.

Barney en resta saisi, tenant sa pose menaçante telle quelque statue dédiée à un héros de la ténébreuse Afrique portant un chapeau mou. Les voisins des deux côtés se pressaient aux bastingages pour mieux apprécier le spectacle.

« Barney, Barney, murmura le capitaine, tu ne voudrais pas me prendre mon bateau, tout de même ? Merde, j'y crois pas. Donner son bateau à un enfoiré de négro. » Il secouait la tête, maintenant, les yeux embués de larmes. (Comment Barney avait-il pu lui faire ça ? Était-ce une blague ? Ou bien un authentique désespoir ?) « Merde, ça fait sept ans. Pense à ce que j'ai fait pour toi. Je t'ai sauvé plusieurs fois la peau des fesses. Quand je t'ai rencontré, t'avais même pas un seau où pisser. »

Barney laissa retomber son bras qui tenait le marteau et s'assit sur la lucarne de la cuisine.

« Qu'est-ce que tu as fait pour moi ? » demanda Annie, le visage empreint d'une expression de reproche qui n'échappa point à leur public. Un murmure de sympathie courait le long des lisses en langue tanka (car, bien sûr, les gitans de la mer avaient leur propre dialecte, comme tous les peuples de Chine). « Tu m'as jamais rien offert. »

Barney leva la tête vers lui. « Pourquoi je te donnerais quelque chose ? T'es un Blanc, Annie. J'ai jamais rien filé à un homme blanc, jamais. Et aucun homme blanc m'a jamais rien donné non plus. »

Annie sortit un paquet de Woodbines et alluma une cigarette.

« Tu sais quoi ? reprit Barney, échauffé par le sujet. Je te prêterais pas mes dents si tu pouvais plus manger. Qu'est-ce tu m'as donné ? Une putain de couchette grouillante de cafards ! Et moi, j'ai accordé ton putain de piano ! Pendant sept ans ! Et je souriais et je te racontais des blagues. » Il y avait une fêlure maintenant dans sa voix. « Je te faisais à bouffer, aussi. Et combien de fois tu m'as payé pour ça ? Tu veux les comptes ? » Il avança son menton, qui tremblait. « Tu me dois du fric, enfant de putain ! Tiens, j'ai tout noté. »

Appuyé contre le mât, Annie soupira. Il connaissait la suite de cette scène : Barney allait encore ôter son galurin, qui avait l'air fossilisé par le sel de mer, et extraire de sous la bande intérieure un tout petit carnet de couleur bleue aux feuilles jaunes toutes froissées. Annie commençait à perdre patience et, comme Barney ouvrait la bouche pour entamer la litanie des mauvaises nouvelles, son capitaine balaya d'un grand geste le port et Hong Kong réunis et déclara : « Barney, tu seras payé bientôt. Tu seras payé dès que j'aurai pu mettre la main sur un peu de cash.

— Laisse tomber la paie, mec. C'bateau est à moi, et t'es sur mon pont. Alors, j'te le demande gentiment, cette fois, signe les foutus papiers, les papiers du bateau, parce qu'il est à moi, à moi, mec. C'était un pari tout ce qu'y a de légal, capitaine. Tout ce qu'y a de légal.

— Barney, tu ne regardes pas la réalité en face, mon ami. Y a rien de légal pour un nègre à Hong Kong. Je pourrais te flinguer et balancer ta carcasse par-dessus bord devant la police maritime, et ces braves gens regarderaient de l'autre côté en rigolant. Qu'est-ce qui peut m'en empêcher ?

— Rien, à part mon rasoir.

— Je pourrais te flinguer pendant que tu dors.

— T'auras jamais les couilles de le faire. »

Le soleil s'élevait plus haut que le voile d'humidité qu'il muait en vapeur translucide. La sueur coulait du nez d'Annie, qui se tenait debout, ses bras épais croisés sur sa poitrine. Le corps de Barney semblait s'être affaissé au point de n'être plus qu'un tas d'os noirs, tandis qu'il regardait en direction de l'est, là-bas, au-dessus des toits de Kowloon, où commençait l'océan. « J'vais partir pour Los Angeles, maintenant, dit-il. Je vendrai le bateau, j'connais quelqu'un, là-bas. Je vais le vendre, avec ses voiles et tout. Et j'vais rentrer chez moi. M'acheter une p'tite maison dans le bayou. Le bayou du Chien-Mort, on l'appelle.

— Trou du cul va, dit Annie. Je t'avais prévenu pour l'opium.

— Et avec quel fric j'aurais bouffé, hein ?

— J'aurais pu m'en faire un tas avec ces armes, dit Annie.

— Espèce de pourri, t'as volé ces armes à l'armée américaine, dit Barney, et tes combines te sont retombées sur la gueule. »

Barney savait accorder un piano. Il savait aussi en jouer. Les deux hommes jouaient à quatre mains et, parfois, quand la mer était calme, ils y passaient tout l'après-midi. Mais la chaleur et l'humidité ruinaient l'instrument. C'était un Brinkerhoff, fabriqué à Jackson, Michigan, et il avait une belle tonalité qui convenait très bien à l'acoustique du salon. Le plus drôle, c'était que Barney avait joué du piano sur les vapeurs du Mississippi durant toute sa jeunesse, jusqu'à ce qu'il s'attire des ennuis, et c'était lui qui avait l'oreille musicale. Mais ça ne l'ennuyait pas qu'ils jouent parfois faux, et c'était Annie qui rectifiait.

« Barney, tu joues de ce piano mieux que tous les enfoirés à l'ouest de San Francisco, quelle que soit leur couleur, dit Annie.

— Tu me prendras pas mon bateau avec tes paroles sucrées, mec. Et tu parles de mon piano, l'oublie pas, enfoiré. »

Ce fut de très loin qu'Annie remarqua la petite femme qui semblait aveugle se diriger vers lui. Pourquoi ? D'abord, on aurait dit qu'elle était aussi pâle et brillante que la lune après la pluie ; mais aussi parce que sa vue basse semblait être étrangère à cette manière qu'elle avait de venir à lui, comme si elle avait été guidée par une invisible barre à travers les rochers et les hauts-fonds.

« Cap'taine Doult'y », dit-elle en se cognant à lui. Ce n'était pas une interrogation, mais une simple certitude.

« Oui, qu'y a-t-il ? » demanda Annie. De près, la femme paraissait beaucoup plus vieille qu'il ne lui avait semblé.

De sa veste de soie noire, elle tira une antique boîte d'allumettes — une boîte *vesta* pour les fumeurs de pipes à opium. « Pour toi, murmura-t-elle.

— Je ne fume pas, dit Annie.

— Pas pour fumer », dit la vieille.

Annie prit la boîte, et la femme s'éclipsa si prestement qu'il se demanda s'il ne devait pas s'attendre à une explosion. Il ouvrit la boîte. Elle contenait son vieux camarade Dempsey le cafard, au cadavre couleur de cuivre rouge. À côté du corps parfaitement conservé, y avait un petit rouleau de papier.

Les doigts épais d'Annie déroulèrent le message tracé d'une plume noire dans un anglais original : « Capitaine, monsieur, votre venue est sollicitée dans la maison des Rêves-Étranges, Soarez Street, Macao. Je vous attends. »

Bien décidé à ne pas s'inquiéter, Annie embarqua dans l'après-midi sur le ferry pour Macao. Il était amusé par la façon dont chaque noir dessein cheminait à travers cette redoutable ville, la plus effrénée de l'Orient, la cité où tout pouvait vous arriver. À Macao, la passion du jeu semblait s'être coulée dans les ruelles sinueuses comme sur les visages impavides. Située à seulement quarante milles de Hong Kong, vers l'ouest, elle était son contraire. Alors que Hong Kong prétendait représenter l'ordre britannique, Macao était aussi désinvolte et hédoniste que les Portugais qui en avaient possession. C'était le plus ancien comptoir européen en Asie, le plus vicieux aussi. Il n'y avait pas un homme ou une femme qui ne se fût aventuré dans le lointain Orient et n'en eût rapporté des cicatrices, des trésors et des blagues cruelles qui se résumaient en un seul mot : « Macao ».

Telle la boule qu'on lance à la roulette, Annie n'eut pas à chercher son chemin. Un gamin de neuf ou dix ans, qui n'avait plus d'oreilles (particularité qui n'était sans doute due qu'à la cruauté ordinaire), l'aborda sitôt qu'il eut posé le pied sur le quai et, le prenant par le bras, l'entraîna à travers les rues grouillantes. Cinq minutes plus tard, ils se tenaient devant la maison des Rêves-Étranges. Émerveillé par cette arrivée à la fois remarquée et discrète dans Macao, Annie se retrouva dans l'entrée qui abritait le bureau de change de la maison de jeu. Le changeur vous donnait aussi un prix pour votre montre, vendue ou mise en gage, vos bijoux, un appareil photo, tout article de valeur. Deux jeunes femmes en cheongsam aux couleurs criardes (en vérité, l'uniforme des filles légères) marchandaient une paire de boucles d'oreilles. Il y avait beaucoup de femmes, et pour tous les goûts. Les cheveux courts, façon 1920, avec accroche-cœurs, faisaient l'unanimité. Annie promena son regard dans la salle du rez-de-chaussée, opaque de fumée, dont celle d'opium, et bruissante des murmures passionnés des joueurs.

Beaucoup étaient très pauvres, des coolies ou des dockers aux corps secs et musculeux. Ils laissaient leurs coiffes de paille tressée entassées le long du mur, pendant qu'ils jouaient leurs pennies. Les côtoyaient des paysans descendant en ville une fois par mois. Il y avait aussi des déserteurs et de vieilles personnes drapées de soie usée qui ne se donnaient plus la peine de grimper au premier. L'étage était bien plus sélect ; cela vous coûtait deux dollars, rien que pour entrer. Le garçon sans oreilles, debout dans l'escalier, son visage maigre luisant, faisait signe avec impatience à Annie de le suivre.

Mais Annie l'ignorait. Il écoutait l'impénétrable murmure, le tintement des pièces de monnaie, le froissement des billets. Il s'approcha de la table. Il n'y en avait qu'une seule mais elle faisait bien dix mètres de long. Huit croupiers — on les appelait *loki* — étaient rangés d'un côté, chacun flanqué d'un caissier. Le chef caissier et le chef croupier, tous deux très âgés, étaient assis en bout de table telles des figures tutélaires.

Se frayant un chemin dans la foule, Annie observa une bande de marins étrangers qui s'étaient regroupés bien qu'ils soient de nationalités différentes et qu'ils ne servent pas sur les mêmes navires. Deux d'entre eux portaient le pompon rouge de la marine française. Il y avait aussi un Hollandais, deux Boches, et des Portugais, des Écossais, Dieu sait quoi encore. La plupart appartenaient à la marine marchande ; ils venaient jouer leur paie, soûls comme des grives, un cercle de jolies petites femmes en cheongsam et coupe garçonne tripotant les fesses de ces messieurs, serrées dans leurs pantalons collants.

Marins. Le mot faisait sourire Annie.

Il aimait observer le jeu de fan-tan. Il n'y avait jamais joué. Annie ne jouait jamais. C'était cela, son histoire. Il n'avait jamais joué aux cartes ni même parié sur un bourrin. Il y avait eu les cafards, certes, mais c'était en prison, une circonstance particulière, une affaire d'ennui mortel. Et il avait parié une fois sur un lévrier. Encore une autre histoire, et une longue.

Mais voilà, le fan-tan le tentait parfois, parce que c'était un jeu magnifique. Il tenait son charme de sa simplicité limpide, de sa rigoureuse application des lois du hasard, enfin du savant rituel de sa justice. La découpe d'une partie du plafond — puits par lequel les riches pouvaient regarder de haut les pauvres — faisait aussi partie de l'attrait. Annie leva les yeux et vit la rangée des visages penchés par-dessus la balustrade. L'espace découpé était rectangulaire comme la table, et tout aussi long. Les larbins là-haut descendaient les paris des nantis dans des paniers au bout d'une longue corde. Au milieu d'un chaos apparent — que venait soudain suspendre le tintement de la cloche, installant un douloureux silence jusqu'à ce que le croupier soulève la coupe en argent et entame son comptage fatidique — les paniers tombaient d'en haut tels des oiseaux abattus en vol, atterrissant devant les assistants du croupier, chacun à sa place devant un plateau en cuivre au métal terni par l'encre des innombrables billets de banque qui l'avaient effleuré pendant des années, et dont les côtés étaient numérotés de 1 à 4. Les paniers chutaient de la façon décrite plus haut, pour la bonne raison qu'on ne laissait pas glisser la corde, non, on les jetait de telle manière que, retenus adroitement au dernier moment par le lanceur, ils tombaient pile devant le croupier. Cela rappelait ce jeu des sauvages de la Nouvelle-Guinée qui se jetaient de falaises hautes de trente mètres, attachés à des lianes, et qui parfois se tuaient avant d'avoir reçu la visite de la reine. Et quand ce panier voltigeait, son pilote, qui était toujours un vieil homme, chantait d'une voix particulière le pari qu'il contenait : « Fan ! » ou « Ching ! » ou « Kwok ! ». Comme ces trois mots étaient beaux, songeait Annie.

Le visage de la femme qui le regardait depuis l'étage n'était pas d'une grande beauté pour une Chinoise ; après tout, les Chinoises, quand elles sont belles, sont sans doute aucun les plus belles femmes du monde, ce qui est beaucoup exiger. Mais telle que l'œil d'Annie la voyait, elle était d'une grâce indicible. Le dominant de quelques mètres, elle se tenait à côté de l'un des plus vieux croupiers de Macao, qui n'était pas de service ce soir-là. C'était un petit gros, dont la présence accentuait la grâce élancée de cette femme menue qui, à ses côtés, observait Annie Doultry.

On le pria d'entrer dans la maison jouxtant la salle de fan-tan de Yung Chung, à laquelle on accédait par un petit pont qui lui rappela la prison de Victoria. La pièce dans laquelle il fut admis était petite et lambrissée de bois noir. Un boulier était posé sur une table. Au bout d'un moment, un serviteur en tenue traditionnelle vint le chercher pour le conduire dans une autre pièce, longue celle-ci, aux murs décorés de peintures sur soie. Parmi les objets de valeur qui l'agrémentaient, des porcelaines étaient disposées selon la tradition : d'abord les Kuang Hsi, ensuite les Chen Lung, enfin les Ming. Il y avait un éléphant de jade dont les yeux et le harnais étaient incrustés d'émeraudes, mais le lieu ne faisait ni trop chargé ni étalage de richesse, hormis peut-être le paravent dans le fond de la pièce, un paravent fabriqué pour le vice-roi de quelque empereur Ming dans les premières années de la dynastie, peut-être le vice-roi de Fukien. Le peintre avait représenté un dragon fendant les vagues de l'océan.

La femme était seule quand elle entra. Annie attendait, les mains croisées dans le dos, contemplant l'éléphant de jade. Sa casquette était posée sur la table. « Asseyez-vous, monsieur Doult'y.

— Je m'appelle Doultry, madame. Ça rime avec truie. »

Elle n'essaya pas de répéter. Plus tard, elle le ferait, mais toujours avec ce son mouillé, bien qu'elle sût s'exprimer dans un anglais presque parfait quand elle voulait impressionner les idiots. « Vous savez qui je suis ? lui demanda-t-elle.

— Mademoiselle Butterfly ? » Il avait une expression sérieuse, les sourcils haussés façon major Bellingham. Mlle Butterfly — *Hu Tieh* en mandarin — était l'actrice chinoise la plus célèbre, sous contrat avec la maison de production Star, sise à Shanghai ; c'était une femme originaire de Canton et une vraie pin-up. La mince petite femme esquissa l'ombre d'un sourire. *Cette femme serait-elle immunisée contre la flatterie ?* se demanda Annie.

« Je suis madame Lai Choi San », dit-elle, et Annie sut qu'il venait de rencontrer son égal féminin, une dame qui pourrait bien le tuer, un jour.

Il se posa sur une chaise. Sa casquette resta sur la table basse en bois de prunellier, simple, belle et précieuse comme le reste du mobilier. Il remarqua combien les lumières dispensées par des lampes à huile — et non à gaz — étaient douces et flatteuses, alors que le gaz précisément alimentait tout Macao. Cette femme rusée devait avoir trente-cinq ou trente-six ans. Assise en face de lui, elle l'observait en silence en bougeant étrangement sa main droite sur la table, comme si elle y comptait d'imaginaires pièces d'or. Elle portait une robe cantonaise traditionnelle, en soie blanche, des dragons verts ornant les manches, une pierre de jade au cou et des boucles d'oreilles également en jade, comme les têtes de ses épingles à cheveux. Elle était curieusement brunie et hâlée par le soleil pour une femme de cette classe ; sa peau luisait comme du bronze à la lumière que reflétait sa robe, et Annie devina vite qu'elle était une femme de la mer.

« Serait-ce un parent à vous, madame Lai ? » Il montra le paravent sur lequel le dragon, crachant une longue flamme bleue, engloutissait un grand navire à voiles qui devait être britannique ou portugais. Une telle question était un compliment, et elle sourit et salua de la tête avec grâce, telle une veuve chinoise, ce qu'elle était. Sa main gauche était lourde de bagues en or, certaines serties d'émeraudes, mais la droite était nue. Il nota les ongles coupés court, les petits pieds étroits dans les chaussons, des pieds nus, comme chez les paysannes ou les gens de mer.

« Oui, je suis une Tanka, répondit-elle. Et mon père et le père de mon père et tous les autres avant lui étaient des Tanka. » Elle agita sa main baguée. Il y avait de l'arrogance et de l'impatience dans ses gestes élégants. « Nous sommes des Tanka. Nous possédons de nombreux bateaux. Maintenant, à moi de vous demander, cap'taine Doult'y... aimeriez-vous boire quelque chose ? »

Il demanda du schnaps. Elle ne savait pas ce que c'était mais elle donna un ordre à une servante, une petite chose bien mignonne, pensa Annie en la regardant disparaître à pas menus. « Monsieu' Doult'y, dit-elle, vous êtes un homme très généreux. Vous avez fait un grand cadeau à mon serviteur, qui s'appelle Hai Sheng. Il commande un de mes bateaux. » Elle sourit, un sourire franc, bien que fugace. « Un vrai commandant, pas comme le cuisinier noir du cap'taine Doult'y... oh, non, non, non ! » Elle agita son index en direction d'Annie, qui était secoué de rire. « Pourquoi faire ce cadeau ? Cadeau de la vie à Hai Sheng ?

— Il me devait un cafard », répondit Annie.

La jeune servante revint avec un plateau chargé d'une bouteille de porcelaine et de trois minuscules tasses, aussi fines que des coquilles d'œuf. Elle était suivie par un petit Chinois de l'âge d'Annie, vêtu d'un costume gris à la coupe parfaite, d'une chemise Oxford et d'une cravate à pois bleus comme celle qu'Annie avait offerte au dentiste de la prison, présent qu'il regrettait à cet instant.

Mme Lai fit les présentations. L'homme s'appelait Chung Hou. « Mon comptable, dit-elle. Nous disons, ici... maître des écritures. » L'homme serra avec chaleur la main d'Annie. Il portait des lunettes à la monture particulièrement large, de manière à compenser l'absence d'arête nasale. L'homme n'avait pas fait carrière dans la boxe, pensa Annie. Il était simplement né ainsi. L'autre détail que remarqua Annie était ce renflement sous la pochette de la veste de M. Chung. Ce costume était trop bien ajusté pour une telle précaution.

« Donnez, je vous prie, au capitaine Doult'y ce qu'il a mérité », dit-elle en anglais à M. Chung en désignant Annie.

M. Chung glissa la main sous le revers de son veston. Annie, persuadé que l'homme allait tirer son arme, plongea sa main droite sous sa veste en crépon et, dégageant de sous son ceinturon son 9 mm Walther, fut le plus rapide à dégainer. M. Chung ne broncha pas ; il continua son mouvement, alors qu'Annie faisait sauter le cran de sûreté avec son pouce. Mme Lai applaudissait en riant comme une folle, portant de temps à autre ses doigts devant sa bouche, comme le font les jeunes filles chinoises soucieuses de dissimuler leurs larges dents et leurs gencives roses. M. Chung tira doucement de sa poche intérieure un petit sac d'or, qu'il posa délicatement sur la table en prunellier sans bouger un cil, ce qui est une façon de parler car, comme beaucoup de Mandchous, il n'avait pas de cils.

« Excuse-moi, mon gars, dit Annie, un rien embarrassé, en rengainant son arme. Mais tu sais ce que c'est. »

M. Chung eut un geste de la main qui rappelait celui de sa patronne et le dispensait de dire que ça n'avait aucune espèce d'importance. Annie allait découvrir que l'anglais de M. Chung n'était pas aussi bon que celui de Mme Lai.

La servante versa une liqueur dans les tasses. « Patience, cap'taine, dit M. Chung, vous avoir schnaps grande qualité. Mais vous essayer cette boisson, excellent vin chinois. » Le maître des écritures était un personnage un peu ridicule, mais on ne pouvait qu'admirer son sang-froid ; il avait été à deux doigts de se prendre une balle en pleine tête.

Il ne fut question du sac d'or qu'après qu'Annie eut accepté sa tasse de vin. Mme Lai expliqua qu'il y avait là cent souverains anglais. Elle en fit sortir quelques-uns du petit sac, un geste qu'Annie jugea un tantinet vulgaire.

« Mille dollars, cap'taine Doult'y. Pour cadeau de la vie à Hai Sheng. J'ai beaucoup de maîtres des voiles, beaucoup, beaucoup, mais je veille toujours sur mes gens. »

Annie goûta au vin, qui était imbuvable. Détournant son écœurement vers le sac d'or, il prit une pièce dans sa main et pinça les lèvres. « Madame Lai, dit-il, maîtrisant son émotion. Je vous remercie infiniment mais je ne peux pas accepter.

— Oh, mais il faut. Je dis, il faut accepter cet argent.

— Madame Lai, je ne me suis jamais fait payer pour sauver la vie d'un homme. Pour le tuer, oui, bien sûr. Mais pas dans l'autre sens. Je voulais cette blatte. Ce serait contre mes principes que d'encaisser du fric pour avoir été humain. » Alors même que les mots sortaient de sa bouche, une petite voix en lui s'écriait : « Principes ? C'est quoi, ce sirop sentimental ? Annie, tu serais pas en train de faire un pari encore ? Tu vas risquer mille patates sur une nouvelle et grandiose prémonition ou quoi ? »

« Prenez encore du vin », offrit Mme Lai en soulevant la petite bouteille. Annie refusa de sa main levée. Il lui semblait lire dans les pensées de la Chinoise. « Quoi ! ce type veut pas d'or anglais, et pas de vin chinois non plus ! Mais il veut quoi, alors ? »

Il se fit un silence, qui était comme le long écho d'un gong. Puis M. Chung demanda : « Vous pas aimer bon vin fin ? » Le nez sans arête de M. Chung se fronça à cette question fort embarrassante. Soudain, Annie en eut assez de tout cela. « Monsieur le maître des écritures, dit-il dans un souffle. J'aime ce vin. C'est le meilleur pipi d'oiseau que j'aie jamais goûté. »

Tombant à pic (car on partait pour un nouveau silence), le grand serviteur dans son élégante tenue noire entra avec une flasque de schnaps Stummelpfennig. Annie se sentit soudain mieux.

M. Chung, le comptable de Madame, s'inclina avec une

grande souplesse et quitta la pièce en silence, non sans emporter le sac d'or, avant qu'Annie ne change d'avis.

Mme Lai dit à Annie : « Oui, je vous ai vu, je vous ai vu regarder jouer fan-tan.

— Alors, vous avez dû être très déçue, madame. » Il remplit pour la quatrième fois sa tasse en forme de coquille d'œuf à la chiche contenance.

« Oui, très déçue. » Son visage n'exprimait rien d'autre qu'une grande vigilance.

Il secoua la tête puis promena son regard dans la pièce. Il n'était pas spécialement amateur de porcelaine chinoise ni de paravents peints ni de miroirs sertis de fleurs de jade. Il avait possédé un miroir, un en métal, un rien rouillé mais plus fonctionnel que celui de Mme Lai posé sur une table en bois de rose devant le grand paravent. L'objet devait être vieux de mille ans, et sa surface, bien que parfaitement réfléchissante, était étrangement translucide. « Je ne joue jamais, madame, dit-il. Sauf sur les cafards.

— Jamais les cartes ?

— Non.

— Jamais parié sur les chevaux ?

— Non. » Annie pouvait mentir au kilomètre.

« Jamais rien joué, alors ? Oh, là, là ! » D'où qu'elle eût hérité cette expression, ce n'était pas de Paris. À chaque « là », sa langue claquait contre ses dents carnassières, et ses « là » sonnaient plutôt « ga ga ga », du moins à l'oreille d'Annie. Elle le vit sourire, tandis qu'il balayait la pièce d'un regard endormi, alors que celui de Mme Lai était braqué sur lui avec une acuité douloureuse, qui le fatiguait et lui faisait penser aux rayons mortels de H. G. Wells.

« Une fois, j'ai parié sur un chien, dit-il.

— S'il vous plaît, racontez cette histoire. »

Il laissa passer un silence. « Je savais que je pariais sur un chien, expliqua-t-il d'un ton patient. Mais je ne savais pas qu'il s'agissait d'une course, d'accord ? Je croyais parier sur sa vie. » Nouveau silence. « C'était une ruse.

— Ah ! Ah, oui ! » s'écria-t-elle, les yeux brillants comme des balles nickelées. J'ai entendu raconter cette histoire du chien, oui ! » Et de confirmer d'un énergique hochement de tête. Et elle aurait continué si la large paume rose d'Annie n'avait affiché un stop impératif. Qu'on le laisse parler, qu'il ne soit plus interrompu. Et même pour cette femme aux yeux comme des projectiles, l'un des bandits les plus notoires d'Asie, c'était un ordre à respecter. Elle la boucla.

« C'était une ruse, reprit-il. Un copain a moi m'a joué un tour tordu. » (Il s'agissait de Bernardo Patrick Hudson, ce foutu vicieux de nègre.) « Ce copain me convainquit de parier un peu d'argent sur un chien, un chien malade. Mourrait-il ou survivrait-il ? C'était ça le pari. Il me dit aussi qu'il avait rencontré un drôle de type avec un chien malade. »

Elle le regardait intensément, et comprenait manifestement l'essentiel de l'histoire, à savoir qu'il était prêt à parier tous les jours sur un chien malade. Annie hocha plusieurs fois la tête pour lui confirmer qu'elle voyait juste. « Alors, inutile de rentrer dans les détails, n'est-ce pas ? dit-il, l'air bonhomme. À la vérité, c'était un chien — un lévrier — engagé dans une course, et sa prétendue maladie n'était qu'une ruse. »

Elle acquiesça. « Une ruse. Ha ! » Elle claqua la langue. Il acquiesça d'un hochement de tête, se demandant s'il ne serait pas bienséant de continuer de dodeliner du chef quand, miraculeusement, elle tendit la main. « Je vois, sauf les cafards, vous pariez pas sur animaux qui courent. Pas les cartes non plus, pas le fan-tan. Bourse de Hong Kong, peut-être ?

— Non, la Bourse non plus. » Il secouait la tête, maintenant, après l'avoir tant hochée. Mais il la sentait lourde, sous l'influence de ses propres rythmes, auxquels il n'échappait que par un effort de volonté. « Pas de poker. Pas de backgammon.

— Mais la mort des chiens, oui ?

— Tous les sujets de vie et de mort, oui.

— Une vie de chien. Ha ! » Elle découvrait des symétries, maintenant qu'elle avait compris. Elle écoutait formidablement la langue anglaise, et apprenait vite. Elle était née aussi pour connaître les hommes.

« T'as tout pigé, ma jolie », lui dit Annie.

Derrière l'écran avec son grand dragon dévorant les navires des Barbares, M. Chung, le maître des écritures, était assis en silence tel un sphinx. Il jouait seul à un mystérieux jeu de cartes à l'envers doré (qui paraissait français), mais quel était ce jeu ? Qui l'avait inventé ? En guise de table, il se servait de l'*Atlas du monde*, de Rand McNally — une édition récente —, posé en travers de ses genoux. Il écoutait attentivement la conversation de sa maîtresse avec le capitaine Doultry et, de temps à autre, observait ce dernier par les minces fentes entre les pans du paravent.

« Vous être un vrai joueur, cap'taine Doult'y, disait Mme Lai.

— Ma foi, je ne sais pas. » Non, mais de quoi parlait-on ? se demanda soudain Annie. Le schnaps lui remontait le système limbique ; il était grand temps de faire une sieste. « Disons, ma belle, que je ne joue pas sur les choses qui sont organisées. Je parie sur ce qui est désorganisé. Pour ou contre, peu m'importe. Je tente le coup. J'aime bien m'amuser de temps à autre. »

Elle détourna son regard de lui, et ce mouvement signifiait que la rencontre touchait à sa fin. « Cap'taine Doult'y, vous êtes un homme très intéressant. Je vous remercie de venir me voir. Mais j'ai affaires à traiter, maintenant. » Elle se leva, souple et décidée, comme un chat s'étirant avant de partir en maraude.

Annie la regarda. Il aimait regarder les femmes autant que les femmes aimaient le regarder. Il fixa sur elle ses magnifiques yeux brillants, captant malgré elle ceux de la femme et les tenant fermement, ces deux balles nickelées sous leurs arcades ombrées. Il s'entendait penser, avec un zeste de fatigue : *Qu'est-ce qu'elle peut bien me vouloir bordel?* Mais sa bouche articula : « Je crois que nous devrions tous entretenir un peu de mystère. C'est mon opinion. »

Elle se tenait devant lui, prise d'intérêt de nouveau. *Faut être deux pour jouer à ce jeu*, pensa Annie. *Vous êtes une maîtresse pirate, je le vois au moindre de vos gestes, et moi, madame Lai, je suis un maître menteur.* « Peut-être les femmes devraient-elles rester plus mystérieuses que les hommes, je ne sais pas, dit-il, continuant de chercher la réponse à sa question. Mais il y a toujours quelque chose chez quelqu'un qui vous donne envie d'en savoir plus, vous ne trouvez pas? Si je vous racontais tout de moi, vous pourriez rapidement vous ennuyer.

— Ou peut-être très lentement, dit-elle.

— C'est une question de curiosité. C'est dans la nature humaine d'être curieux. Quand la curiosité est satisfaite, il faut chercher un autre sujet de curiosité. D'accord?

— Je dois traiter affaires. » Elle était nerveuse, à présent.

« Il y a chez vous, madame Lai, quelque chose qui m'intrigue et m'intéresse beaucoup. Puis-je vous en parler?

— Peut-être que je répondrai pas. » La peur montrait son nez.

Annie se composa un sourire, qui disait c'est-comme-tu-voudras-chérie. « Nous sommes seuls, n'est-ce pas? Et tout ce que vous pourrez dire de personnel et d'intime sera strictement entre nous. Je veux dire que personne n'est là pour nous entendre, qu'il n'y a que vous et moi, pas vrai? »

Elle le regarda. « Oui, c'est vrai.

— Alors, que fait M. Chung assis derrière ce paravent? Derrière moi, à ma droite? »

Elle ne broncha pas. Elle ne répondit même pas à la hâte, ne prit même pas la peine de sourire. « Oh, mais c'est juste un domestique. Avec mes domestiques, je suis seule. » C'était une courageuse réponse. Doultry hocha la tête d'un air satisfait, mais n'en insista pas moins. « Je n'ai jamais vu de domestique portant sur lui un costume sur mesure à trois cents dollars.

— Il m'attend. Pour discuter affaires, lui et moi. Maintenant, je dois vous quitter.

— Maintenant, je dois sourire, répliqua Annie.

— Un sourire rend visage plus beau.

— Pas si on a de mauvaises dents.

— Vos dents pas mauvaises. Maintenant, je vous donne une petite chose que vous gardez, s'il vous plaît. » Elle gagna une table sur laquelle elle ouvrit une boîte en ivoire d'où elle sortit un pion de mah-jong en ivoire lui aussi, qui portait un signe rouge et, au revers, une inclusion de jade. Elle l'offrit à Annie. « Si je veux vous revoir, capitaine, ma servante vous montrera la même pièce. »

Annie examina le pion. Le signe représentait trois balles de pistolets, et l'inclusion de jade dessinait un tigre vibrant d'une maniaque férocité. Annie laissa tomber la pièce de jeu dans sa poche. « Si je ne viens pas, dit-il, je vous la renverrai.

— Gardez. J'ai beaucoup mah-jong.

— Peut-être qu'on ira voir un film ensemble ?

— Peut-être. Au revoir, cap'taine Doult'y. »

Le domestique ouvrit la porte. Annie s'inclina devant Mme Lai, une parfaite révérence à l'ancienne, puis quitta la pièce.

Accoudé à la balustrade du premier étage de la maison de fan-tan, vous aviez une vue plongeante sur la table de jeu et sa foule bourdonnante. Vous pouviez observer les caissiers manipulant dans leurs petits tiroirs toutes sortes de monnaies. Il y avait des coupures chinoises émises par une douzaine de banques différentes, dont les valeurs étaient alignées sur le taël, qui équivalait à trente-six grammes d'argent. Mais en Chine, le taël variait d'une province à l'autre, comme tous les poids et mesures chinois, ce qui obligeait à consulter les tables de change. Il y avait une quantité de vieilles pièces chinoises d'un dollar en argent, frappées à l'emblème du dragon, et aussi les nouveaux dollars Yuan Shih-kai, provenant de Pékin, et les demi-dollars en argent du Yunan qu'on devait au gouverneur Tang, et qui portaient son effigie. Les dollars américains, les souverains britanniques, les pesos portugais étaient bien sûr les bienvenus, ainsi que les dollars de Hong Kong, ces derniers dominant les débats par leur quantité. De vieilles pièces américaines de un dollar, de même que leurs équivalents mexicains et japonais — une monnaie au-dessus de tout soupçon —, étaient disposées en de jolis tas ordonnés, histoire d'afficher une touche de classe. Les piastres venues de Saigon faisaient l'objet d'un examen soupçonneux, car les contrefaçons étaient légion, mais tout ça c'était de l'argent, et du légal, et il était le très bienvenu, en Chine comme à Macao et dans la maison de fan-tan.

Le travail des caissiers n'était pas facile. Et cela expliquait leur grand nombre. Après chaque jeu, ils trempaient dans l'encre leurs brosses à écrire et pointaient leur prise dans de grands registres : leurs bouliers crépitaient sans cesse, de nuit comme de jour, car la maison de fan-tan ne fermait jamais.

Il fallait quinze à vingt minutes pour que tous les paris soient placés. Les gens consultaient leurs notes compliquées sur le cours du jeu; un préposé distribuait de petits cartons portant des colonnes de zéros, de II, de III, ainsi que des croix, qui fournissaient les résultats de la journée, et ce jusqu'au dernier jeu. Ces signes équivalaient à un, deux, trois et quatre. C'était aussi simple que cela. Parier l'était moins; un assistant croupier plaçait votre argent sur l'un des quatre côtés d'un plateau de cuivre sur lequel étaient gravés les signes ci-dessus mentionnés. Le fan-tan est un jeu où un seul de ces quatre chiffres peut sortir; si on gagne, le caissier vous paie quatre fois votre mise (moins les dix pour cent pris par la maison, ce qui entraînait la manipulation d'une énorme quantité de cash et une accélération du cliquetis des bouliers, un bruit apaisant pour l'âme écorchée du flambeur). Mais les joueurs pariaient le plus souvent sur deux chiffres, une technique appelée Kwok et qui payait double, ou bien ils jouaient Ching, ce qui signifiait un pari sur un seul chiffre, les deux autres étant neutres. Ching aussi payait double ; si votre chiffre neutre était bon, on vous remboursait la mise ; on ne perdait qu'en cas de sortie du quatrième numéro. D'un point de vue mathématique, Ching était plus sûr que Kwok, et cela lui valait la faveur des joueurs professionnels.

Il y avait une quatrième manière : Lim. Là, on pariait sur un chiffre, on choisissait un neutre, mais on pouvait perdre sur les deux autres. Le gain triplait la mise. Pour des raisons mystiques, disait-on, seuls les natifs de l'année du Rat pouvaient y gagner. Les autres étaient voués à perdre. Toujours. Tous les joueurs de fan-tan avaient remarqué l'inflexibilité de cette loi de l'univers.

Les paniers volaient de haut en bas, les vieux *loki* à l'étage chantaient les instructions de leurs clients, et Annie observait, le ventre calé contre la lisse balustrade de teck. Il maternait dans sa main la pièce de mah-jong que lui avait donné Mme Lai. Un canari gazouillait dans une cage accrochée à une petite fenêtre à côté de lui dont les volets étaient à demi fermés pour parer à la lumière rasante de l'après-midi. Le bruit de la salle de jeu couvrait celui de la rue. Là-haut, à l'étage, Annie se trouvait parmi les gros joueurs.

Il y avait là aussi quelques touristes, surtout des Anglais de Hong Kong. Il avait en face de lui un ingénieur en chef au visage rond et rose et aux épaules aussi larges que les siennes. Le type était un joueur ; il n'était pas là pour s'amuser. Avec les Chinois, les Anglais sont les joueurs les plus obsessionnels du monde, un signe annonciateur de ce que serait un jour Hong Kong, du moins aux yeux de ceux qui voulaient bien en prendre note.

La tête blanche du chef croupier luisait comme une vieille boule de cire. Il avait devant lui un tas de pièces de cuivre appelées « cash » par les Chinois, qui inventèrent le mot. Elles étaient de fabrique ancienne, avec un trou au milieu, pouvant ainsi être enfilées sur une ficelle. Le chef croupier recevait de ses assistants la progression des paris. Quand il voyait assez d'argent sur la table pour justifier ses efforts, il prenait une coupe en métal d'une vingtaine de centimètres de diamètre et en coiffait la pile de cash. Il le faisait d'un mouvement rapide et aisé. Il agitait un peu la coupe pour décoincer les pièces prises sous le bord, et il était vraiment impossible d'évaluer le nombre de pièces ainsi recouvertes.

Le croupier attendit encore un moment, regardant les joueurs à travers ses implacables lunettes. Le jeu touchait à ses derniers instants de frénésie, quand ceux qui avaient longtemps hésité misaient enfin ou bien faisaient face à leur poltronnerie. De longues secondes passèrent, écrasées par le poids de quelque imminente révélation. Tentés par la coupe pleine, avec son secret déjà établi, les joueurs l'assiégeaient de leurs regards suppliants, succombant à d'illusoires visions et poussant devant eux des mises excessives. Souvent, les paris doublaient ou triplaient durant ces derniers instants, alors que le temps donnait l'illusion d'être suspendu. Le *loki* de l'ingénieur en chef envoya au dernier moment le panier rempli de deux cents dollars sur Ching. Un jeune Chinois, d'apparence intellectuelle et vêtu d'une très belle tenue traditionnelle brodée de bleu, paria la limite, quinze cents dollars.

Le croupier frappa sa cloche de la paume de la main. Un grand silence se fit, pendant lequel Annie perçut le bourdonnement des mouches et les froissements de soie.

Le croupier renversa la coupe, étalant le cash. Puis, s'emparant d'une règle en ivoire, qui ressemblait à une baguette de chef d'orchestre, il entreprit avec des gestes pleins d'élégance d'ordonner d'abord les pièces en trois colonnes, puis en groupes de quatre. Il en avait en général de trente à soixante à ranger ainsi. Bien avant qu'il eût fini, des yeux experts les avaient déjà comptés, et des cris de triomphe ou des grognements amers saluaient les résultats, non sans de vives discussions, jusqu'au moment final, le moment de vérité, quand il restait quatre, trois, deux ou seulement un seul disque de métal sur la table pour délimiter le vrai de l'imaginaire.

Et il n'y avait rien d'autre à dire, pensa Annie en se redressant. Glissant le pion de mah-jong dans sa poche, il descendit l'escalier. Il prit le ferry suivant pour Hong Kong, où il arriva à temps pour dîner.

Quelques jours plus tard, Annie s'était organisé, et *Fortune-de-mer* taillait sud-ouest par le chenal Sulphur, pour contourner ensuite la pointe d'Aberdeen et atteindre le côté sud de l'île.

Aberdeen était l'ancien village chinois de l'île de Hong Kong. Son port était protégé par un petit îlot au large, et dix mille jonques étaient établies là, car c'était encore le quartier général des plus grandes flottes de pêche. Annie aimait accoster là, quand les affaires étaient molles, pour être plus tranquille et parce que les taxes ne coûtaient presque rien pour un navire de quatre-vingt-dix tonneaux.

Annie avait installé le diesel, un Perkins 4, acheté en 1925, une année où il avait remporté la timbale, mais c'est une autre histoire. Le diesel était une bonne affaire en ce temps-là ; ça lui donnait un avantage sur ses concurrents — les barges à vapeur — quand il fallait caboter le long des côtes et dans le delta de Canton. Bien sûr, sur les longs trajets, l'économie réalisée grâce au vent comptait et, quand sa cargaison avoisinait les soixante tonnes, ce qui était sa limite, Annie calculait ses tarifs au plus près tout en s'octroyant une bonne marge de bénéfices. Avec un équipage de quatre ou cinq jeunes hommes et un vétéran (il préférait les Malais ou les Lascars ; ils s'adaptaient sans problème aux gréements occidentaux, alors que les Chinois refusaient de le faire et que les Philippins étaient trop émotifs), plus Barney, les dépenses n'étaient pas très élevées, même si la cargaison ne comptait qu'une douzaine de balles de soie ou de caisses de thé ou de ce que l'agent de fret avait à offrir. (Annie faisait affaire avec Crawford & Perry, qui ne négligeaient pas les petites cargaisons et détournaient le regard sur un tas de règlements imbéciles, quand vous appreniez à les connaître; des détails comme des failles ou omissions sur les manifestes du navire par exemple.) Finalement, être petit avait du bon.

Mais le capitaine Doultry avait tiré un trait sur l'opium, pas du tout pour des raisons morales mais parce que cela devenait de plus en plus chaud avec l'opium à Hong Kong. Toute la Chine était de nouveau inondée par la chose. Dans les grandes provinces du Yunnan et de Sichuan, à Hunan et Kouei-tcheou et Shensi, les pavots avaient remplacé les champs de riz sur d'immenses étendues. C'était la culture qui rapportait le plus. Dans les villes, on estimait à soixante pour cent la population qui fumait ou prenait des pilules de morphine. À Hong Kong, les Britanniques s'inquiétaient de plus en plus de voir ce trafic échapper à tout contrôle. La police, notoirement corrompue (n'était-elle pas chinoise?), commençait enfin à craquer. Annie n'avait pas envie de revoir la prison de Victoria.

Le garçon qu'Annie appelait McNab était à la barre. Il était jeune, mais loin d'être bête. D'ethnie lascar, il était né sur l'eau, à Bornéo, et il avait même une bonne compréhension des esprits du diesel, qui était censé être le domaine d'Annie. McNab était le frère de Sock, qui devait avoir quinze ans et s'occupait du mât de misaine. Annie savait comment les mener, ces gamins. Il lui arrivait même de les payer. Il pouvait se faire paternel avec eux, mais savait aussi se montrer brutal et gueulard. Mais dans l'ensemble, il devait avoir fait ce qu'il fallait, parce que ses matelots ne le quittaient jamais. Le vétéran, un Tahitien, était avec lui depuis des années.

Le son monotone d'une note de piano sans cesse répétée flottait au-dessus du bruissement du sillage. Le mont Davis tombait dans l'eau presque à la verticale à deux milles marins à l'est, alors qu'à l'ouest une flottille de pêche forte d'une quarantaine de jonques se découpait sur l'horizon. Assis sur sa couchette,

Annie recousait un bouton sur sa deuxième bonne chemise, pendant que Barney accordait le piano. Le son de l'accordage peut en énerver plus d'un, mais il ne déplaisait pas à Annie. C'était un symbole de paix, une concession à l'harmonie universelle. Cette harmonie était elle-même due sans aucun doute à ce parfum d'affaires qui imprégnait l'air. Barney avait surpris Annie en train de humer l'air, et il savait ce que cela signifiait. Quand il reniflait ainsi, les boutons étaient recousus sur ses chemises. Cela ressemblait à un appareillage.

Pour la première fois depuis sa sortie de prison, Annie était à l'aise en compagnie de Barney. Peut-être parce qu'ils étaient en train de naviguer.

Annie chanta :

Ils s'en furent en mer dans une passoire,
Dans une passoire, ils s'en furent en mer

Barney sourit malgré lui. Il y avait longtemps, Annie lui avait appris les chansons d'Edward Lear. Il lui en avait même acheté un recueil. Ainsi Barney apprit-il à lire. Et le pote de Tupelo, Mississippi, renvoya dans la nuit :

Malgré les avis de leurs amis,
Par une lune d'hiver, un jour de tempête,
En passoire ils s'en furent en mer!

Un silence, et puis Annie parla. Il portait ses lunettes. « J'comprends pas, dit-il. Elle vit dans le quartier le plus pourri de la ville, et elle y a une chouette petite maison. C'est une authentique élégante.

— Tu veux qu'elle aussi je l'accorde pour toi? Bon, alors, ferme ton clapet, tu veux?

— Elle portait une de ces robes blanches... t'aurais adoré, Barney. Et des boucles d'oreilles, des bagues. Elle était vraiment épatante. Je dois dire qu'elle a l'esprit d'une mangouste. » Annie tapota sa tempe grisonnante. Sa casquette de capitaine semblait trop petite pour sa tête, mais il aimait l'air que ça lui donnait. « Elle a réponse à tout. J'avais encore jamais rencontré une beauté chinoise qui parle aussi bien l'anglais, vois-tu.

— J'en ai connu une, dit Barney tout en continuant de taper toujours sur la même note. Elle parlait mieux que moi.

— C'est une femme d'affaires, reprit Annie, tout en cassant le fil avec ses dents. Elle n'est pas comme ces riches Chinoises qui ne voient jamais personne. Cette petite bonne femme connaît la vie. » Annie posa sa chemise. Il jeta un coup d'œil au chat. Le chat s'appelait Lord Jim. Lord Jim s'était révélé être de sexe féminin, mais il n'était jamais venu à l'esprit d'Annie de changer son nom. La chatte sauta sur ses genoux, et Annie craqua une graine de melon pour la lui donner. Elle adorait ça, à la condition qu'on les craque avant.

Annie s'était intelligemment abstenu de parler de l'argent à Barney. Il avait été tenté de lui raconter, mais Barney aurait piqué une crise, il n'aurait pas compris. Il aurait hurlé, gémi. Quant à Annie, il devait assumer sa décision. Cette dernière l'avait entraîné plusieurs fois dans de longs silences songeurs. Même au regard du caractère imprévisible d'Annie Doultry, tout homme sensé aurait considéré que, cette fois, le bonhomme avait perdu la boule en refusant de cette façon mille dollars en or. Lui-même ne pouvait y voir qu'une de ces intuitions qu'il lui arrivait d'avoir. C'était un pari. Cette explication lui permettait de supporter l'apparente folie de sa réaction. Ses silences avaient abrité de profondes réflexions sur la personne de Mme Lai ; il s'était même demandé si elle était capable de lire dans le cerveau des Blancs, avec ses yeux à la George Wells. « Qu'est-ce qu'elle cherche ? » demanda-t-il à haute voix à Lord Jim.

Barney jura longuement et, roulant les mots autour de ses dents, grommela : « Ferme ta gueule ! Putain, comment je fais, moi, pour accorder ce bastringue et t'écouter en même temps ? » Il pivota lentement sur le tabouret du piano en roulant ses gros yeux jaunes. « D'accord, tu attends que j'te pose la question, alors j'te la pose. Tu l'as baisée ? »

Annie secoua la tête avec un soupir désapprobateur. Ce n'était pas une réponse négative, mais seulement un signe de regret face à tant de manque de goût chez Barney. « Écoute, dit-il, ne me parle pas, pas maintenant. Ne me parle jamais quand je nourris l'oiseau, je veux dire la chatte. Sinon, je n'arrive pas à me concentrer. »

4

Annie joue le jeu de Madame

Il était temps de réparer *Fortune-de-mer*... avant que ne fondent les dollars. Un verre par-ci, une fille par-là (un mélange qu'Annie appellerait plus tard avec mélancolie ses garden-partouzes) et il se retrouverait de nouveau fauché. Aussi fit-il l'achat d'une bonne voile d'occasion (de la toile n° 2) auprès d'un vieux maître voilier chinois en qui il avait confiance. Il veilla à ce que Barney monte correctement le gréement puis descendit sous le pont où, pendant deux jours, il s'activa à nettoyer le moteur et à réparer la radio. C'est ainsi que *Fortune-de-mer* retrouva sa pleine capacité à naviguer, et que le capitaine Doultry, lui, fut de nouveau sans un rond.

Annie salua ce résultat attendu d'un grand sourire, mais ce sourire se fit soudain plus intérieur et secret, quand il vit un sampan s'immobiliser le long de la lisse du bateau.

« Que veux-tu ? » demanda-t-il au vieux marinier, qui était à peine plus substantiel que l'étroite godille dont il se servait pour propulser l'embarcation.

« Cap'taine Doult'y ? demanda-t-il.

— En personne. »

Sur ce, le Chinois eut un geste de son bras libre, et Annie vit un petit éclat blanc tracer une parabole dans l'air du soir et atterrir sans un bruit dans sa grande main. C'était un pion de mah-jong, identique à celui que Mme Lai avait remis à Annie.

C'était là l'appel qu'il avait attendu. Mais il ne savait pas encore s'il devait s'en réjouir ou s'en effrayer.

« Vous veni' ? demanda le Chinois.

— Je suis à toi, trésor », répondit Annie.

Le sampan glissa à travers les dix mille jonques, le vieil homme godillant avec une grande économie de mouvements. Assis à l'avant, un jeune garçon, le visage dans l'ombre de son chapeau, ne quittait pas Annie du regard. Dans le ciel, la lumière déclinait.

Annie n'éprouvait aucune appréhension ; en vérité, il était euphorique. Il humait l'air lourd du parfum des fleurs et de l'odeur de poisson, et contemplait avec un plaisir que rien n'aurait pu atténuer ce mystérieux instant où les milliers de lampes s'allumaient presque en même temps au-dessus des flots. C'était le signal du début de la nuit, et on brûlait de l'encens devant chaque autel dans chaque embarcation : les autels dressés à Tin Hau, la déesse de la mer et du peuple des Tanka. Le mot chinois pour le port d'Aberdeen était Hong Kong : le port des Parfums. Peut-être le voile de fumée d'encens, qui estompait toutes les autres odeurs, était-il responsable de ce nom de baptême. En tout cas, il rappelait à Annie que la cité flottante qu'ils traversaient était la mère de Hong Kong. Que les fondations de la ville soient en eau était un fait digne d'être noté, et c'est ce qu'il déclara à haute voix au jeune garçon. Glissant sans bruit par les avenues aquatiques, longeant les demeures de bois de la cité et ses échafaudages de mâts et d'espars sous le rire tapageur du crépuscule, Annie s'abandonna à sa veine romantique et alluma une cigarette.

Ils prirent vers le sud et le chenal d'Aberdeen, dépassèrent le brise-lames sous le vent de l'îlot appelé Ap Lei Pai, puis la rive escarpée de l'île principale, qu'on distinguait par-delà les rangées de jonques, disparut pour céder la place aux grèves plates de la petite baie de Tai Shue Wan. C'était là, la limite de la ville lacustre, et celle-ci était gardée par de grandes jonques de haute mer, qui mouillaient à l'écart les unes les autres, à la différence des ancrages bord à bord. Ils traversèrent une étendue ouverte, laissant derrière eux les bruits de la ville marine, et la nuit tomba pour de bon. Cela faisait une heure que le vieil homme ramait quand Annie vit les feux et l'imposante silhouette d'un grand vaisseau se dresser soudain dans l'obscurité. Il se demanda s'il ne s'était pas assoupi.

C'était la plus grande jonque sur laquelle il eût jamais posé les yeux, aussi imposante que les vieux navires marchands de Foochow en provenance des côtes du nord et qui de temps à autre abordaient à Hong Kong. Mais celle-ci était une *mi-ting*, jonque à trois mâts construite dans la tradition cantonaise, bien que sa coque fût en charme — appelé bois de fer —, ce qui était un fait rare à l'époque. Peut-être était-elle très ancienne, mais il était impossible de le savoir, car depuis deux cents ans ou plus les Chinois n'avaient changé ni le style ni la méthode de construction de leurs navires, et ils portaient un grand soin à leur entretien. Sa poupe se dressait à huit mètres au-dessus de l'eau, et, comme le vieil homme rangeait le sampan le long de la jonque, Annie remarqua l'imposant gouvernail ajouré de trous carrés destiné à faciliter sa mobilité. Le navire faisait à peu près la même longueur que *Fortune-de-mer*, mais était considérablement plus large et, comme Annie grimpait l'échelle de corde et prenait pied sur le pont, il estima la capacité à plus de deux cent cinquante tonneaux.

Il vit peu de membres d'équipage. Sur un bateau de cette taille, les entreponts étaient vastes. De la lumière sortait des écoutilles à l'avant et à l'arrière. Un homme attendait à l'échelle, un trapu avec un pistolet Mauser à canon long glissé sous son ceinturon et deux cartouchières croisées sur les pectoraux saillants. Il sourit à Annie. Un peu plus loin, vers la proue, on distinguait les silhouettes d'une douzaine d'hommes dînant assis en tailleur autour de braseros. Les cliquetis des bols de riz et le joyeux bavardage étaient rassurants. Ils ne prêtèrent aucune attention à Annie, qui se tourna vers la poupe. Là, découpée dans la lumière émanant de la porte basse des quartiers arrière, se dressait la silhouette reconnaissable entre mille de M. Chung, le maître des écritures, vêtu d'un costume blanc lumineux. Les verres de ses lunettes scintillaient.

L'autre chose qu'on ne pouvait s'empêcher de remarquer, c'étaient les douze canons, six de chaque côté, aux châssis rentrés vers l'intérieur et dissimulés sous d'épaisses plaques d'acier glissant sur des câbles juste au-dessus de la lisse de bord — une disposition qui les masquait tout en les protégeant. La plupart des pièces étaient d'antiques obusiers de douze mais, alors qu'Annie se rapprochait de l'arrière, il vit quatre pièces modernes à culasse de 75 mm, fabriquées en Chine d'après le modèle français Schneider, et montées sur des affûts à roues afin de s'adapter aux contraintes nautiques. Mais il n'eut pas le loisir d'en voir plus, car M. Chung se portait à sa rencontre. Depuis le pont avant, plusieurs hommes aux silhouettes indistinctes les observaient.

« Cap'taine Doult'y. » Le comptable de Mme Lai inclina sa blancheur immaculée. *Quel tailleur a ce type!* songea Annie, soulevant sa casquette avec une égale politesse. « Comment vous aller, cap'taine?

— Vous me voyez un rien perplexe, Monsieur le maître des écritures, répondit Annie en jetant un regard autour de lui, les sourcils en accents circonflexes, l'étonnement lui paraissant la meilleure attitude en cette circonstance.

— Cap'taine Doult'y, Mme Lai est heureuse vous venir. Elle vous recevoir dans petit moment. S'il vous plaît, vous attendre là-dedans. »

Cérémonieux, il invita Annie à franchir la porte basse. M. Chung lui-même dut se baisser. Quant à Annie, ce fut plié en deux qu'il entra pour découvrir avec soulagement des banquettes de chaque côté de la pièce. Il était dans la timonerie, qui se doublait d'une salle des cartes. La barre était une pièce de bois reliée par des cordages et des poulies au gouvernail en dessous, ce qui permettait à un solide timonier de barrer en aveugle d'après les ordres transmis depuis l'écoutille située au-dessus. Cette écoutille ouvrait sur la dunette, où se tenait le capitaine, appelé le *lio-dah*, ou maître des voiles.

Une lampe à huile se balançait à un cardan. Il y avait un râtelier pour les cartes et une vieille boussole anglaise dans son support de cuivre, tout cela composant un équipement des plus inhabituel sur une jonque chinoise [1]. Tout comme cet autre râtelier comptant deux fusils Levis et des douzaines de chargeurs. Ce vaisseau, pensa Annie, était un arsenal flottant.

Sur la cloison du fond, deux portes coulissantes joliment peintes d'une laque rouge menaient aux cabines du propriétaire du navire et du maître des voiles. L'une de ces portes coulissa, et Madame entra.

Elle n'avait pas besoin de se pencher. Elle avait un tout autre aspect dans son élément familier. Le jade et les bijoux avaient disparu. Elle portait une tunique et des pantalons de toile noire, bien coupés mais guère différents de la tenue dominicale d'un coolie de Canton, et elle allait nu-pieds comme ses hommes. Une fille la suivait, certainement une servante ou *amah*, vêtue presque à l'identique, si ce n'est le châle noué sur sa tête. La fille s'installa en tailleur sur le sol et leva vers Annie de jolis yeux noirs voilés d'inquiétude. Sa maîtresse ne s'assit pas. Elle préféra rester debout, dominant Annie.

« Bonne nuit, cap'taine Doult'y. Vous voulez du thé ? Ou schnaps ? » Elle prononça à la perfection ce dernier mot.

« Je prendrai les deux, répondit-il. Excusez-moi si je ne me lève pas. »

Elle sourit. Annie n'avait nulle peine à se donner pour la faire sourire. Elle s'excusa pour le long trajet en sampan. Mais pas du tout, lui répondit-il, il avait beaucoup aimé la balade. Il était seulement curieux de savoir comment elle avait suivi ses déplacements avec une telle précision. (En vérité, il savait que la chose était facile pour une femme disposant de telles ressources,

1. Les boussoles sur les jonques chinoises étaient d'antiques instruments composés de magnétites oscillant sur un pivot dans un coffret en bois. Elles n'avaient guère évolué depuis deux mille ans et plus. Une fois que les Chinois eurent inventé l'instrument, ils ne cherchèrent plus à l'améliorer. *(N.d.A.)*

mais il n'ignorait pas non plus qu'un peu de flatterie payait toujours.) Elle lui répondit avec un de ces petits gestes de la main, qu'on pressentait capables de changer le cours des événements.

« Je garde trace de beaucoup, beaucoup de bateaux. Des grands, des petits. Je dirai la vérité : je viens ici pour vous voir. Mon navire, ce beau navire baptisé par mon père *Tigre-de-la-mer-de-fer*, a quitté ce matin Macao pour vous accueillir ici. »

Sa deuxième *amah*, qui était plus forte et pas aussi jolie que la première, leur apporta le thé et la bouteille de Stummelpfennig (la même que la fois précédente, une ombre économe à porter à son hospitalité). Alors qu'ils échangeaient des politesses, son maître des voiles entra. Le capitaine Wang Ho n'avait guère plus de quarante ans ; c'était un bel homme à l'air serein, qui devait lui aussi se tenir courbé dans la timonerie. Il portait une veste de lieutenant de la Royal Navy, avec deux barrettes dorées supplémentaires pour le rang de capitaine et que l'une de ses femmes avait soigneusement cousues sur les épaulettes. Sa casquette de colonel de l'armée portugaise était en parfait état avec sa visière blanche. Il portait un Mauser dans son étui d'origine en bois recouvert de cuir. Il lui manquait plusieurs doigts à la main gauche et il ne parlait pas plus de trois mots d'anglais. Madame le présenta avec un brin de cérémonie à Annie. Impassible, le maître des voiles jaugea l'étranger d'un bref regard et se retira.

Pendant tout ce temps, Annie resta assis sur l'étroite banquette, les mains sur les genoux et l'esprit détendu. Mais quand ils furent seuls de nouveau (à l'exception de la jolie *amah* assise sur ses talons) Annie s'adressa à Mme Lai. « Madame, dit-il, j'aimerais que vous me disiez maintenant ce que vous attendez que je fasse, quand voulez-vous que je le fasse et quel serait mon salaire ?

— Nous, Chinois, répondit-elle avec indolence, nous prenons toujours du temps pour parler affaires. » Elle sirota sa tasse de thé, du Pao-li, aussi noir que du café éthiopien. « Mais puisque votre coutume c'est faire tout vite, reprit-elle, je fais comme vous. »

Elle lui apprit qu'elle était la propriétaire et la patronne de seize jonques armées. « *Tigre-de-la-mer-de-fer* est la plus forte mais pas la plus rapide. J'ai deux jonques qui vont vite, avec carènes très, très lisses. » Elle eut un mouvement des doigts qui illustrait très bien le poli de la coque.

Ce geste retint vivement l'attention d'Annie Doultry. Il ressentit un étrange désir de sentir les mains de cette femme sur son corps.

« Je suis une voleuse de bateaux, murmura-t-elle. J'ai volé beaucoup, beaucoup de bateaux. C'est mon métier, métier de mon père aussi, et je le fais très bien. » Elle sourit. « Je suis la plus grande voleuse dans toute cette mer. » D'une vague au sud à une vague à l'est. C'était là une bien grande revendication, songea Annie, tandis qu'elle poursuivait, le front un peu plissé, sans lui prêter attention : « Je fais aussi beaucoup de petit commerce, et je veille sur la sécurité du peuple des pêcheurs. Avant, beaucoup de pirates autour de Macao et de Hong Kong, mais j'ai chassé cette vermine. » À peine un sourire, ici. « J'ai dû en tuer beaucoup et couler leurs jonques. Après ça, tous ces petits pirates s'en vont ailleurs. Je protège les pêcheurs, et chaque capitaine de pêche me paie. Je garantis la tranquillité à quatre, cinq, six mille jonques. » Le bon vieux racket de protection. Annie hocha poliment la tête. Elle prenait un plaisir manifeste, comme n'importe quel homme d'affaires de Hong Kong, à décrire sa sphère d'influence. Il aurait été impoli de l'interrompre.

Puis elle dit qu'en 1924 elle avait entrepris de voler les bateaux de l'homme blanc. C'était une décision purement professionnelle, expliquait-elle avec difficulté. Elle ne voulait pas qu'Annie pense qu'elle en avait après les étrangers. Puis, comme par inadvertance, elle dit : « Les navires des *gwai lo* ils ont pris les mers et les rivières à mon peuple. » Ce mot de *gwai lo*, elle l'avait prononcé de manière désinvolte, juste avant d'ordonner à la jolie *amah* de lui apporter une autre théière. *Gwai lo* était un terme insultant désignant les Blancs, et il n'était jamais utilisé dans une conversation polie. C'était un vocable étrange dans la bouche de Madame; cela revenait, pensa Annie, à traiter les Chinois de « macaques », et cela avec le plus grand naturel.

Annie y allait très doucement avec le schnaps. D'abord, il se ressentait encore un peu de sa dernière garden-partouze, et il tenait à avoir la tête claire. Il était plus que probable qu'il serait invité dans un instant à prendre de redoutables décisions ou quelque lourd pari, ce qui était de son point de vue très personnel une façon commode de voir les choses.

Elle racontait que l'an passé elle avait fait main basse sur cinq navires *gwai lo*. Sans doute l'affaire du *Sunning*, à laquelle avait été mêlé le pirate Li Weng-chi, ce qui lui avait valu d'être pendu sous la fenêtre de la cellule d'Annie, faisait-elle partie de ces cinq piratages. Le fait que cette attaque-là eût échoué — un fait plutôt inhabituel dans ces abordages rondement menés — avait dû se terminer par quelque vendetta impliquant M. Hai Sheng, maître des voiles sur l'un des bateaux de Madame. Mais Annie savait qu'il n'y avait aucune raison d'interrompre le flot de son hôtesse; elle lui dirait ce qu'elle voudrait bien lui dire, rien de plus rien de moins. Il était important pour elle qu'il mesure combien elle excellait dans sa profession. Et elle en parlait avec concision, ne se perdant jamais en mots ou gestes inutiles. Chaque phrase allait droit au but, comme les vagues déferlant sur une plage tahitienne.

« Quand finit la lune que nous appelons juin, je vole le navire *Chow Fa*. »

Le capitaine Doultry caressa sa barbe. Le marin en lui haïssait l'idée même de piraterie et se désolait des récents succès de la confrérie. Mais il était aussi aventurier, et ne pouvait nier l'audace de ces voyous des mers. Il y avait déjà eu en 1927 quatorze bateaux à vapeur piratés. Comme tous les navires victimes de cette plaie depuis 1919, chacun d'eux était tombé dans les parages de Bias Bay, un vaste et marécageux archipel qui était un véritable labyrinthe à soixante milles marins de Hong Kong. C'était à Bias Bay que les butins étaient déchargés, là que débarquaient les pirates et que les morts étaient jetés dans les eaux boueuses.

Bias Bay était une région de petits villages de pêcheurs et, depuis des siècles, un repaire de pirates. Les chefs de ces gangs, les organisateurs et les financiers des raids, élisaient domicile ailleurs. Jamais un seul d'entre eux n'avait été arrêté, encore moins jugé. Qui étaient-ils, voilà qui faisait l'objet de spéculations sans fin.

Annie alluma une autre cigarette. Mme Lai Choi San arpentait la timonerie du *Tigre-de-la-mer-de-fer*. Elle n'avait nulle envie de s'asseoir, bien qu'il y eût une autre banquette en face d'Annie. « Vous connaissez le *Chow Fa*, cap'taine Doult'y ?

— Oui.

— Vous connaissez le tonnage ?

— Environ mille tonneaux, répondit-il. Il appartient à une compagnie britannique. La ligne Indo-Chine, qui relie Manille à Hong Kong. Le bateau assure ou assurait cette liaison.

— Vous connaissez bien votre affaire. Vous savez que le *Chow Fa* transporte de l'argent ?

— Non, mentit Annie pour qui l'information n'était pas une nouvelle.

— Moi, je sais. C'est sans importance. Ce bateau apporte de l'argent à Hong Kong peut-être quatre, cinq, six fois par an. Cet argent provient des Loofangs dans les îles Philippines, et cet argent est de première qualité. Les banques de Hong Kong et de Shanghai achètent beaucoup de tonnes de ce métal pour faire des dollars Hong Kong. Le neuvième jour de la troisième lune, il y aura une cargaison d'argent. Je la volerai.

— Vous vous en emparerez, corrigea Annie, sachant qu'elle souhaitait connaître à la perfection la langue des barbares.

— Ah oui, je m'en emparerai. Merci. »

Il se fit un long silence. Mme Lai trempa les lèvres dans son thé. Annie se versa une petite goutte de schnaps. « Ma foi, c'est intéressant, murmura-t-il. Mais je vois que vous chipotez votre thé. »

Elle répondit d'un ton presque maternel : « Cap'taine Doult'y, mon comptable, M. Chung, pense que vous êtes un homme vraiment très bien. C'est son avis, et je parle pour lui. Il s'est bien renseigné partout sur vous. Il a fait très, très attention. C'est un homme très prudent, M. Chung.

— Il faut qu'il le soit pour travailler pour vous, madame Lai.

— Merci. Donc, je sais que vous êtes un très bon marin. Vous êtes... comment je peux le dire... le patron de votre propre cœur. Ça me plaît bien. Vous êtes allé en prison, et ça aussi, j'aime. La police vous fait tomber parce que vous la payez pas. Très mauvaises personnes, les policiers de Hong Kong. Ils volent tout le monde.

— J'ai fait une bêtise, dit Annie.

— La prochaine fois, pas de bêtise. » Elle s'autorisa un sourire. « Vous avez compris, j'aimerais faire des affaires avec vous. Je veux voler un bateau. Je ne suis pas de la police, je suis une voleuse. Vous pouvez m'aider à prendre cette cargaison d'argent ? »

Elle avait une grande force de caractère. La franchise de son approche ne ressemblait pas aux usages chinois, et Annie se dit qu'elle avait appris les façons de l'Occident comme elle l'avait fait de la langue. Quelle puissance pourrait acquérir cette femme dans le monde des affaires ! Il se gratta la tête sous sa casquette, se gardant bien d'afficher son admiration.

« Madame Lai, dit-il, je suis sensible aux mots aimables que vous avez pour moi, mais j'ai le sentiment que vous ne m'avez pas bien compris. Je ne vois pas en quoi je pourrais vous être utile dans l'entreprise que vous venez de m'exposer. Je n'ai jamais aimé me donner de sueurs, surtout froides. J'aime bien faire un peu de trafic, à condition que ce soit tranquille. En vous écoutant, et en voyant votre grand bateau, je perçois — ai-je besoin de vous le dire ? — que la violence est chez vous une manière de vivre. Et de la violence, j'en ai eu plus que ma part dans la vie. Je ne suis plus — je le reconnais — l'intrépide bagarreur que j'ai été. Je penche aujourd'hui vers une existence paisible. J'aime jouer du piano, voyez-vous. »

C'était un bien grand discours, et tactiquement bien joué ; Mme Lai ne put qu'approuver. Il était même en partie vrai, ce qui renforçait sa portée. Mais Mme Lai Choi San avait des yeux pour déceler le gros mensonge qui gigotait au milieu des mots comme un cafard dans un pot de miel : Annie aimait jouer du piano, oui, mais il avait atteint un âge dans la vie où un homme avec des doigts comme les siens convoitait un instrument plus performant que ce vieux Brinkerhoff qui se désaccordait toutes les semaines. Un bon piano et un vrai toit pour l'abriter étaient encore pour le capitaine Doultry bien loin à l'horizon brumeux d'une vie terne. Financièrement, l'homme était au bout du rouleau. Mme Lai savait cela aussi sûrement qu'elle savait que la sixième lune était appelée juin par les *gwai lo*.

« Cap'taine Doult'y, je crois vous voulez gagner un peu d'argent. »

Annie pouvait voir le pont par la porte de la timonerie. Il faisait sombre et il y avait de la brume mais, dans la lueur d'une lanterne, il vit un homme qu'on traînait sur le pont par ses longs cheveux nattés. Il était nu et ligoté savamment à la chinoise. Il n'y avait pas un bruit. Le visage d'Annie ne révélait rien de ce qu'il venait de voir. « Combien, à votre avis ? demanda-t-il.

— Je ne sais pas. »

Il percevait maintenant les bruits sourds du corps de l'homme qu'on descendait par l'échelle de l'écoutille avant. « Il y aura trois, quatre tonnes d'argent en lingots. Et peut-être autres choses. Beaucoup de gens riches font la traversée sur le *Chow Fa*. Un très bon bateau, le *Chow Fa*.

— Ce que je vous demande, c'est d'abord combien vous me paierez, ensuite ce que vous attendez de moi, enfin qui est cet homme ligoté que votre équipage traîne par les cheveux ?

— Un homme mort. »

Il évita sciemment de la regarder mais la sentis se glacer soudain. « Vous voulez parler affaires, cap'taine, ou bien vous voulez rentrer chez vous ?

— Je veux faire les deux, madame. Maintenant, soyons francs, vous et moi, ou, du moins, faisons semblant de l'être. Il faudrait que je sois vraiment très bête ou très mal informé pour ne pas avoir saisi de-ci de-là les rumeurs courant sur Montagne de Richesse. Je pensais jusqu'ici que cette montagne était un homme, bien que je ne me souvienne pas d'avoir entendu un seul nom. Alors, quelle espèce de montagne êtes-vous ? En dehors du fait d'être une très jolie montagne ? » Il lui fit son plus beau sourire, car il voulait faire fondre cette glace.

« Vous avez raison, répondit-elle. C'est moi, Montagne de Richesse.

— Très honoré de faire votre connaissance, madame Richesse. »

Le froid disparut comme par enchantement. Ce fut avec un enthousiasme presque enfantin qu'elle lui exposa ses projets et, de son côté, il se garda bien de l'interrompre. Avec sa façon inimitable, elle lui confia que l'argent seul, à cinquante mille dollars la tonne, représenterait la plus grosse prise jamais réalisée en mer de Chine, que ce soit par elle ou quiconque d'autre. Ce serait de loin le plus gros navire jamais piraté, le plus rapide aussi, avec ses trois cents hommes d'équipage et sa douzaine de gardes armés, tous aguerris. Pour aborder un tel bateau de la manière habituelle, précisa-t-elle, il lui faudrait embarquer sur le *Chow Fa* une cinquantaine de ses hommes, avec leurs armes. Et les armes posaient un problème. C'était un navire de luxe, la ligne Indo-Chine était une ligne internationale réputée, et passagers et bagages faisaient l'objet d'une fouille d'autant plus sévère que la crainte des piratages était à son comble. Elle racontait tout cela en souriant d'une oreille à l'autre, et cette joie faisait le charme de ce grand rapace des mers logé dans ce petit bout de femme. Mais en vraie Chinoise, elle revint vite aux faits. « J'ai beaucoup réfléchi à cette affaire, dit-elle en passant une main sur son front. Et j'ai pensé, il faut un homme blanc avec moi pour cette grande et magnifique action. Je me suis dit, peut-être vous aimeriez faire ça avec moi. »

Annie devait reconnaître que c'était là une bien belle manière de présenter la chose. Cet « avec moi » était parfait ; il chassait le flou qui, jusque-là, avait entouré la question des intérêts du partenaire blanc dans cette affaire.

« Entendez-vous par là que vous voulez vous associer avec un *gwai lo* ?

— Bien sûr, dit-elle avec un grand naturel. Je n'aime pas beaucoup les *gwai lo*, mais vous êtes pas des diables comme disent les gens, ici. Vous êtes une maladie blanche. Vous êtes la maladie étrangère de la Chine. »

Annie s'abstint de commentaire, et Mme Lai aborda les détails pratiques de son opération, au cœur de laquelle Annie et ses talents d'opérateur radio avaient un rôle à jouer. Ces talents n'étaient un secret pour personne. Il avait installé à bord d'un bateau privé l'un des premiers sans fil du Pacifique Sud en 1923 — un Marconi à trois lampes — et n'avait cessé depuis de s'en vanter. À présent, tout le monde en était équipé et, dans ces eaux où sévissait la piraterie, la radio était une bénédiction. Il était question de la rendre obligatoire sur tous les vapeurs jaugeant plus de cinq cents tonneaux. Pour chaque radio émettant vingt-quatre heures sur vingt-quatre, il fallait trois opérateurs, mais ces derniers n'étaient pas nombreux et ils étaient payés le tiers du salaire d'un officier mécanicien, ce qui par ailleurs n'était pas volé. Le morse exigeait des connaissances, sans parler de la dextérité manuelle requise pour la frappe des signaux et l'entretien de ces mystérieuses machines aux manières délicates. Étrangement, les Chinois prisaient beaucoup cette technique occidentale, et de nombreux jeunes hommes n'étudiaient l'anglais que pour cette raison.

Annie confirma d'un air grave sa longue expérience dans le domaine. « J'ai installé un nouveau transmetteur, l'an passé. Un

Igranic à ondes courtes. Et il possède en option un récepteur d'ondes longues et moyennes. L'installation m'a coûté douze cents dollars. » Il n'entra pas dans les détails de son acquisition, qu'il devait à un intendant de ce bon vieux corps des Marines américains stationné dans l'île de Mindanao. De son côté, elle ne lui posa pas la question.

« Il y a trois opérateurs radio sur le *Chow Fa*, dit-elle. L'un d'eux sera bientôt très malade. Je m'arrangerai pour que vous le remplaciez.

— Vous allez l'empoisonner ?

— Oh, non, c'est un Chinois. Je vais le payer. Comme ça, il vous recommandera lui-même pour le poste. » Elle adressa à Annie un sourire de félicitations qu'il jugea pour le moins prématuré. « Après, peut-être qu'un peu de poison le tuera », ajouta-t-elle d'une voix douce.

Annie se leva. Le menton collé contre sa poitrine et son crâne frottant au plafond, il suggéra qu'ils aillent sur le pont respirer l'air frais d'Aberdeen. Mais je vous en prie, lui signifia-t-elle d'un geste gracieux de la main, et ils quittèrent la timonerie et son odeur pénétrante de lampe à pétrole. Annie s'appuya au bastingage à bâbord pour contempler les lumières bourdonnant de chuchotements qui s'étendaient vers le nord au-delà du brise-lames. Une partie de l'équipage de Mme Lai était déjà installée pour la nuit sur des nattes à l'avant du navire, et leurs ronflements montaient dans les gréements, appuyant d'une basse rythmique le murmure de la brise de mer, comme le fait le souffle de la cornemuse qui gonfle le chant naissant sous les doigts du joueur.

Mme Lai était assise sur le canon d'un Schneider de 75 mm, ses petites mains croisées sur les genoux. La première *amah*, qui ne devait guère compter plus de quinze printemps et était agenouillée à ses pieds, ne quittait pas du regard l'énorme *gwai lo* à la tête hirsute coiffée d'une petite casquette bleue. La seconde *amah* apporta le schnaps et la petite coupe de porcelaine puis alla se poster — petite sentinelle trapue — à l'abri du vent, au pied du grand mât.

« Supposons que nous ne parvenions pas à un accord, dit Annie. Est-ce que je finirai empoisonné ? »

Elle tourna vers lui un regard de matin calme. « Oh, non, je vous fais confiance, cap'taine Doult'y. Nous avons fait connaissance, nous avons parlé du jeu, de la vie des chiens. Vous voulez faire des affaires, et vous avez parié ces mille dollars que je vous offrais pour que je vous fasse confiance, parce que vous faire confiance est une chose très difficile. Donc, j'ai confiance en vous.

— Où avez-vous appris à parler anglais ?

— À l'école du Sacré-Cœur de Macao. C'est mon père qui voulait. Il est mort, maintenant. Il n'était pas un chrétien, mais c'était un grand homme, un grand homme tanka. Il veut que sa fille apprenne à lire, écrire, calculer, parler langue étrangère. C'était un homme très moderne. Un Tanka de la Chine nouvelle. Et aussi un grand voleur de bateaux.

— Madame Richesse... j'espère que vous ne m'en voulez pas de vous appeler ainsi ? C'est un nom de première classe, et votre père l'approuverait, j'en suis sûr. Mais peu importe, il faut que je vous explique quelque chose. Vous êtes habituée à prendre tous ces risques. Peut-être que vous n'avez pas peur de vous balancer au bout d'une corde dans la prison de Victoria. Mais, voyez-vous, moi, je tiens à mon cou. »

Joignant sans le vouloir le geste à la parole, il se frotta la nuque. Un rien honteux de cette démonstration, il braqua son regard sur Mme Lai. « Nous sommes au XXe siècle, chère madame. Vous avez entendu parler du piratage de l'*Irene*, n'est-ce pas ? C'est un sous-marin qui l'intercepta, alors que ces salauds de pirates — pardonnez-moi, je vous prie — l'emmenaient à Bias Bay. Le sous-marin lui tira dessus au canon, et le feu prit à bord. Je crois me rappeler qu'ils furent huit à être pendus après ce ratage. Ma foi, je suppose que vous n'étiez pour rien dans cette affaire ou plutôt ce fiasco, mais vous n'en devez pas moins moderniser vos méthodes, madame Richesse — il jeta un regard à l'antique obusier luisant doucement quelques mètres plus loin. Primo, il vous faut un sans-fil à bord. Combien fait cette jonque par bon vent ? Six nœuds ?

— Nous en faisons dix facilement, répondit Mme Richesse, les yeux comme deux perles noires.

— Dix nœuds, mon cul, pardonnez mon français. » Le capitaine Doultry sentait un sol plus ferme sous ses pieds, si toutefois l'expression avait un sens sur un bateau. « Vous voulez vous emparer d'un gros bateau avec une bonne douzaine d'officiers britanniques à bord, mais vous savez bien qu'ils attendent ça depuis longtemps : ils seront sur le qui-vive. Et le navire est très bien protégé. » Il sentit une goutte de sueur rouler dans son cou. *Suis-je en train de monter la mise sur ce coup*, se demanda-t-il, *ou bien est-ce que je cherche à me foutre une frousse du diable ?* « Et vous vous y prendrez comment pour faire monter à bord vos cinquante assassins confirmés ?

— Disons, vingt. Parce que vous valez trente hommes à vous tout seul, cap'taine Doult'y. »

Il n'avait pas de réponse à ça. Au lieu de dégonfler son adversaire au bon moment, elle possédait plutôt le don de le regonfler. Un peu plus de toile par grand vent, au lieu d'un peu moins.

« Cap'taine Doult'y, reprit-elle avec un grand sérieux, vous êtes un homme de savoir dans votre profession. Mais si vous ne vous trompiez jamais dans vos jugements, alors on se serait jamais rencontrés, parce que vous auriez pas été pendant six mois dans une prison britannique. » Dans le trait qu'elle venait de lui décocher, il y avait une petite écharde anglaise, et elle avait fort bien visé. *Foutus Chinois ! Quel dommage pour la tactique de cette diabolique petite dame que je sois un homme pour qui le mot vengeance est totalement vide de sens. Que Dieu bénisse ce bon roi George ! Même si botter son petit cul royal serait assurément un très grand plaisir.*

« Je ne me suis jamais ennuyé en taule, madame. Tous les samedis, il y avait pendaison juste avant le match de cricket, et la plupart des pendus étaient des pirates. » Elle le regardait avec un air d'ennui, ce qui était une bonne chose.

« Le fait est que me voilà ici sur le pont de votre belle jonque et que vous me demandez de faire ce travail pour vous. Parce que c'est bien là le fond du problème. » Il lui semblait voir comme dans une image aux rayons X le cerveau de Mme Lai ranger temporairement dans un dossier ledit fond du problème.

Elle se leva. Il l'imita, se redressant de toute sa hauteur, et ils se firent face dans l'obscurité, la petite *amah* à leurs pieds, tandis que M. Chung les observait tel un spectre depuis la dunette, et que de toutes parts dans la mâture de cette jonque suspendue dans la brume au sud du XVIIIe siècle, des visages durs couvaient des yeux leur maîtresse et son invité. Le fantôme du grand dragon était présent, lui aussi, son souffle frisant les eaux.

« Je peux prendre ce *Chow Fa* sans l'aide de personne, qu'importe la couleur de peau. Je possède seize jonques de guerre et mille hommes courageux, et s'ils tombent dans la minute, il y en aura dix mille autres pour se ranger derrière moi. Je prendrai le *Chow Fa*. Je placerai à bord une centaine d'hommes armés de poignards, puis j'attendrai derrière une île pour bondir comme *Tigre-de-la-mer-de-fer* et je tirerai au canon dans le ventre du bateau. J'ai de très bons canonniers, vous verrez. Je tuerai les gardes, je tuerai les passagers et j'accrocherai les entrailles du capitaine à ce mât au-dessus de vous. Vous verrez, cap'taine Doult'y. » Son ton était calme, mais la véhémence était dans les intentions. Ce n'était pas un discours, c'était un film !

Se détournant d'Annie, elle aboya un ordre. Il y eut un bruit de pas rapides, et un homme courut vers la poupe, tandis qu'un autre, un pagne rouge pour tout vêtement, émergeait de l'écoutille située au milieu du navire. Elle tapa sèchement dans ses mains et parla avec rudesse. Elle avait l'air furieuse. Annie alluma une autre Woodbine, tandis que la première *amah* disparaissait tel un papillon de nuit.

Deux autres hommes arrivèrent, tirant derrière eux le prisonnier. Celui-ci était grand et fort, et ses longs cheveux étaient coiffés en queue-de-cheval, à la façon des Chinois nostalgiques de la dynastie Manchu, renversée en 1911. Une corde lui liait savamment le cou, les chevilles et les poignets. Il avait été battu à coups de canne de rotin, comme il est de règle en Chine pour les traîtres (sans parler de la loi anglaise à la prison de Victoria). Toutefois, cela dépassait la simple flagellation, car l'homme semblait avoir reçu à de très nombreuses reprises un très grand nombre de coups, et l'état de son dos n'était pas à décrire. Après lui avoir jeté un regard du coin de l'œil, Annie se détourna. Quoi qu'il eût fait, cet homme était déjà un homme mort. Les lumières du port d'Aberdeen offraient un bien plus beau spectacle. Il remarqua tout en haut du pic Victoria une nouvelle lumière, rouge celle-ci, accrochée à l'antenne radio de la nouvelle station de télégraphie sans fil, la plus puissante à l'est de l'Inde. Il se dit qu'il prendrait le téléphérique menant au pic pour tailler le bout de gras avec l'ancien radio de la marine qui dirigeait maintenant la station.

Annie perçut divers sons sur le pont derrière lui, mais il ne se retourna pas. Le capitaine Wang Ho sortit de sa cabine, qui jouxtait celle de Madame en poupe, et Annie l'entendit qui donnait des ordres. Tirés du sommeil, les hommes grommelèrent mais leur contrariété le céda vite à la joie quand ils comprirent qu'il y avait du divertissement en vue. Puis le capitaine les fit taire. Annie perçut une respiration haletante, comme celle d'un chien malade.

Puis il entendit Mme Lao Choi San qui parlait rapidement dans sa langue, et la curiosité le fit se retourner.

L'homme gisait ligoté sur le pont, tandis que l'équipage écoutait ce qu'elle disait. Un gros homme au torse bardé de deux Luger et qui portait un sarong à fleurs et une paire de godillots de l'armée britannique agrippait le prisonnier par les cheveux, lui tenant la tête tournée vers celle qui prononçait son jugement. L'homme avait perdu ses yeux, laissés à l'imagination de ses tortionnaires, mais il lui restait l'essentiel de sa bouche. Il écouta attentivement les paroles de la femme qui l'avait puni et qui le libérerait, espérait-il, de ces regrettables circonstances.

Mme Lai Choi San appela un autre nom. Un petit personnage, qui se donnait un air d'importance et avait plusieurs couteaux dans leurs gaines accrochées à son ceinturon, prit les instructions de Madame puis, s'approchant du prisonnier, lui saisit le pied gauche, cala celui-ci sur son genou et découpa un orteil, opération qu'il accomplit en un clin d'œil. Puis il essaya de fourrer cet orteil dans la bouche de l'homme. Mais le prisonnier refusait, serrant les dents. Le petit homme se servit de son couteau pour lui ouvrir la bouche, après quoi il n'eut plus aucun mal à rentrer la chose. Décidément, l'homme était contrariant, refusant de manger son propre orteil, jusqu'à ce que le petit homme lui parle tout bas. Ce dont il le menaça, chacun était libre de l'imaginer, mais le prisonnier cessa de résister et essaya de croquer son orteil. C'est une pièce très difficile à manger, même pour un homme en bonne condition. Ce pauvre type n'était plus qu'une loque sanglante, bien incapable d'un tel effort.

Au bout de deux ou trois minutes, les spectateurs commencèrent à montrer des signes d'impatience, et Mme Lai elle-même s'ennuyait ferme, Annie le voyait bien. Elle s'adressa au petit homme qui portait le nom de Ti Tsai, et il se plia en deux devant elle, avant de se tourner vers un jeune garçon qui tenait dans ses mains un long paquet enveloppé de tissu rouge. Le garçon révéla d'un geste solennel un très beau sabre de style Mukden, comme en portait la garde personnelle de l'impératrice douairière, avec une lame courbe au fil tranchant.

Empoignant par les cheveux le prisonnier, le petit homme en sarong rouge s'efforça en vain de le redresser, mais le corps s'affaissait sitôt qu'il le lâchait. Tsai grogna en cantonais qu'il ne raterait pas son coup pour autant. Il mesura sa frappe et puis abattit sa lame sur le cou du prisonnier, qu'il ne sectionna qu'à moitié. Bright Sash éclata de rire et lui souffla probablement d'achever son œuvre, car le petit homme, vexé par son échec, porta cette fois un coup qui non seulement paracheva la décapitation mais manqua d'un cheveu d'éventrer Bright Sash.

L'équipage salua de grands éclats de rires le bourreau qui soulevait au-dessus de lui la tête du supplicié, dont les artères lâchaient leurs derniers jets de sang, causant parmi les spectateurs les plus proches une joyeuse bousculade, qui faisait penser à des enfants jouant sur une pelouse avec un tuyau d'arrosage.

Assis sur le canon que Mme Lai Choi San occupait précédemment, Annie se versa un schnaps. Elle ne tarda pas à le rejoindre en s'excusant d'un petit geste aérien, comme si elle venait de répondre à un coup de fil et était de nouveau prête à parler affaires.

« Je suis vraiment désolée, dit-elle. Ce sale chien était un de mes hommes. On l'appelait "frère", voyez-vous. Et lui il traite avec des Russes, il leur donne des informations, une histoire pénible, très pénible, parce qu'un autre de nos frères s'est fait tuer par balles pendant un piratage d'opium. Maintenant, cet homme — elle désigna le pont où il ne restait du traître qu'une flaque de sang — a été envoyé dans l'autre monde sans ses yeux et avec un seul orteil. Il reviendra sur terre sous la forme d'un ver aveugle. C'est ce que mes hommes croient. » Elle eut l'effronterie de glousser doucement, signifiant qu'elle était étrangère à de telles superstitions barbares. « Vous voulez un peu plus de thé, cap'taine Doult'y ?

— Je ne pense pas. »

Ils entrèrent dans un no man's land de négociations inimaginable pour un homme d'affaires banal.

« Je suis un être humain », dit-elle avec une grande douceur dans la voix.

Annie écarquilla les yeux. « Vous m'en voudrez pas si je me marre, n'est-ce pas ? » Il savait pertinemment qu'elle le prendrait mal. « D'accord, revenons aux chiffres. Quelle serait ma part ? demanda-t-il en se tapotant le nez du bout de l'index.

— Je n'ai pas encore décidé. Il faut qu'on y réfléchisse tous les deux.

— Je crois que nous avons assez réfléchi, madame. Si vous voulez faire affaire, faites-le maintenant, sinon ma fierté pourrait bien nous séparer définitivement. » Non, mais de quoi parlait-il ? De la fierté d'un homme ? Et où logeait-il cette créature domestique ? Dans ses bourses ? Sous la bande de son galurin, comme Barney, parmi les reconnaissances de dettes ? Dans le métal terni de son miroir ?

« Nous avons coutume de partager les prises, dit Mme Lai, décidant de prendre l'initiative. Une coutume vieille de mille ans. Mais je n'ai pas réfléchi à la question.

— Je crois au contraire que vous y avez longuement réfléchi. Je pense que vous avez une petite idée de la question. Je le vois dans vos yeux qui scintillent. » Il marqua une pause pour plonger son regard dans les yeux en question. Des yeux sans profondeur, tout en moires blanches et noires. « Que diriez-vous de fifty-fifty ? Une moitié pour vous, une pour moi ? »

Elle partit d'un grand rire. La petite *amah* souriait comme une fleur d'ombre, et Annie perçut un gloussement venant de la dunette. Il se tourna pour regarder M. Chung.

« Monsieur Chung, dit-il, vous avez la manie de flotter derrière moi, et toujours sur ma droite. La seule personne qui ait ce privilège est mon second, un homme à la peau noire. Vous avez compris ? »

Lui tournant le dos, Annie reprit sa position sur le pont, mais il entendit le maître des écritures quitter la poupe pour le gaillard d'avant. *Il a perdu la face*, songea Annie, *et je vais devoir surveiller le bonhomme*. Mme Lai souriait, apparemment satisfaite que son comptable ait été remis à sa place. « La poire en deux, chérie, dit Annie. Ça ne m'intéresse pas, sinon.

— Il y a une loi chez nous, répondit-elle. Nous sommes les loups de la mer et, comme tout le monde le sait, les loups dans les forêts du Sichuan ont aussi des lois. Je suis le chef, je prends un tiers de toutes les prises. Le reste est divisé en parts égales à mes hommes, mais la loi dit que mes capitaines auront seize parts, mes maîtres des voiles et mes maîtres des canons sept, que mon *tou-mu* en aura quatre et aussi mon... comment dit-on *to-kung* ? » Elle fit le geste de barrer.

« Le timonier, dit Annie.

— Oui... Alors, vous... je vous paierai cent parts. »

Annie aussi aurait pu éclater de rire mais il jugea plus efficace de froncer les sourcils et, après un bref coup d'œil à sa montre, d'adopter un ton détaché. « Madame, je n'ai pas l'intention de placer mes intérêts entre les mains de votre comptable, monsieur Chung. Mais, simple curiosité, quel serait le total des parts ?

— Si je lance deux cents hommes, il y aura deux cents parts. Trois cents hommes, trois cents parts.

— Après que vous aurez pris la vôtre ? » Cette fois, il s'autorisa un éclat de rire, qui réveilla un canonnier dormant à l'abri de sa pièce de 75 ; l'homme gronda comme un chien. « Madame Richesse, vos arguments illustrent bien cette passion des Chinois à perdre un temps précieux pour le seul plaisir de marchander. Ce n'est pas moderne du tout. D'autre part, vous avez excité mon appétit. Vous savez comme je le sais moi-même que je ne m'associerai jamais avec vous dans cette affaire, si cela ne doit pas me rapporter autant qu'à vous. Alors, c'est un tiers pour moi, un tiers pour vous, et le reste pour l'équipage. » Annie sourit au canonnier grincheux. L'homme cracha et se recoucha à côté de son canon.

« Je peux pas donner autant, mes gens le permettraient pas. » Voilà qu'elle se réfugiait maintenant dans la démocratie de ses institutions.

« Madame Lai, dit Annie, j'aimerais regagner mon bateau.

— Très bien », dit-elle.

Se penchant par-dessus la lisse, elle héla le vieil homme au sampan, toujours amarré le long de la coque. « Je suis désolée, cap'taine Doult'y, mais je vous ferai une dernière offre. Je vous donne un cinquième.

— Vous parlez d'un cinquième de la totalité ?

— De la totalité.

— Merci, ma belle, mais le seul cinquième qui m'intéresse,

c'est celui d'une bouteille de schnaps [1]. » Il passa une jambe par-dessus le bastingage, cherchant du pied le premier échelon de l'échelle. « Vous êtes une dure à cuire, madame Richesse », dit-il avant de disparaître.

Elle se pencha pour le regarder descendre. Le poids d'Annie arrachait des grincements au cordage, mais l'homme avait de la grâce en mer, et il descendit en expert. Il s'assit sur le banc central du sampan et, levant la tête, adressa à Mme Lai un signe d'adieu. Le vieil homme aussi regardait, attendant le signal de départ.

« Je prendrai un quart, dit Annie. Un quart du total.

— Un cinquième, répliqua-t-elle.

— Au revoir, madame Richesse. »

Le signal du départ demeura imperceptible à Annie, mais le vieil homme repoussa l'embarcation de la jonque. Annie agita la main tel le parfait gentleman qu'il prétendait être, un petit geste semblable à celui d'une reine faisant ses adieux à quelque lointaine colonie, et le sampan dériva avec le courant, tandis que le vieillard pesait sur sa godille. Ils s'étaient éloignés d'une bonne quinzaine de mètres, quand la voix de Mme Lai résonna, musicale mais puissante, sur les eaux noires :

« Vous aimeriez jouer votre quart au fan-tan ? »

Il se fit un silence. La godille paressait dans les remous, et Annie se gratta la barbe en regardant s'estomper la massive silhouette du *Tigre-de-la-mer-de-fer*. Il murmura à l'intention du vieil homme : « Pourquoi pas ? »

La godille s'immobilisa. Le vieux Chinois se tourna vers la jonque et lança d'une voix aiguë les trois syllabes qui, en cantonais, signifiaient « Pourquoi pas ? » Puis, en trois coups de rame, tourna l'embarcation en direction de la jonque.

Mme Lai Choi San se tenait accroupie sur le pont arrière. Dans la lumière d'une lampe tempête tenue par le capitaine

1. Le « fifth », soit le cinquième du gallon, désigne une bouteille d'alcool de soixante-quinze centilitres. *(N.d.T.)*

Wang Ho, elle déversa un sac de toile contenant des pièces de monnaie au cuivre noirci par l'indomptable jeu. M. Chung, le comptable, alluma un de ses cigares japonais bon marché. Face à Madame se tenait le capitaine Doultry, ses jambes largement écartées, les bouts fatigués de ses Oxford marron pointant vers les étoiles voilées, et le dos confortablement calé contre le mât de misaine, car il n'était pas habitué à s'asseoir à même le pont. La voile de misaine battait gentiment, et Mme Lai prit le bol à riz de son maître des voiles et, le retournant, l'abattit sur le tas de pièces. Quelques-unes étaient prises sous le rebord du bol en fer qu'elle remua comme le font les croupiers pour faire entrer les unes et repousser les autres.

« Dites votre pari, cap'taine. »

Elle ôta sa main. Annie contemplait le bol et son secret. Une blatte entra dans le cercle de lumière, contourna la zone du conflit et quitta la scène par la droite.

« Ce sera Kwok sur un et quatre. »

Mme Lai prit une des pièces qui restaient et la plaça à gauche, ainsi que trois autres à sa droite. C'était comme cela qu'ils comptaient les paris au fan-tan joué dans les jardins des temples et les coins de rues de Macao. « Je gagne, dit-elle, avec deux ou trois. » Puis, sans plus tarder, elle souleva le bol.

Le nombre des pièces couvertes n'était pas grand. Elle tendit un index immaculé pour commencer le compte, mais son opposant émit un claquement de langue et lui présenta un crayon Vénus de couleur jaune, qu'elle accepta sans commentaire. De la mine du crayon, elle entreprit alors de séparer le cash en de minces lignes et rapidement commença d'en faire le compte : quatre, et quatre, et quatre, ainsi de suite.

Il y avait exactement quatorze pièces restantes quand M. Chung toussa poliment, et l'œil d'Annie parvint à la conclusion qu'il avait perdu. Puis il y en eut dix, qui devinrent six, et il en eut la certitude. Il se tapota la narine. Le crayon balaya quatre pièces de plus.

« Ah ! vous avez gagné ! » s'écria-t-elle en le regardant avec un grand sérieux. Sur le pont devant elle, il n'y avait plus qu'une seule pièce.

M. Chung se pencha malgré lui pour contempler la pièce. Annie n'en doutait pas, le rusé comptable avait aussi compté quatorze pièces, puis dix, et six. Mais il ne pipa mot, alors que Mme Lai ramassait la pièce solitaire et la lançait entre les jambes d'Annie. Le petit disque roula jusqu'à son entrejambe, contre laquelle elle se nicha, sans tomber.

« Vous avez le quart de la prise, cap'taine Doult'y, dit-elle d'un ton léger. Mais je garde crayon. »

5

Le Panthéon des Héros vertueux

Alors qu'il regagnait en sampan *Fortune-de-mer* sous une bruine diaphane, Annie songeait à cette histoire des six pièces de fan-tan qui (quatre moins six) auraient dû faire deux ; or, il n'en était resté qu'une. Elle devait en avoir subtilisé une du plat de la main, en un tour d'une adresse remarquable. Mais les motifs qui l'avaient poussée à perdre étaient difficiles à discerner. Si lui-même avait gagné, elle aurait peut-être encore triché et assuré sa victoire, non pas par appât du gain mais simplement pour renverser le sort, sans se soucier de savoir à qui, d'elle ou de son adversaire, cela bénéficierait ; au fond, pour bien montrer au *gwai lo* qui était le patron. Mme Lai Choi San avait probablement préféré s'en remettre à sa propre volonté plutôt qu'aux lois du hasard.

On pouvait aussi se demander si Mme Lai n'avait pas désiré plaire au capitaine. Combien cette décision ou ce caprice lui coûterait d'argent ne pourrait être évalué que dans quelques semaines, à la condition que les deux parties soient encore en vie.

De retour à son bateau, Annie tomba sur un Barney en pleine euphorie. Assis sur le gaillard arrière, il soufflait dans des préservatifs pour en faire des ballons couleur de perle. Il y en avait trois qui flottaient au mât de pavillon, dansant dans la tiédeur du crachin, et qui semblaient faire l'objet de l'admiration béate d'une jeune et grasse métis aux fesses amples posées sur le siège du timonier. Annie se retira dans sa cabine sans discuter des événements avec son second, bien trop parti de toute façon pour y comprendre quelque chose.

Le lendemain, un mardi, ils embarquèrent six tonnes de feux d'artifice fabriqués par Lin Huang Chang & Fils, à Aberdeen, et mirent le cap sur Canton juste avant le coucher du soleil. Ils atteignirent les quais de Whampoa le matin suivant et, une fois la cargaison déchargée, Annie se rendit chez Crawford & Perris, ses affréteurs, pour voir ce qu'il y avait au menu. Le boycott d'un an des transports britanniques organisé par les syndicats communistes de Canton avait fait long feu, comme il en allait toujours en Chine dans ce genre de mesure. Trop de gens perdaient trop d'argent pour garder leur conscience politique bien nourrie et, après le divorce consommé entre les nationalistes et les rouges, il n'y avait plus qu'un reste de fierté patriotique pour maintenir le boycott. Les Chinois pouvaient être profondément patriotes, et ce d'une façon mystique, mais jamais dans le domaine des affaires.

Tout compte fait, les navires battant pavillon étranger comme *Fortune-de-mer* avec sa bannière étoilée rongée par les embruns, gardaient de bonnes opportunités. Il y avait le choix de la cargaison et de la destination, principalement des soieries en route pour Singapour et l'Indochine. Annie balança un moment avant d'opter pour une cargaison d'ustensiles de cuisine et autres articles similaires à destination de Macao, un voyage de soixante milles à peine. Barney hurla et tempêta, car le gain était ridicule — comment un homme pouvait-il refuser des transports au long cours par un temps clément, alors que l'offre était là ? Pour toute réponse, Annie daigna lui dire qu'il avait un rendez-vous important à Macao, lundi soir, pour y traiter une « affaire avec un grand A ». Puis il abandonna Barney pour se rendre à Canton, et bavarder avec quelqu'un qui sévissait dans le commerce des armes. Le projet avec Mme Lai n'était encore qu'un mirage à l'horizon mental d'Annie, et un qui pourrait très bien s'avérer un cauchemar dont il lui faudrait peut-être s'arracher en quatrième vitesse. Aussi décida-t-il sagement de s'enquérir des alternatives : pas de cargaison de soie, ni de feux de Bengale, ni de ventilateurs, mais le genre de produit qui payait... mitrailleuses et pièces de rechange pour les canons de campagne de Chang Kaï-chek, de fabrication américaine, dont il existait — Annie le savait — tout un stock à l'armurerie de la gendarmerie britannique juste à la sortie de Manille.

Ah, Manille ! Cette ville détient une concession à vie dans ma galaxie personnelle, pensa Annie. Mais pourquoi ? Pourquoi Manille, Manille tout le temps, hier et demain, alors que Manille était le dernier endroit au monde qu'il eût envie de revoir ? !

Le dimanche soir, ils jetèrent l'ancre dans le modeste port de Macao et, après le déjeuner, Annie rendit de nouveau visite à la maison de fan-tan de Yung Chung. M. Chung était là, bavardant avec le directeur, qui était un parent. Il accueillit Annie avec chaleur. Coiffé d'un canotier anglais, il portait un blazer bleu marine aux boutons de cuivre, avec un pantalon de gabardine d'un beige infiniment délicat, dont les revers se cassaient à la perfection sur des mocassins noirs aux pattes d'un violet soutenu. Annie avait sur lui sa deuxième meilleure chemise avec son étrange assortiment de boutons et un pantalon large à petits carreaux de facture française, qu'il s'était offert à Séoul et qui lui seyait parfaitement. Il avait taillé sa barbe et brossé sa casquette. Il ne s'était même pas donné la peine de prendre son revolver Walther, il faisait bien trop chaud pour ça.

Macao est une île de six kilomètres de large. Il fit la route en compagnie de M. Chung dans un boghei tiré par un petit cheval, passant par Praia Grande et le littoral. Ainsi défilèrent sous les yeux d'Annie le palais du gouverneur, Ma Kok Miu, le temple de A-Ma, la déesse de la mer, qui donna son nom à Macao, l'antique forteresse Barra et le grand casino flottant appelé le Sun Tais, avant qu'ils ne tournent dans une allée flanquée de hauts murs.

Il y avait une porte un peu plus loin dans le mur, et une sonnette. Un œil brilla derrière un judas, puis la porte fut ouverte par un homme chaussé d'étranges bottes de cuir, qui, bien qu'il ne fût pas vieux, avait du mal à marcher. Il s'inclina devant M. Chung. Et comme le maître des écritures entraînait Annie à travers le jardin de la maison, il lui expliqua d'un ton joyeux : « Cet homme être canonnier de première classe. Mais lui blessé au combat, perdre son pied. Mme Lai bien veiller sur ses hommes. Jobson, grand chausseur de Hong Kong, fabriquer pour elle bottes spéciales. »

Composé à la manière ancienne, le jardin était ravissant, avec ses rochers et ses arbres aux formes primitives. Ils traversèrent un pont bossu au-dessus d'un bassin de lotus et parvinrent à une petite maison en partie cachée par la végétation. Les coins de ses avant-toits se recourbaient vers le haut, et ses gouttières jaillissaient de gueules de dragon d'un vert bronze.

Cette fois-ci elle portait une tunique à col haut d'un pâle violet, dans le style traditionnel, comme le blanc, mais plus frivole, brodé d'un entrelacs de fleurs. En dessous, elle flottait dans un large pantalon blanc. Ce n'était pas le genre de femme qu'on aurait retrouvée morte dans un cheongsam criard. Cet après-midi-là, elle n'avait que du jade pour bijou, un jade d'un bleu-vert profond, à l'exception d'un saphir taillé de telle façon qu'il ne brillait pas mais luisait. Ils firent quelques pas le long du bassin. Les arbres prodiguaient une ombre fine ; il ne faisait pas particulièrement chaud, mais elle agitait sans cesse son éventail.

« C'est un très beau jardin, dit Annie.

— Je n'invite pas les gens dans ma maison pour faire des affaires. »

Annie lui dit avec les insistances d'usage combien il était honoré.

Pour le business, lui dit-elle, elle utilisait un appartement dans une maison, à côté de la compagnie de jeux Yeng Chung. Elle avait plein de relations à Macao. Elle lui dit que son père avait été une personnalité, qu'il était l'Honorable Protecteur des pêcheries. Il n'y avait que des gangsters pour imaginer un titre pareil.

Sa maison était très belle. Pensée dans la tradition chinoise, elle composait un ensemble de pavillons avec de petites cours et le jardin tout autour. Mais elle avait des touches Macao : les différentes couleurs où dominait le rose, et les fenêtres, elles, étaient indiscutablement portugaises, avec leur verre taillé. À l'intérieur, des meubles également portugais côtoyaient le bois de rose et la laque noire, les divans, les paravents et les porcelaines. D'austères portraits photographiques étaient fièrement accrochés à côté des grandes vagues de soie qui se dressaient dans les peintures marines que la famille semblait apprécier.

Il y avait une bibliothèque chargée de livres. Mme Lai la désigna d'un geste. « Voici la pièce des poèmes », dit-elle. Annie doutait qu'elle les ait lus, mais cette femme était toute de contrastes. Il lui demanda poliment si elle avait des fils ou des filles, et elle lui répondit : « Nous allons faire comme les *gwai lo*. D'abord, on parle business, et après on parlera d'autres choses. »

Entre deux saules pleureurs dans le jardin, se dressait une tonnelle en pierre blanche. Elle abritait une cage dans laquelle se trouvait un gros oiseau. Elle donna à la bestiole des morceaux de noix de coco. « Il y a encore une chose, cap'taine Doult'y. Vous comprenez ce que nos cœurs ressentent, nous les gens de la Bannière jaune, quand certains trahissent leurs frères, quand un frère trahit son frère. Vous devez bien réfléchir à ça. »

Annie s'était attendu à ce qu'elle soulève le sujet, depuis que, sous ses yeux, on avait offert pour dernier repas à cet homme son propre orteil. Il était persuadé qu'ils avaient gardé ce type en vie quelques jours de plus au bénéfice du *gwai lo* avec lequel Madame devait conclure une affaire.

« Je pense que je suis très prudent avec tout un tas de choses, madame Lai, répondit-il en plantant son regard dans les yeux rouges de l'oiseau. Mais je ne pense même pas à la trahison, parce que tout simplement ce n'est pas dans ma nature. » Si elle avalait ce mensonge, alors elle avalerait tout.

Elle le regarda de côté. « Vous êtes un homme blanc. Un homme de la race blanche. Et vous ne la trahissez pas en venant ici ? » Annie se permit de glousser. Prenant un morceau de noix de coco dans le petit panier que portait Madame, il répliqua : « Il n'y a qu'une seule race qu'un homme puisse trahir, celle qui marche debout. Je ne compte pas les singes. Pour autant que je sache, cette race est pourrie, quelle que soit la couleur que vous lui donnez. Mais je ne crois pas l'avoir jamais trahie, en tout cas pas complètement. » Elle garda le silence. « Et, grâce à vos espions qui ne m'ont pas lâché, vous savez sûrement, très chère, ajouta-t-il avec un certain agacement, tout ce que j'ai fait depuis ma sortie de taule. »

L'oiseau gris ouvrit son bec brun-rouge et poussa une espèce de croassement. « C'est mieux, dit Mme Lai, si vous devenez l'un de nous.

— Le mieux pour vous ? Ou le mieux pour moi ?

— Le mieux pour tout le monde. »

L'organisation s'appelait le Panthéon des Héros vertueux de la Bannière jaune. Cette espèce de triade ou *tong* était parente ou descendait du Panthéon du Ciel et de la Terre, fondé par Chang Pao, qui était le fils adoptif de Mme Cheng, et aussi son amant. Mme Cheng Sao était l'épouse de Cheng I Sao, appelé l'empereur des Mers. C'était un pirate.

On raconte qu'au faîte de sa puissance, Cheng I Sao commandait sept mille jonques de guerre. Il songeait sérieusement à renverser l'empereur Dragon, Chi Ch'ing. En Occident, Napoléon Bonaparte s'était sacré lui-même empereur de France et, à mi-distance, Nicolas le Grand était empereur de Russie.

Et, comme le conta Mme Lai Choi San à Annie, la principale forteresse de Cheng I Sao était située dans l'île de Lantau, proche de Hong Kong. Au cours d'un combat contre d'autres pirates venant du Hainan, l'empereur des Mers fit prisonnier un garçon, qui devait avoir quinze ans, et il s'en éprit. Non seulement le jeune homme devint l'amant préféré de Cheng I Sao, mais ce dernier en fit son fils adoptif en le nommant Chang Pao.

Cheng I Sao trouva la mort dans une bataille. Pour l'honorer et sans aucun doute pour se faire plaisir, sa veuve prit à son tour Chang Pao pour amant. Il avait vingt-quatre ans, et était déjà le chef de l'Escadron rouge. Mme Cheng I Sao était montée sur le trône de son défunt époux, et elle avait de concert avec son jeune et bel amant étendu le pouvoir du Panthéon du Ciel et de la Terre à travers toutes les mers de Chine.

« Chang Pao est mon ancêtre », dit Madame.

Ils étaient dans sa maison, prenant le thé et mangeant des beignets qui rappelaient fortement à Annie le goût de ceux qu'il avait achetés dans la ruelle à côté du Stoffer's Bar. Ce ne pouvait être une coïncidence. Mme Lai faisait toujours les choses à fond, et M. Chung avait des espions partout.

Elle eut un de ses gracieux gestes de la main. « Le père du père du père de mon père était Chang Pao. Il devint le mari de Mme Cheng I mais elle avait beaucoup d'amants. Il était un Tanka. Je vous montrerai un jour sa tablette. Chang Pao est mon ancêtre le plus honorable. » Elle tendit à Annie le plat de beignets, et il se resservit. « Mais il ne vécut pas longtemps. Mme Cheng I se lassa de lui à la longue. Il était au lit avec une femme et il mangeait des petits gâteaux. Des petits gâteaux qui empoisonnèrent Chang Pao. Ils mirent plusieurs jours à le détruire, mais même l'opium le plus fort ne pouvait éteindre le feu qui lui brûlait le ventre. Sa peau devint noire et se détacha de ses os. »

Tu parles d'une famille !, songea Annie. Secouant la tête d'un air navré, il prit un autre beignet.

« Vous deviendrez l'un de nos frères », dit-elle, et ce n'était pas une demande.

— Alors, je pourrai vous appeler "sœur" ?

— Non, je serai aussi votre frère. »

Annie était réfractaire à tout mysticisme. Il avait connu des chamans à Mindanao et des sorciers vaudous en Haïti, et il n'avait jamais eu qu'à se plaindre de ces rencontres. Il bâilla et prit le miroir de bronze qu'elle lui avait présenté après qu'il lui eut avoué son intérêt pour les miroirs. Il consulta son faible reflet ondoyant et ajusta une boucle dans sa barbe.

« Madame Lai, dit-il d'un air las. Vous me faites marcher. Je n'ai encore jamais rencontré un Chinois qui ne prenne pas l'homme blanc pour ce qu'on trouve d'ordinaire au cul d'un cochon.

— Peu importe, dit-elle avec un petit geste d'irritation. Il s'agit de business. Vous ferez un serment par le sang, et très sérieusement. C'est comme les papiers que vous, les *gwai lo*, vous signez. Mais c'est plus fort.

— Dans ce cas, je serai heureux de signer, ma belle. Je passerai toutes les épreuves, mais je suis sûr que vous savez très bien que le seul serment qui compte, c'est encore de jurer sur notre bonne vieille avidité. Je fais confiance à la vôtre, faites confiance à la mienne. » Il leva galamment sa tasse de thé.

Elle ne fut pas dupe de cette approche insouciante, ainsi que son grand sourire en témoignait. « Je ne suis pas cupide, cap'taine. J'ai confiance dans les serments. Nous disons : défier la loi du Panthéon, c'est la mort, et suivre la loi du Panthéon, c'est la mort. Je crois dans ces paroles »

Annie acquiesça d'un air grave. De son point de vue, le moment était malvenu pour s'interroger sur les attraits d'une telle proposition. Les Chinois avaient souvent tendance à la frivolité envers la mort.

Le miroir était un disque de bronze d'environ vingt-cinq centimètres de diamètre, dont la surface polie reflétait la couleur de la mer juste avant l'aube. On le tenait par une petite poignée ronde derrière. Le dos présentait une patine verte et portait, gravés à sa circonférence, les douze signes du zodiaque chinois, ces mêmes signes marquant leurs boussoles. Autour de la poignée, on retrouvait les animaux des quatre points cardinaux : au nord, une tortue noire qu'enroulait un serpent, et qui était appelée le Guerrier noir ; à l'est, un dragon vert ; au sud, un oiseau rouge ; et à l'ouest, un tigre blanc.

Annie aimait beaucoup ce miroir. Il en appréciait le poids, et sa capacité à réfléchir son propre visage avec une étrange perspicacité. Mme Lai Choi San lui apprit que l'objet datait de la dynastie des Han, « d'avant la naissance de votre Christ ».

Barney se doutait qu'il se passait quelque chose, et qu'il fallait chercher du côté de cette Chinoise ; aussi Annie décida-t-il que son second n'en saurait pas plus. Aurait-il appris, Barney aurait paniqué, il en aurait fait tout un foin et aurait prédit une issue fatale à cette aventure. Barney avait vu tomber à l'eau plus d'un plan d'Annie, et il n'aspirait qu'à une vie tranquille, portée par la fierté d'être le second d'un aussi beau bateau, la satisfaction de commander les matelots, le sentiment sécurisant qu'Annie pourrait toujours lui payer un nouveau dentier, quand ce serait nécessaire, ainsi qu'un petit Edward Lear de temps en temps. Il comptait sur Annie pour jouir d'une longue, très longue vieillesse devant un âtre dignement confortable, avec un grand piano dans le salon.

Mais avec Annie, ces modestes projets tenaient de la spéculation. Annie était fou. Plus dingue était l'affaire en vue, plus Annie accourait. Et le bonhomme avait cinquante et un ans !

Pas étonnant que Barney en perdît ses cheveux.

Ils étaient amarrés à un ponton branlant, non loin du mouillage du ferry de Hong Kong, dînant en tête à tête sur le pont, car c'était une belle soirée. Le vieux cuisinier avait préparé du poisson et des crevettes avec un riz à la tahitienne, la glacière était remplie de Tsingtao, et une bouteille d'un excellent vin blanc portugais était posée sur la petite table pliante, que recouvrait une nappe à carreaux rouges et blancs. Scène intime, charmante. Annie goûta le vin, servit Barney, puis déposa cinq cents dollars en billets neufs de Hong Kong à côté de l'assiette de son second. « Voilà un p'tit quelque chose sur ta paie, fils. Je vais devoir te laisser seul pendant quelque temps. Voici une lettre certifiant que ce bateau est à ta charge jusqu'à ce que je revienne. Fais gaffe à la chtouille, et souviens-toi, la température de l'huile, pour le moteur, c'est soixante, pas quatre-vingts, d'accord ?

— Merde, dit Barney, d'où tu sors le blé ?

— J'ai reçu une petite avance. Sur une affaire personnelle. » C'était la vérité. Les mille dus lui avaient été redonnés en souverains-or par M. Chung lui-même. Comme Annie l'expliquait maintenant à Barney, cet argent était le prix légitime de son engagement dans une affaire ; ce n'était pas un pot-de-vin, pas non plus un pourboire qui, du point de vue des Chinois, plaçait la personne en position de soumission, de devoir. « Faut que tu te mettes au parfum de la psychologie chinoise, Barney. Il faut que tu comprennes les tenants et les aboutissants, garçon. »

Au lieu d'applaudir, Barney n'avait qu'un tas de questions idiotes à poser. Annie y répondit avec un léger dégoût et de facétieuses, sinon insultantes, réponses. Barney abandonna rapidement. Il soulagea le sentiment de solitude et d'insécurité béante qui s'ouvrait devant lui par de plaintives demandes. Il lui fallait plus d'argent que ça, la pompe principale avait besoin de joints neufs, l'équipage attendait quelques billets, la sœur de Sock se mariait à Singapour et on devait lui envoyer un bracelet en argent, etc. Annie rajouta cinquante dollars, qu'il avait d'avance glissés dans sa poche. Il dit à Barney de s'en tenir à la soie et peut-être au thé pour les comptoirs du Detroit, et les petits ports que les vapeurs ne desservaient pas. Et pas de cette saloperie d'opium, sinon, ce serait le divorce.

« Et pas de saloperie d'armes non plus, répliqua Barney. Et t'atterris encore une fois au trou, Annie, et j'mets les voiles direct sur La Nouvelle-Orléans et mon bayou. Tu poseras jamais plus les yeux sur moi ou c'bateau, enfoiré.

— Barney, dit Annie, arrête un peu de te tracasser. Je suis

fatigué de rester toujours en rade, et j'ai sûrement pas envie de retourner au ballon. J'en ai assez de prendre des paris. J'ai un tas d'autres choses plus sérieuses à penser. »

Une lueur d'espoir s'alluma à l'horizon pour Barney. « Annie, ça réjouit mon putain de cœur d'entendre ça. Pourquoi qu'on tire pas tout droit sur Bombay, cap' ? Avec une cale bourrée de belle toile de lin. *Fortune-de-mer* vole sur la mer comme un poisson volant. Putain de bon vent arrière qu'on aura, cap'. On fera deux cents milles par jour pour traverser cette mer indienne. » Il avait les yeux qui chaviraient. Il remplit son verre de vin à ras bord. Barney appelait toujours Annie « cap' » quand son cœur chantait la mer. « Et y aura pas de pari à prendre pour faire ça, Annie. C'est la première fois depuis longtemps que j'entends parler le cap' avec bon sens. »

Annie le regarda d'un air grave. « Ouais, je suis fatigué, Barney. Et peut-être que j'en ai assez de prendre de gros risques pour trois fois rien.

— Annie, on s'fait trop vieux pour cette merde. On va se récolter dans les mille tickets en moins d'un mois avec ces toiles, et on va repartir sur Rangoon avec un chargement de chutney ou un truc chouette et facile. Et rester dans cette partie du monde, où on nous respecte. Le monde à l'ouest de Singapour. »

Annie se taisait. Des fois, Barney le touchait. Et c'était vrai que les peuples à l'ouest de la mer de Chine réservaient à Barney un bien meilleur accueil que les Chinois. Les Chinois ne comprenaient pas les Noirs, et ils ne les aimaient pas non plus.

Anatole Doultry et Bernardo Patrick Hudson pouvaient se tenir compagnie durant de longues traversées sans ressentir le besoin de parler, hormis les habituelles discussions au sujet du talent d'un trompettiste.

Annie se reprit. « Mille dollars ? » Il examina la contusion à son majeur gauche, qu'il fléchit en pensant à la branlée qu'il avait fichue à Fred Olson pour un bien maigre bénéfice. « Barney, ça me paierait même pas mon tabac à chiquer.

— Et depuis quand tu chiques ?

— Je deviendrais fou si je devais retourner au petit commerce. Mais toi, emporte cette cargaison de draps à Bombay et fais en sorte qu'ils arrivent bien secs. J'arrangerai l'affaire avec les agents de fret. Mais t'as intérêt à être de retour avant la fin mai, garçon. T'as intérêt.

— Et où tu vas, dis-moi ?

— J'en sais rien encore. »

Le seul indice qu'Annie dévoila, c'était qu'il irait peut-être visiter T'ien-tsin. Ce n'était pas vrai, bien sûr. Mais Annie savait par Barney que le maréchal Sun Chuan-fang était censé se terrer là-bas (T'ien-tsin n'était pas loin de Pékin, à cinq jours de vapeur en remontant la côte), et que le fameux maréchal signait de nouvelles alliances, mettant sur pied une division de troupes russes blanches réfugiées en Chine tout en prenant langue avec les Japonais. Aussi, quand Barney apprendrait (car cela lui arriverait tôt ou tard aux oreilles) qu'Annie avait embarqué comme opérateur radio sur le *Chow Fa*, il y verrait un nouveau coup tordu de trafic d'armes et depuis les Philippines, cette fois. Si on fournissait à Barney de quoi gamberger, il le faisait en fonction de ce qu'il savait d'Annie et de ses penchants. Il louerait alors sa propre perspicacité et n'irait pas chercher plus loin, pataugeant dans la boue chinoise avec ses grands pieds.

Alors qu'ils avaient entamé la deuxième bouteille de vin, Annie se pencha au-dessus de la table vers son second saisi soudain d'une pleurnicharde mélancolie, et lui dit : « Barney, il y a une chose importante que je veux que tu fasses. Tu m'écoutes, chéri ? »

La mâchoire de Barney, taillée en angles aigus dans un bois d'ébène, reposait sur son poing noueux, tandis que ses yeux mouillés contemplaient le phare de Guia, dont le faisceau balayait la nuit au-dessus d'eux, caressant de sa lumière les nuages de plomb qui squattaient l'horizon.

« J'aurais dû épouser cette fille à Samoa, dit Barney. Sara

Bamey. Elle était tendre comme du beurre. Elle était douce. Sa peau était lisse comme le cul d'un bébé. Elle brillait, un vrai satin, et son souffle avait un parfum de lait. Un tendron, cette môme. »

Annie laissa passer un silence avant de dire : « Il s'agit d'une seule chose, Barney, mais je compte sur toi. » Il tapota la main noire abandonnée sur la table. « Je compte sur toi pour appeler tous les jours à cette heure-ci le bureau du télégraphe de Hong Kong pour voir si je t'ai pas laissé un message. Et je compte sur toi aussi pour être à moins d'une journée de voile de Hong Kong pendant la première semaine de juin. Parce que le 10 juin, tu vas me retrouver quelque part dans les parages. Je te le répète, je compte sur toi, et c'est ma vie que je parie, ici, Bernardo. Ce pari devrait me rembourser toutes les pertes de ma vie, alors me laisse pas tomber, sinon c'est avec une mitraillette que je viendrai te chercher, camarade.

— Tu paries ta putain de vie ? Mais elle vaut quoi, ta vie, mec ? Elle vaut pas une pièce trouée. Et ce pari, il a intérêt à payer gros, parce que le jour où on se fera notre beurre dans ce merdier chinois, les vaches auront des ailes. »

Le lendemain soir, on vint chercher Annie sur le quai devant le Ma Kok Miu, le temple de A-Ma, la déesse de la mer, pour l'emmener à bord du *Tigre-de-la-mer-de-fer*, ancré à bonne distance de la fabrique de feux d'artifice. Il emportait une valise de taille moyenne, deux couvertures roulées dans un sac en toile goudronnée et son ciré noir sur le bras.

Il régnait une grande activité à bord de la jonque. Une demi-douzaine de sampans était collée à ses flancs, tandis qu'on chargeait des provisions de route. Comme Annie mettait le pied sur le pont, on était en train de hisser un filet lourd de caisses métalliques que son œil de connaisseur identifia : des obus de 75 mm pour canon Schneider. Les caisses portaient même les caractères au pochoir de l'arsenal chinois de Foochow. Un bruit, ou plutôt un ensemble de bruits se rapprochait à travers les eaux, escortant un sampan illuminé de magnifiques lanternes, qui transportait un prêtre du temple de A-Ma. Les novices qui l'accompagnaient faisaient éclater des pétards et résonner un gong pour annoncer l'une des réincarnations de la déesse. Le prêtre (qui était appelé *hsiang-ku*, parce qu'il était le servant de la déesse) était drapé dans une robe jaune et portait un chapeau pointu ; il se tenait assis à côté d'une effigie de A-Ma, que les Tanka appelaient aussi Tin Hau, qui signifiait déesse de la mer et des pêcheurs, car c'était pour cet attribut particulier qu'ils la vénéraient et lui offraient leurs aumônes. C'était la propre effigie de cette dame que l'on rapportait sur son autel à bord de la grande jonque, après avoir séjourné durant toute une journée de prières au temple (une journée qui, naturellement avait coûté fort cher à Mme Lai). La caisse qui abritait Tin Hau faisait moins d'un mètre de haut et était recouverte d'un drap de soie rouge ondulant au vent qui soufflait vers Annie le parfum de son approche, car une quantité de gros bâtons d'encens brûlait à bord du sampan, comme il seyait au départ sur les mers d'un grand navire tel le *Tigre-de-la-mer-de-fer*.

La jonque portait à son grand mât la Bannière jaune — une grande pièce de soie dorée peinte de dragons noirs et marquée des cicatrices laissées par la mitraille et qu'avaient amoureusement recousues les femmes des hommes servant à bord : les Héros vertueux [1].

Le timbre du gong lançait son écho sur les eaux de Macao en même temps que la nuit tombait, et le bruit montait jusque dans les collines de Lappa, qui dominaient la ville. La caisse abritant Tin Hau fut hissée à bord de la jonque et la déesse replacée sur son autel dans la timonerie. Annie eut le temps d'apercevoir l'effigie au visage taillé dans du bois de poirier,

1. Ces femmes, épouses, concubines ou filles de joie, quittaient maintenant le navire. Quand la jonque était à quai, elles avaient le droit de monter à bord, mais à la différence de nombreux propriétaires de bateaux, Lai Choi San ne permettait pas aux femmes de voyager sur sa flotte, à l'exception de ses propres servantes. *(N.d.A.)*

assise sagement comme se doit toute divinité, et arborant un tranquille sourire et un air perspicace. Le moine qui battait le gong la suivait dans un nuage d'encens, et Annie sentit ses couilles se contracter une fraction de seconde, tandis que sur le sampan explosaient mille pétards à quelques mètres à peine d'une embarcation chargée jusqu'à la lisse de barils de poudre et autres munitions.

Ce fut au plus fort de cette cérémonie que Mme Lai sortit de sa cabine. Elle paraissait sereine, noble et détachée. Deux ou trois des moinillons, vêtus de guenilles tels des mendiants, entonnèrent un chant singulier et grave, tandis que Madame allumait un seul bâtonnet d'encens — sans doute de première qualité — et le posait dans la coupe de bronze de l'autel, avant de murmurer une prière. Puis elle déposa des fleurs de jasmin à côté de la coupe.

Tandis que la nouvelle lune se levait au sud-est, le *Tigre-de-fer* (ainsi que l'appelaient les hommes) leva l'ancre et fut remorqué en eau profonde par une chaloupe de marins scandant un chant, l'inévitable gong annonçant chaque coup de leurs rames noires. Puis, sous une fraîche brise de sud-est, Annie regarda monter la voilure. Celle-ci était de couleur dorée, faite d'une bonne toile de coton et de jute, mais d'un or foncé et trouble qui ne pouvait rivaliser avec celui de la bannière. Pour hisser la grand-voile, ils utilisaient un treuil servi par quatre hommes, car les lattes de ces grandes voiles (six par unité sur les vaisseaux de Kuantung) étaient en bambou plein de quinze mètres de long. Mme Lai n'était pas ressortie de sa cabine. Appuyé à la lisse de couronnement, Annie observait avec attention la tenue du vaisseau (« bateau » ne lui semblait pas le mot juste, devait-il admettre). Les bavardages et les plaisanteries des matelots auraient consterné le capitaine d'un navire occidental, mais ces hommes étaient d'une grande expérience et d'une efficacité sans égale. Les lanternes accrochées dans la mâture jetaient des flaques de lumière dorée sur le pont assombri par l'huile de lin et calfaté avec ce brai remarquablement souple et résistant que les Tankas appelaient *chunan*.

À deux milles nautiques au sud de Macao, le capitaine Wang Ho prit un vent sud-est. La lune et la lumière sur la mer étaient d'un vert étonnant. Et ce fut sous cet éclairage magique qu'Annie découvrit un merveilleux spectacle. Se dirigeant droit sur eux depuis le rivage sous le vent de Macao, arrivait un grand canoë mené par quarante rameurs. C'était un *bateau dragon*, un canoë de guerre d'une vingtaine de mètres de long. Annie avait vu radouber l'un d'eux quelque part dans une île, et il se rappelait avoir vu se refléter son visage sur sa carène, tant le bois était finement poli.

Le canoë devait filer un bon quinze nœuds, fendant les vagues comme un serpent muni d'un bec, l'eau s'ouvrant sur sa proue en deux arcs d'écume blanche. La puissance et le rythme des rameurs rappelaient à Annie les équipages polynésiens qui provoquaient l'admiration de tout homme les voyant rentrer à grande allure de leurs zones de pêche, sillonnant les eaux profondes avec un art et un courage imposant le respect.

Le capitaine Wang Ho braqua sur l'embarcation ses grosses jumelles de nuit, des Bausch & Lombs, comme les affectionnaient les commandants de la marine marchande britannique. Un moment plus tard, la jonque affalait un peu de toile pour attendre le message, car c'était cela qu'apportait à Madame le canoë.

Elle invita Annie dans sa cabine, qui était située après la timonerie, derrière l'une des portes coulissantes en bois de camphrier laqué rouge. L'espace était confiné mais merveilleusement décoré de gravures sur bois; deux lanternes en cuivre luisaient à travers un nuage d'encens au santal et de tabac que Madame fumait dans une petite pipe à eau en argent. La couchette prenait une grande partie de l'espace, une couchette remarquablement confortable, qui tenait du canapé. Les commodités étaient toujours spartiates à bord d'une jonque, mais Mme Lai n'était pas un *lao-pan* ordinaire (car c'était ainsi qu'on appelait un propriétaire de navire). Elle était assise les jambes croisées sur sa couchette, la jeune *amah* endormie à ses pieds. Il y avait un grand coffre cerclé de cuivre contre la cloison du fond sous les fenêtres de poupe aux volets clos, qui donnaient sur la passerelle arrière à laquelle on accédait par une autre porte coulissante, exactement comme sur un bâtiment de guerre européen du XVIIe siècle.

« Je vous en prie, asseyez-vous », dit Mme Lai. Annie se posa sur le coffre. La cabine ne dépassait guère plus d'un mètre soixante de hauteur. « La marine britannique a détruit ma maison, ce matin. Ma maison dans le village de Hai Chan, à Bias Bay. »

Elle en était très contrariée, ce qui était compréhensible. Annie se demanda s'il devait lui rappeler qu'il était américain. « J'ai beaucoup d'autres maisons, reprit-elle. Mais les Anglais sont sans pitié. Ils ont envoyé deux croiseurs et un avion pour couler les jonques des pêcheurs. Ils en ont démoli cinquante. Ils cherchaient des pirates, mais ils ont trouvé seulement des pauvres femmes, des enfants et des vieillards. Et ils ont pas demandé la permission au gouvernement chinois. Sales porcs d'Anglais.

— Quel gouvernement chinois ? »

Toute à sa rage contre la Couronne, elle ignora la question. « Je hais ce nom, Grande-Bretagne, murmura-t-elle en tirant de vengeresses bouffées sur sa pipe. Au temps de mes ancêtres, les Anglais apportent l'opium en Chine. De l'opium pas cher. Les Chinois ont toujours une grande faiblesse pour opium, et l'empereur combat les trafiquants pour arrêter la culture du pavot. Mais les navires anglais sont trop forts et les Chinois trop... » Elle eut un geste agacé de la main. « Opium détruit la Chine.

— Je vous croyais admiratrice des peuples forts, dit Annie avec un haussement de sourcils.

— Je répète, je hais ce nom, Grande-Bretagne. Je crache du poison sur ce nom. »

À Macao, Madame habitait à quelques rues de la très officielle manufacture d'opium qui vendait chaque année pour des millions de dollars un opium raffiné aux marchands chinois. Ce qu'il advenait de la drogue ne semblait pas concerner Macao. Les Allemands n'avaient cessé de créer un vaste marché pour la morphine et l'héroïne, et les Japonais fabriquaient de leur côté de l'héroïne dans leur concession de T'ien-tsin. Mais Mme Lai n'était pas d'humeur à supporter qu'on plaidât pour l'Angleterre.

Personnellement, Annie n'avait que faire de l'opium. Si l'on considérait sans passion les choses, il était manifeste que la culture du pavot avait accéléré considérablement l'écroulement de la civilisation chinoise, au point que la majorité de ses citoyens instruits étaient devenus en masse dépendants de ces opiacés qu'ils affectionnaient. Peut-être cette appétence puisait-elle sa source dans une grande douleur collective, dans un vaste désespoir national. En tout cas, les Rosbifs en avaient profité, et les Yankees aussi [1]. Les affaires étaient les affaires. La Grande-Bretagne était peut-être la première nation à faire de la drogue une industrie nationale mais elle n'était pas la seule.

Annie lui demanda ce qu'elle savait du raid mené à Bias Bay. Elle savait peu de chose pour le moment, seulement que le gouvernement britannique en avait assez de voir pirater ses navires et était prêt, si nécessaire, à lancer des opérations armées en territoire chinois, afin de bien montrer son indignation. Soucieux de ne pas faire de victimes, ils avaient fait évacuer les habitants avant de bombarder leurs jonques et leurs habitations. Une jolie petite habitation occupée par des parents à elle avait été

1. En vérité, le premier opium non indien à avoir été importé en Chine était turc et avait fait le voyage sur le *Sylph*, un brick américain. La guerre civile en Amérique avait interrompu les efforts de ce pays pour s'assurer une part du marché chinois. Toutefois, les marchands américains — les *hwa-ke* (les Diables au drapeau fleuri) —s'étaient entêtés à se faire une place, de même que les Portugais — les *se-yang kwae* (les Diables de l'océan occidental). Samuel Russell & Co, du Connecticut, tenait l'un des plus gros débits d'opium à Canton, et ce depuis 1816. *(N.d.A.)*

détruite. Les avions envoyés contre les villages de pêcheurs et la destruction de leurs bateaux de pêche avaient un effet plus symbolique que pratique.

Toutefois, ce raid n'était pas un bon présage à la veille de lancer une opération de piraterie qui dépasserait tout ce qu'à ce jour on avait pu voir dans ce domaine. Elle ne le formula pas expressément mais Annie savait qu'elle y songeait. Il y avait un bouquet de bâtonnets d'encens fumant devant le petit autel éclairé d'une loupiote rouge dans la paroi de la cabine. À l'intérieur de l'autel étaient disposées deux tablettes funéraires de bois noir ; l'une était fort ancienne, l'autre moins. Elles symbolisaient l'existence terrestre de Chang Pao et de son père.

Mais qui se souciait encore des présages ? Annie n'y croyait pas. Il lui confia qu'il était fatigué et avait besoin de dormir un peu. Il la laissa tirer férocement sur sa pipe et rabrouer méchamment la petite *amah*, parce que le thé avait refroidi.

Sous une lune verte, ils voguaient.

Le capitaine Wang Ho gouvernait quart sud, cap sur l'île de Lantau, ainsi que Madame avait daigné en informer Annie sans s'étendre davantage. Elle était d'une humeur si féroce qu'il avait préféré ne pas lui en demander plus.

Annie était impressionné par la façon qu'avait le bateau de se mettre au vent à chaque bordée, se replaçant franchement et sans ballotter. Les marins de l'Occident parlaient toujours de jonques pataudes, mais Annie, qui les avait attentivement observées, n'avait jamais rien relevé de gauche dans leurs allures marines. Elles n'avaient l'air bonhomme qu'à l'ancre. Les gréements chinois avaient été développés fort ingénieusement tout au long des siècles de navigation côtière sur des mers connues pour l'imprévisibilité de leurs vents, la traîtrise de leurs écueils, la puissance dévastatrice de leurs typhons. Les voiles d'une jonque sacrifiaient un peu de leur efficacité par beau temps pour mieux affronter les éléments, quand ils se déchaînaient. Et il en allait de même pour la forme de leur coque : la navigabilité l'emportait sur la vitesse. Le chaland à fond plat de la Nouvelle-Angleterre était leur plus proche parent en Occident, mais l'innovation chinoise représentée par l'énorme gouvernail rétractable et le mât d'artimon, que le timonier utilisait comme un empennage, était une solution fort subtile aux problèmes nautiques. Le marin, chez Annie, était par ailleurs impressionné par la rigoureuse structure de la coque, qui était divisée en quatre (ou plus) compartiments à l'étanchéité garantie par d'épaisses cloisons. Seuls des dommages considérables dans la carène pouvaient envoyer une jonque par le fond. Et on pouvait s'étonner que personne en Occident n'eût adopté ce système, avant que les cuirassés ne soient développés.

Le capitaine Wang n'était guère loquace, et son timonier non plus — personnage farouche qui aimait planter son regard dans les yeux du *gwai lo*, ce qui ne gênait pas Annie. Il avait à sa disposition le pont arrière et la timonerie, et la seconde *amah* de Madame le décourageait toujours poliment de s'aventurer au-delà.

Il se mit à pleuvoir, et une bourrasque de printemps se leva soudain, le vent virant et soufflant dur du large en direction du delta de la West River. Le capitaine Wang enfila un ciré de la marine impériale japonaise ; l'homme semblait affectionner le style international. Annie l'observa affronter la tourmente (le vent devait être de force 6 ou 7) d'une façon désinvolte. Ils amenèrent la grand-voile en moins de deux, les lattes de bambou lui permettant de se replier comme les soufflets d'un accordéon.

Mme Lai ne reparut pas. La mer était agitée, le vent tapait par à-coups, mais la jonque roulait très peu et restait presque sèche. Deux heures plus tard, l'île de Lantau se dressait droit devant sous le halo lunaire. La bourrasque était passée, le temps que le capitaine Wang mène son vaisseau à l'abri du vent, derrière un îlot appelé Chep Lak Kok, au large de la côte nord de la grande île. Les falaises tombaient abruptement dans la mer blanchie d'écume, tandis qu'au nord les toits étagés d'un monastère trappiste se découpaient dans la lueur laiteuse.

Annie n'avait jamais pris la peine d'aborder sur la côte nord de Lantau. La région côtière ne comptait que peu de pêcheurs en dépit de sa taille, et à l'intérieur dans les collines, il y avait des villages qui n'avaient encore jamais vu d'homme blanc. Le lieu était un repaire notoire de pirates avant l'arrivée des Britanniques, et restait un refuge bien connu de tous ceux qui, à Hong Kong, devaient fuir la loi. La jungle n'avait pas encore envahi les ruines de sa forteresse de Tung Chang, dans l'île principale. Alors que la jonque jetait l'ancre dans la petite baie à l'ouest du monastère, Annie conclut que la tradition était décidément tenace dans ces régions.

Il était un peu plus de minuit passé. Quelques lumières dansaient dans la baie sur les bateaux pêchant la crevette, mais le village de Cheung Sha Lan qui s'étendait jusqu'à la plage de sable gris était aussi sombre qu'un antre de naufrageurs, bien qu'on fût à vol d'aigle des mers à seulement vingt milles marins de Hong Kong.

Il pleuvait toujours, et Annie avait enfilé son ciré, avant de suivre le capitaine Wang et son second sur le chemin boueux qu'était la rue principale. Même les cochons et les poulets dormaient. Ils passèrent devant de petites boutiques aux volets clos et une entrée faiblement éclairée, d'où s'échappait l'odeur âcre de l'opium, puis longèrent un tout petit temple très bien entretenu, avant d'arriver à une maison aux murs de pierre. Ils poussèrent une grille, entrèrent dans une cour où dormait un jeune bœuf. Une bonne odeur de cuisine rappela à Annie qu'il était temps de dîner.

Ils le laissèrent dans une petite pièce au sol de brique et chichement meublée. Une jeune fille, vêtue comme une paysanne et qui se refusa à croiser son regard, lui apporta une bouteille de vin de riz chaud et une jolie tasse, puis se retira aussitôt.

Peu de temps après, alors qu'Annie s'habituait au vin, Mme Lai Choi San entra sans frapper, suivie de sa seconde *amah*. Annie venait tout juste d'allonger ses jambes sur le divan et de se caler confortablement sur les coussins. Il esquissa le geste courtois de se relever mais elle l'arrêta d'un geste et prit place sur la chaise. Son beau visage racé était perlé de pluie. Elle était vêtue d'un simple pyjama noir en coton et arborait une expression sereine, à laquelle se mêlait une certaine compassion.

« Je ne cracherais pas sur un petit ragoût », dit-il.

Elle secoua la tête. « Interdit. Un homme ne doit pas manger avant de recevoir l'anneau du Panthéon. Buvez le vin, très bon pour le cœur. » Elle se tapota le sein gauche. « Mais pas manger. Vous devez oublier votre ventre. » Si c'était là une blague, elle n'en donnait pas le moindre signe. Annie protesta avec force. Il lui dit qu'il ne voyait aucune raison de rejoindre le Panthéon des Héros vertueux. « Je ne suis pas l'un d'entre vous. Et je ne veux pas l'être. Nous pouvons collaborer mais pourquoi devrais-je devenir membre du club ? On monte un coup, un seul, chérie. Je n'irai jamais plus loin.

— Vous serez des nôtres, dit-elle d'une voix suave. Vous viendrez parce que vous voulez de l'argent, un gros tas, et parce que vous le devez. C'est ce que mes gens attendent de vous, et ils ne vous accepteront pas sinon.

— Je n'en ferai rien !

— Vous le ferez ! »

Il but son vin. Elle ne se joignit pas à lui ; elle resta là, l'air songeuse, lui jetant de temps à autre un regard attentif. Annie ne bronchait pas et donnait une impression de calme, qu'il était fort loin de ressentir.

« Je meurs de faim, dit-il enfin. J'ai envie de manger un morceau et puis d'aller me coucher. On a un tas de choses à discuter et à préparer demain.

— Vous ne mourez pas de faim. Vous mangez quand vous vous ennuyez ou que vous vous sentez pas bien. »

Elle le regardait avec mépris de ses yeux fendus, la tête légèrement rejetée en arrière. « Vous connaissez pas la faim, vos enfants ont jamais connu la faim, ils ont jamais mangé la boue pour remplir leur ventre, tout gonflé. » Elle dessina de ses mains le ventre de ces enfants. « Je suis une femme riche, aujourd'hui, mais j'ai été pauvre. Au temps de la grande famine, j'ai vu mon père tuer un fermier et ses deux épouses pour que ma famille meure pas le ventre vide. À un autre homme, mon père emporte un petit garçon de six ans et deux filles, il réclame trente dollars pour ramener les enfants. Dix dollars, un. Le fermier paie pas. Mon père coupe un doigt au garçon, et l'envoie au père. Le fermier paie dix dollars, il dit qu'il a vendu son dernier cochon. Il dit aussi, garde les filles, ô Pirate, elles pourront t'être utiles. Si je les reprenais, il me faudrait les vendre pour donner à manger à mon fils. »

Elle se tut. Annie attendit, pensant que la partie la plus intéressante de cette histoire était à venir, mais Mme Lai ne poursuivit pas. « Il y a toujours eu des famines en Chine, fit remarquer Annie. Et cela, bien avant que les diables blancs débarquent.

— C'est vrai, mais ils avaient faim parce qu'ils avaient été trahis par leur empereur et les riches, c'est-à-dire trahis par des Chinois, pas par des étrangers diaboliques. »

Elle replongeait dans une de ses crises de xénophobie. Peut-être était-ce à cause de cette maison détruite à Bias Bay, mais Annie avait entrevu l'étendue des ressentiments éprouvés par Madame à l'égard de tout ce qui n'était pas chinois, pour finir. Annie ne pouvait qu'en ressentir de l'inconfort. Mme Lai, en dépit de son admiration pour la Chine moderne, était prisonnière de cette haine envers le reste du monde comme tout seigneur féodal chinois. Elle pensait que le monde extérieur avait détruit la Chine à dessein ou sans le vouloir. Sur bien des points, elle avait raison, mais le fait que la Chine avait considérablement favorisé et même désiré cette destruction était un fait qu'elle s'obstinait à nier.

« Vous perdez votre temps à détester les étrangers, lui dit

Annie d'un ton détaché. Les grandes nations ont-elles jamais eu pitié des faibles ? Les pays occidentaux sont durs, voraces, organisés. La Chine n'est pas organisée. La Chine est remplie de salopards tout aussi durs et voraces mais ils n'ont de cesse de se tirer dans les pattes les uns les autres. Il faut apprendre à se regrouper, à s'unir, ma fille. Il faut se donner une raison de croire. Vous êtes le peuple le plus cynique et le plus prétentieux de la Terre.

Des paroles fortes, indiscutables. Qu'avait-elle à répondre à cela ? « Il n'y a pas un seul homme dans ce gigantesque pays, pas un seul qui ne soit corruptible, reprit Annie, qui était bien placé pour l'affirmer. Les diables étrangers n'ont pas eu à combattre les Chinois pour prendre ce qu'ils voulaient. Ils ont payé les gouverneurs et les marchands et tous ceux qui comptaient et l'ont fait pendant des années. Vous êtes un pays de cinq cents millions d'habitants qui ont été affamés et abandonnés par tous ceux qui étaient censés gouverner le pays. Il y a en ce moment même plus de deux millions de soldats chinois qui sont en train de s'entre-tuer dans la boue, la plupart d'entre eux bourrés d'opium. Vous êtes un pays qui se dévore lui-même, comme ce timbré dans l'histoire grecque. Celui qui a mangé son propre foie, vous savez ? Tout ce que vous pouvez faire en Chine, que vous soyez riche ou pauvre, c'est noyer votre douleur dans l'opium. »

Elle ne chercha pas à le contredire. Elle dit seulement : « Vous admirez pas peuple chinois.

— Il n'y a pas de peuple chinois », répliqua-t-il. Il avait bu, l'estomac vide, les trois quarts d'une bouteille de vin de riz. Il y a un sacré paquet de Chinois, mais il n'y a pas de peuple chinois.

— Vous êtes comme tous les vôtres. Vous êtes un *gwai lo*. Vous arrivez dans le Céleste Empire la main tendue. » (Elle mima une poignée de main.) « Mais dans le dos, vous tenez un poignard empoisonné. Et vous coupez, vous coupez jusqu'au foie. » Elle porta la main à son côté. « Vous empoisonnez la terre avec le poison de l'or et le poison de l'opium. Puis, vous, les *gwai lo*, vous vous posez comme les vautours sur le corps du grand Dragon et vous nettoyez sa carcasse avec vos becs acérés. »

En proie à un vague pincement de culpabilité, Annie se caressa le nez, son nez de guerrier. *Il n'y a pas plus raciste qu'un Chinois en phase maniaco-dépressive*, songeait-il. « Je n'ai pas de préférence pour un peuple en particulier, dit-il tranquillement. J'ai travaillé dans la région, mon chou. Pourriez-vous m'en citer un, de peuple, que je pourrais admirer ? » Il attendit qu'elle évoque les Américains, mais elle garda le silence. Elle fuyait cette conversation dérangeante, se réfugiant dans un silence rusé. Annie était prêt à pourfendre l'Amérique et les autres, Écossais compris, même si elle leur balançait une pique, à ces bâtards ! Mais elle s'en abstint. Pourtant, M. Chung lui avait certainement rapporté qu'Annie était né dans les arides terres du nord, dans l'ombre du pic Dunedin.

La pluie tambourinait sur les tuiles, tel un incessant et malveillant roulement de tambour.

« Qui vous admirez ? » lui demanda-t-elle. Où avait-elle appris à poser de telles questions ? Il mit un long moment à répondre, contemplant sa tasse vide en porcelaine festonnée de hérons au milieu de lotus.

« J'admire les Chinois, dit-il enfin. Plus que je ne pourrais le justifier. Mais ils sont pleins de merde comme les autres. » Il la regarda dans les yeux avec un feint désespoir. « Pourquoi sont-il aussi merdiques, tous ces peuples — blancs, jaunes, noirs, bleus — que j'admire et à qui je tire mon chapeau ? » Sur ce, il ôta sa casquette chaude et sèche, car protégée par la capuche de son ciré, et la posa doucement sur la tête racée de Madame.

Guidés par un homme tenant une lanterne, ils gravissaient un chemin qui s'enfonçait dans les collines. Huit hommes accompagnaient le capitaine Doultry, qui marchait d'un pas lourd. Plusieurs d'entre eux portaient des fusils Mauser, d'autres des mitraillettes Luger ou Mauser, tenues pour les meilleures armes légères du monde, et qui étaient hautement appréciées en Chine. Et ces armes, ils les portaient avec une fierté empreinte de gravité ; ils affectionnaient les cartouchières de cuir et de toile pleinement chargées de munitions, dont ils bardaient leurs torses par deux et par trois à la fois, insouciants du poids. Ils étaient des vétérans — plus d'un dépassait l'âge d'Annie — et ils se comportaient d'une manière particulière. Ils arboraient toutes sortes de cicatrices. Certains étaient coiffés de calots jadis usés dans quelque bataillon d'infanterie chinoise ou pris à des combattants ennemis. Un ou deux portaient le solide petit chapeau de paille à la large mentonnière de cuir que les Tanka utilisaient depuis des siècles. Ces coiffes pouvaient absorber de grands chocs, même des coups de sabre. Le *to-kung* du *Tigre-de-fer* était un homme grand et fort, avec des bras aussi épais que ceux d'Annie, après des années passées à manier les lourds gouvernails des grandes jonques. Son crâne rasé était ceint d'une étoffe rouge que serrait un cordon de soie. Ce genre de couvre-chef était très apprécié par les hommes d'équipage, qui en avaient de diverses couleurs, en particulier les chefs canonniers. Tenir le rôle de maître d'un canon pour une écumeuse des mers telle que Mme Lai Choi San exigeait, dans le grand film de la vie, une foutue bravoure. Ces hommes étaient fiers ; ils parlaient sans crainte et crachaient de longs jets de salive. Les chiens aboyaient dans le noir à leur passage.

Annie allait derrière l'homme à la lanterne. Quelque part devant eux un gong résonna. Ils parvinrent à un endroit où le sentier pénétrait dans une gorge où se dressaient un temple et d'autres bâtiments en pierre. Une porte s'ouvrit.

Annie était assis sur une natte, adossé au mur de pierre d'une pièce entièrement vide, à part la magnétite qui pendait du plafond dans le coin nord. La pierre était grosse et encastrée dans un coffret de bois gravé des douze points de la boussole et qui pendait à trente centimètres du sol au bout d'un fil très fin. Annie était là depuis une demi-heure, et il avait relevé une très légère rotation dans l'instrument, qui était utilisé dans la pratique chinoise du *feng shui* ou géomancie, pour déterminer les énergies et les courants de la terre, les espaces que celle-ci contenait et les espaces contenus à l'intérieur des choses vivantes et, *a fortiori*, des êtres humains. C'était une science difficile, obscure, mais à laquelle on faisait souvent appel lors des importantes décisions de la vie.

Annie ne savait comment interpréter la rotation observée, qui ne devait guère dépasser trois ou quatre degrés est. Peut-être la pièce entière avait-elle bougé, se dit-il. Il se sentait maintenant de bonne humeur, l'alcool dont il était imbibé ne lui laissant pas d'autre choix. Dehors, un coq chanta. Le ciel derrière les barreaux de la fenêtre octogonale avait pris une teinte de fer fraîchement forgé, comme la couleur de l'océan avant un typhon.

Le coq chanta une deuxième fois puis une troisième.

Le silence qui s'ensuivit troubla Annie plus que de raison, jusqu'à ce qu'il comprenne qu'il attendait les appels des autres coqs, toujours en nombre dans tous les villages chinois. Mais il n'y eut point de réponse.

Trois hommes entrèrent dans la pièce. Ils semblaient avoir troqué leurs armes contre des bouquets de plumes de coq blanches. Le *to-kung* était parmi eux. Il s'approcha de la magnétite et l'examina. Et parut se satisfaire de ce que la pierre lui indiquait. *Peut-être*, songeait Annie, *mesure-t-elle mes vertus; peut-être ma dureté; ou encore le pourcentage d'alcool que j'ai dans ce sang que je vais sans doute verser*. Il avait entendu parler de ces cérémonies.

Et puis, sans qu'un seul mot soit dit, ils emmenèrent Annie hors de la chambre. Traversèrent une cour murée. Entrèrent dans un antique bâtiment à la pierre verdie par une porte massive que leur ouvrit un gardien — vieil homme au corps robuste, armé d'une lourde canne à poignée en bronze figurant un démon. Les trois escortant Annie remirent chacun une plume à l'homme et, comme ils enfilaient une galerie entre deux rangées de piliers de bois, la porte grinça et claqua derrière eux. Il y avait un peu plus loin une longue pièce dont le plafond bas était gravé d'effigies de bêtes surnaturelles, sous lequel les cinq autres hommes venus avec Annie se tenaient le torse nu, la taille drapée de très larges ceintures de soie dont la couleur jaune allait du lotus à la bouse de chameau. Sur une table au plateau laqué rouge, un brûloir d'encens fumait. À ses côtés une grande lame courbe, un *tang* en forme de bec d'aigle, un plateau présentant neuf couteaux ainsi qu'un *kuang* ou broc en bronze, au bec en gueule de chat.

Annie, qui se tenait en bout de table, se balançait doucement en observant la scène. À l'autre bout, son vis-à-vis était un loqueteux à l'air digne, un *hsiang-ku*, prêtre de Tin Hau, la déesse de la mer. Il portait la traditionnelle robe jaune, avait le crâne rasé, les ongles longs et une effilée et chétive moustache — chose rare chez un religieux. Les huit hommes, sans doute des officiers du Panthéon des Héros vertueux, se tenaient en deux rangées de quatre de chaque côté de la table. Ils posèrent leurs plumes devant eux, et Annie remarqua que chacun portait à sa main gauche une bague en fer montée d'une pierre noire. Seul le *to-kung* en avait une en or. Annie avait devant lui une coupe en métal noir, dont l'anse représentait un serpent aux crocs plantés dans le bord. Il jeta un regard à la ronde, et dit, « Alors, on boit un coup, je suppose ? » Personne ne répondit.

C'était une cérémonie d'une grande étrangeté, se dirait plus tard Annie, bien qu'il n'en eût gardé qu'un souvenir fragmenté. Une main souleva le broc et versa un liquide sombre et chaud dans la coupe qui lui fut présentée. Il comprit qu'il devait boire. Le breuvage avait un goût de vin et de sang, mais il but, l'épreuve était d'autant plus facile que son estomac était disposé au compromis, impatient qu'il était qu'on soulage son vide, peu importait le produit.

Une porte s'ouvrit. Deux hommes entrèrent et emmenèrent Annie dans une pièce murée ou brûlait un grand feu dans un brasero en fonte. Des hommes étaient assis le long des murs, et il y avait là presque tout l'équipage de Mme Lai. Un gong d'une vingtaine de centimètres de diamètre pendait entre deux piliers de pierre. Le *hsiang-ku* le frappa — le caressa serait plus exact — avec un maillet enveloppé de soie jaune, jusqu'à ce que le gong chante d'une voix qui semblait venir des entrailles de la terre.

Annie sentait maintenant que la potion qu'il avait ingurgitée contenait autre chose que du sang, de l'alcool et de l'opium, ce à quoi il s'était attendu. Son cerveau se fragmentait sous le burin de quelque puissante drogue, pour se recomposer tout seul dans une configuration totalement étrangère. Il s'en effraya.

Le *hsiang-ku* s'adressait maintenant à lui en chinois, mais son aide, jeune disciple du nom de Ch'en, traduisit à Annie dans un anglais accessible : « Chaque fois que toi répondre, toi devoir dire "hou", seulement "hou". » Mot qui ne signifiait rien d'autre que « oui » ou « d'accord ». Le *hsiang-ku* lui posa donc les questions cérémonielles, et chaque fois, Annie lui répondit d'un « hou ! » sonore. Bientôt les hommes se mirent à répondre avec lui. « Hou ! » lançaient-ils d'une voix dure résonnant comme un gong dans la tête d'Annie, qui se sentait rassuré d'avoir bien compris la question.

Sa vision ne distinguait plus autre chose qu'un étroit tunnel menant droit dans le métal même du gong, qui brillait comme s'il avait été porté au feu.

Un panier fut placé près de ses yeux, juste à l'intérieur de son champ de vision. Le *hsiang-ku* l'ouvrit, et un grand coq blanc en sortit, regarda Annie d'un œil rouge et lança un grand cri moqueur. Cri qui fut répété par tous les gallinacés du village. Cela faisait bien du bruit, au point qu'Annie se boucha les oreilles et ferma les yeux. Mais il fut invité à les rouvrir, et on lui remit une dague. Il se tenait bien en appui sur ses jambes écartées et un sentiment de grande assurance balaya soudain sa peur, tandis qu'il examinait l'arme. Le manche était en ivoire, et la lame d'un bel acier trempé. Sachant ce qu'on attendait de lui, il saisit le coq par le cou et coupa net à ses cocoricos insultants. La tête emplumée roula par terre.

Les aides du prêtre s'empressèrent de recueillir le sang de la créature dans la coupe à laquelle Annie avait bu. Munis de couteaux, ils éventrèrent et vidèrent la bête, tandis que les hommes scandaient : « Hou ! Hou ! » Le cœur encore pulsant fut présenté au prêtre sur un plateau de cuivre. Il parla à l'organe d'un ton impérieux, et Annie, sans qu'on eût besoin de l'inviter, mangea le cœur. Il lui trouva un goût délicieux. Peut-être la drogue lui donnait-elle cette saveur incomparable, à moins qu'il ne fût tellement affamé qu'il aurait avalé n'importe quoi.

Le *hsiang-ku* but à la coupe de sang puis, comme une main lui tendait une plume blanche, il ouvrit la bouche et plongea la plume dans sa gorge, pour ensuite la ressortir rouge de sang. Il leva alors sur Annie un regard d'une grande gravité. Ce dernier n'avait à présent plus aucun mal à comprendre ce que ce vieux tordu lui demandait. D'un cœur léger, il ouvrit grand la bouche, et le *hsiang-ku* lui plongea la plume dans la gorge en la faisant tourner avec ruse.

Il vomit sur-le-champ. Deux des aides, qui s'attendaient à cela, tenaient une bassine prête, mais leur tâche n'en fut pas facilitée pour autant, car Annie vomit du fin fond de son ample estomac, et il s'étonna de la grande quantité de liquide qu'il avait ingurgitée. Le plus curieux était que le cœur du coq ne comptait pas parmi les rejets.

Deux hommes durent cependant le soutenir. Annie voyait maintenant à travers le cuivre flamboyant du gong, percevant au-delà une immensité de boue. Il savait qu'il était seul dans cette infinitude et que le temps lui-même était sans fin. Or, il le sentit s'arrêter soudain, et il se vit condamné à demeurer là, à jamais, entouré de tous côtés par de blêmes horizons désertiques qui se fondaient dans un ciel asphyxiant de chaleur, un ciel insoutenable. Il hurla. Il tenait toujours le couteau dans sa main et il avait envie de se trancher la gorge mais il n'en avait pas la force.

Le ciel qu'avait perçu Annie de ses yeux déments devait être celui de l'aube. On le ramena dans la longue pièce. Il se retrouva assis dans un fauteuil face au grand *to-kung*, le timonier de Madame. L'homme avait ôté son bandana rouge. Son crâne rasé brillait comme les muscles épais de sa poitrine et de ses bras. De sa main droite il prit sur la table l'un des couteaux, qui ressemblait à celui que tenait toujours Annie, et passa la lame au-dessus des fumées de l'encens. Puis, tendant son bras gauche vers ce dernier, il se frappa lui-même là où le deltoïde glisse sous le triceps. Le sang ruissela le long de son bras imberbe. Sans hésitation, les autres hommes prirent une lame et se marquèrent de la même façon. Annie remarqua que l'un d'eux, le petit sec et noueux qui avait décapité le prisonnier, portait un grand nombre de petites cicatrices à l'épaule. Un autre, qui avait le bras gauche dévasté par une rafale de mitraillette, se piqua l'avant-bras.

Annie se mit debout. Il avait beau se sentir solide comme un roc, la pièce et les hommes tournaient autour de lui comme dans un manège, tandis qu'il déboutonnait et ôtait sa deuxième meilleure chemise. Sa peau blanche, qu'il veillait à ne jamais exposer au soleil, réfléchissait parfaitement la lueur des lanternes, et les yeux des hommes observaient son corps et ils étaient naturellement impressionnés par son aspect massif comme par l'épaisseur des larges épaules tombantes, sans parler de l'ampleur du torse, véritable barrique capitonnée de poils bouclés (chose bien curieuse aux yeux d'un Chinois). Un homme de cent vingt kilos et haut d'un mètre quatre-vingt-dix est un spectacle rare dans le sud de la Chine (bien que l'on trouve de tels types d'hommes loin dans le nord, parmi les Mongols).

Le *to-kung* parla, et Ch'en traduisit : « Maintenant, toi prêter serment. Dans ta langue, toi jurer de suivre loi de Bannière jaune. »

Annie plaça un instant son couteau au-dessus de la fumée d'encens, puis s'entailla le bras là où il fallait. Avec pour témoin son sang ruisselant, il déclara, « Je jure de suivre votre loi, les gars. La loi de l'honneur entre les hommes, parce qu'il n'y en a pas d'autre. Jamais je ne vous trahirai, ni vous ni la Bannière jaune. » Puis, comme sous une inspiration poétique, il plongea son regard dans les yeux enfoncés du *to-kung* et dit : « Briser la loi du Panthéon, c'est la mort. » Il n'eut pas envie d'ajouter la seconde proposition de Mme Lai : « Suivre la loi du Panthéon est aussi la mort », parce que cela serait passé pour un point de vue personnel.

Quand Annie se réveilla dans la petite pièce au sol de brique, le soir de nouveau approchait. Il en conclut qu'il devait avoir dormi depuis le lever du soleil. Il ne se souvenait pas de la fin de cette épuisante cérémonie, mais il remarqua à l'annulaire de sa main gauche une bague de métal sertie d'une pierre noire taillée en carré et gravée d'un signe, ou d'un mot. Il l'examina longuement. Il se sentait très faible mais n'avait pas faim. La petite blessure à son bras s'était refermée et n'était même pas douloureuse. Il était couché par terre sur un épais tapis de laine, couvert par l'une des couvertures qu'il avait apportées. Il faisait beau, le temps était clair. Sa chemise était pliée sur la chaise en cerisier que Mme Lai Choi San avait occupée.

La fille qui lui avait apporté le vin la nuit précédente revint avec une assiette de bécasse rôtie avec des prunes, du riz et des gâteaux secs. Annie vit dans ce repas un chef-d'œuvre d'art culinaire. Son appétit revint avec d'exquis élancements de salivation dans les rouages de sa mâchoire, et il ne laissa rien, pas même une goutte de thé, après quoi il s'efforça de retrouver son état normal. Ce fut difficile. Plus tard, la fille l'emmena dans la cour de la cuisine et le lava à l'eau chaude, aidée dans sa tâche par l'une des cuisinières du temple, qui se fit un devoir de lui rincer les burnes, une par une, mais Annie n'osa rien d'équivoque, pas même une blague salace. Le soleil se coucha sur cette charmante scène.

De retour dans la pièce, il s'allongea et s'endormit comme un plomb. Quand il se réveilla, une lanterne luisait sur le sol à côté d'une carte marine qui provenait de l'Amirauté britannique, remarqua Annie, et représentait le sud de la mer de Chine.

Mme Lai, assise sur ses talons à la manière coolie, mesurait les distances avec un compas de navigateur qu'elle tenait, telles des baguettes, dans ses mains inoubliables. Annie l'observa pendant un instant avec un plaisir amusé. « Voilà la route de Manille à Hong Kong, dit-elle sans lever les yeux.

— Oui, je vois, répondit Annie.

— Mois de juin, mer de Chine est souvent calme, la mousson de Tai Hung est fatiguée, elle reste à l'ouest de Taiwan. La mousson du sud n'a pas encore rassemblé sa force. »

La première *amah*, assise dans un coin, préparait le thé. Elle en apporta une tasse à Annie. Parfumé au jasmin, son préféré. Elle lui remit aussi ses cigarettes, qu'elle cueillit dans la pochette de la chemise. Il affectionnait les Will's Woodbines ; elles étaient bien roulées et âcres, la cigarette du prolo anglais par excellence. Il étendit sa main gauche tout entière avec ecchymose, cigarette et bague. « Que veut dire ce signe ou ce mot ? demanda-t-il.

— Ce mot signifie Grand Ours blanc. » Elle montra le nord lointain sur la carte, avec un de ces gestes lumineux qui étaient comme une musique pour l'œil. « Ours des mers de glace. Grand Ours blanc. C'est vous. »

Annie s'efforça de rester de marbre, mais le nom lui bottait. Grand Ours blanc, ça résonnait puissant et majestueux dans la nature. Un nom de totem, absurde et approprié à la fois. Mais comme tous les surnoms, il avait ses limites, son côté erroné. « Je n'aime pas le froid, dit-il. Je n'aime pas les pays froids.

— Pays froid est dans ton cœur de *gwai lo* », répliqua-t-elle en éclatant d'un rire sonore. Elle était manifestement de bonne humeur.

Annie se sentait à nouveau sain d'esprit, du moins autant qu'auparavant, mais il avait encore l'ouïe sensible, et ce rire lui arracha une grimace. Elle en conçut de la peine pour lui. « Grand Ours, il faut ranger la bague dans endroit secret. Personne doit voir. Mais vous êtes maintenant Héros Vertueux. Je dis à mes hommes : décidez, vous devez décider si ce *gwai lo* est homme de confiance. C'est mon peuple, mes hommes, vous comprenez ?

— Et je suppose qu'ils vous obéissent neuf fois sur dix, non ? » murmura Annie.

La remarque la fit sourire, et elle eut un geste de la main qui voulait dire parfois oui, parfois non, mais tout de même avec une insistance sur le oui. « Ce sont des hommes », dit-elle d'un ton léger, à la fois respectueux et dédaigneux envers ceux-là mêmes qui la servaient. Elle était peut-être leur sœur, mais elle était avant tout leur maîtresse.

Annie était pour le moment frappé par la féminité de cette femme. Il voyait comme dans un miroir la scène qu'ils formaient. Il était allongé sur ce matelas, à moitié nu sous sa couverture, dans cette petite maison de pierre sur cette île escarpée et lugubre. Son cœur pouvait habiter des zones froides, mais ses hormones, elles, vivaient dans un climat plus chaud. Effet ou pas de la drogue qu'ils lui avaient fait prendre, il ne pouvait détacher ses yeux de Mme Lai. La pureté du visage, la beauté du cou et des épaules, la minceur de sa taille, le galbe des bras produisaient leur effet sur lui. Bien sûr, il se gardait bien d'exposer cet état de fait biologique, et confiait à sa couverture le soin de le dissimuler. « Pour en revenir à votre question, pourquoi devrais-je comprendre ?

— Mais vous avez compris ! Compris qu'il y a une loi de la Bannière jaune. Petite loi, mais loi dure, très dure.

— La seule loi que vous suivez, répliqua Annie, est celle qui vous autorise à être aussi cruelle et impitoyable qu'il vous plaît. »

Disant cela, il fit glisser la bague de son doigt et la rangea dans une petite boîte qui avait abrité une blatte et qu'il avait gardée dans la poche de son pantalon. Elle lui sourit de nouveau.

« Vos hommes mangent du rat, dit Annie. J'ai vu un de vos fameux canonniers vider deux rats sur le gaillard, l'autre nuit. Tous vos matelots bouffent du rat.

— Et des cafards aussi. Dans mer vide, estomac vide doit manger. » Elle partit d'un grand rire. « Rats, très, très bons. Demain nous faisons dîner aux rats, dîner spécial, rien que pour vous. Bon sang ! » Elle se tapa sur la cuisse. « Je vois des Français à Shanghai manger grenouilles, manger escargots. Foutu rat meilleur. Alors, dites-moi, cap'taine, votre loi à vous, c'est quoi ? »

La petite *amah* servit du thé à Annie. « Ma loi, répondit-il, c'est d'éviter de finir dans la marmite avec le reste de la viande de rat. » Elle adora la réplique et rit tellement qu'elle manqua rouler sur le côté.

« Viande de rat ! Viande de rat ! Non, vous, pas viande de rat. Vous, Grand Ours blanc, maintenant. Vous mangerez le rat mais vous serez pas dans la marmite. » Puis, avec cette soudaineté qui lui était propre, elle cessa de rire, son visage se dérida et elle le regarda fixement. « Maintenant, tu es Grand Ours. Mais tu es pas un animal. Nous sommes pas des animaux. Nous sommes des gens sociaux, cap'taine Doult'y. Nous avons des responsabilités.

— Ma foi, vous ne m'en voudrez pas si je prends ma part de rire en entendant ça ? » Mais son rire, trop timide, n'atteignit pas son but. Elle ne comprenait pas ce qu'il voulait dire. Son petit front se fronça. « Votre part ? De rire ?

— Oui, ma part. Et la vôtre ? »

Elle ne portait pas de bijoux aux doigts. Sa main effleura le peigne en jade planté dans ses cheveux. « La mienne ? dit-elle. Oh, mais je ris aussi, je ris. »

Annie, sa tête reposant sur son poing, à l'abri sous sa couverture, une Woodbine allumée à la bouche, la couvait du regard.

Elle se toucha les cheveux, les lissant doucement jusqu'à sa nuque. « Peut-être que je me suis négligée moi-même, dit-elle soudain. Peut-être que je suis passée à côté des plaisirs de la vie. Mais je fais ce qui est juste de faire. J'ai des responsabilités. Envers mon père, envers mon peuple.

— Votre père est mort. Votre mari aussi, n'est-ce pas ? » C'était une hypothèse, et bien facile.

Elle lui apprit que son père était devenu un esclave de l'opium. Quand il avait compris qu'il allait tôt ou tard s'enfermer à jamais dans le royaume des rêves, il avait désigné son fils aîné à la tête de la Bannière jaune. Un an plus tard, ce fils était tué dans une escarmouche. Un deuxième fils le remplaça. Trois ans plus tard, il disparaissait avec tout son équipage dans un typhon. Le vieil homme, son père, était encore en vie, et il avait vu son troisième fils « perdre son âme ». Un jésuite qui enseignait à la mission, le frère Texeira, avait pris une grande emprise sur l'esprit du jeune homme, au point d'en faire un chrétien. Le garçon avait fait son noviciat au séminaire jésuite, et il était devenu moine. Le vieil homme, après avoir donné à ce fils la permission d'entrer (comme lui-même le ferait) dans un autre monde, était sorti pour la dernière fois de sa petite cabine — qui n'était qu'un *tou-mu*, une boîte — à bord du *Tigre-de-la-mer-de-fer*, dans laquelle il était resté quatre années cloîtré avec sa pipe à opium et un seul serviteur, et avait repris dans un prodigieux effort de volonté le commandement de ses jonques de guerre, qui n'étaient plus qu'au nombre de sept. Et il avait emmené à bord du *Tigre-de-fer* sa fille (sa fille préférée, car il en avait plusieurs), dont le nom était à ce moment-là Secret de Jasmin. Elle avait dix-neuf ans, et avait reçu une formidable éducation pour une Tanka. Mais son père lui avait toujours voué une grande affection, et il avait eu cette vision d'une Chine moderne, bien qu'il eût toujours été très attaché à la tradition. Peut-être était-ce une vision comme en fait naître l'opium. Il pensait qu'elle devrait épouser un homme riche et bien éduqué. Bien qu'il eût abandonné la piraterie, son père était encore très riche et surtout très introduit auprès des *tongs* de Macao et de Shanghai, ces organisations sinueuses arbitrant les sphères d'influence dans les territoires terrestres ou maritimes, alors que l'Empire chinois vivait ses derniers jours. Secret de Jasmin avait appris ses leçons avec une telle énergie au collège du Sacré-Cœur que sœur Agnès avait abordé avec le père l'avenir de la jeune fille. Redoutant que sa fille ne suive le chemin de son plus jeune fils, le vieil homme l'avait retirée aussitôt de l'école. « Pendant treize mois, dit-elle, j'ai vogué avec lui sur *Tigre-de-fer*, sans qu'on descende à terre une seule fois. »

Il y avait deux autres hommes, un jeune et un moins jeune, respectivement le fils et le neveu d'une seconde épouse, à qui devait être dévolu le commandement des Héros vertueux de la Bannière jaune. Mais son père lui confia quelle était son intention, et sa parole et sa volonté faisaient loi, bien sûr. Ainsi cette jeune fille avait-elle ouvert son cœur à la mer et avait-elle dû se durcir face à certains aspects de la profession que le vieil homme avait eu la sagesse de ne pas lui cacher. Il lui expliqua que la pratique de la violence pouvait être un art et une morale, si on la considérait positivement à la manière confucéenne. « Il me dit à la treizième lune, juste avant de mourir : « Tu es celle qui a le cœur fort et la tête claire, Secret de Jasmin. Maintenant, tu dois prendre un autre nom. »

Ce fut ainsi qu'elle devint Montagne de Richesse.

Elle avait pris mari aussi. C'était son cousin, le neveu. Elle n'avait pas le moindre sentiment pour lui, et avait fini par le chasser, mais il revenait toujours et créait des histoires. Et puis il était mort. Subitement. Elle avait pris un autre homme. Avec lui, elle avait eu trois enfants, deux fils et une fille. Plus tard, il était parti ; on disait qu'il était allé à Mei Kwo... en Amérique.

« Maintenant, j'ai vingt-six jonques de guerre. Et deux fils, douze et sept ans. Quel âge ont vos enfants, cap'taine Doult'y ? »

Le front plissé, Annie fit appel à sa mémoire. « J'ai un fils. Il est français, par sa mère. Elle l'a emmené avec elle en France. »

Il chercha encore dans ses souvenirs. « Aux dernières nouvelles, il faisait le zouave en Algérie, dans l'armée française. Et j'en ai un autre, de fils. » Tout cela était épuisant, et Annie n'avait pas envie de s'attarder sur le sujet. Il ne parvenait même pas à se rappeler l'âge que sa putative progéniture pouvait bien avoir et encore moins où elle résidait.

Mme Lai l'avait sûrement compris, car elle était fort éveillée, mais elle insista. « Je suis sûr que vous avez une fille.

— Oui. » Il bâilla. « Oui, je le pense. Je pourrais me tromper, bien sûr. Elle doit avoir quatre ans, maintenant. » Soudain toute fatigue l'abandonna. Sentant le regard de Lai Choi San sur lui, il comptait bien afficher son détachement quant à ce sujet, or il se retrouvait soudain submergé par une vague de sentimentalité. Confus, il se réfugia derrière un gloussement.

« Vous avez une maison ? demanda-t-elle. Où est votre femme ?

— Mon bateau est ma maison. Je suis un homme de bateau, répondit-il. Et mon bateau est aussi ma femme.

— Où est votre fille ?

— Ma fille est en Amérique. Si jamais vous passez par San Francisco, allez donc lui rendre visite.

— Jamais je partirai en Amérique. » Elle ne le quittait pas des yeux. Peut-être avait-elle deviné qu'il mentait, qui sait ? Annie n'était pas un imbécile, certes pas du genre à donner à une pirate chinoise l'adresse de sa progéniture, mais elle ne paraissait pas lui en vouloir de sa méfiance.

Si vous aviez demandé à Annie quels étaient ses sentiments pour Mme Lai Choi San, il n'aurait su vous le dire. Il vous aurait répondu, certes, mais en inventant et brodant. Tant que ses pensées échappaient au sérieux et n'avaient pas la moindre parenté avec la vérité, Annie pouvait parler sans retenue. Il lui arrivait toutefois de fournir des réponses d'une véracité dont il était le premier surpris.

Mais il ne faisait pas confiance à Mme Lai. De ça, il en était sûr.

« Vous réfléchissez, dit-elle, et vous pensez : je n'ai pas confiance en elle.

— C'est à la fois vrai et faux.

— Il y a une chose qui nous lie, vous et moi, reprit-elle. Une chose qui vient après la première — l'argent — et après la deuxième — le serment du sang. Quelle est cette troisième chose ? Je vais le dire. C'est l'amour. »

Une telle franchise le prit de court. Il ne savait quoi répondre. Mais elle explicita sa pensée. « Je dis que vous et moi, on a un même amour. Pour la mer, la mer profonde. Je n'aime pas grandes rivières. Je n'aime pas terre ferme. J'aime la mer.

— Quelqu'un m'a dit qu'il n'y avait pas de mot en chinois pour "amour".

— C'est faux, et très stupide de dire une chose pareille. Il y a de nombreux mots en chinois qui signifient amour. » Annie regardait dans le fond de sa tasse de thé.

« Vous pouvez deviner votre bonne fortune, cap'taine Doult'y ? Votre avenir ?

— Il y a des mégots de cigarette dans mon avenir. »

L'*amah* était endormie en boule à même le sol. Lai Choi San tendit son pied (qui était nu) pour la secouer, mais Annie l'en dissuada d'un mouvement de la main. « Plus de thé pour moi, chérie.

— C'est quoi, ce "chérie" ?

— Une manière de parler. » *Laissons-la méditer ce point*, se dit-il en la dévorant des yeux et en se faisant cette remarque : *Annie, tu es en train de manger cette poupée chinoise avec tes yeux.* En vérité, il la voyait comme quelque chose de comestible, on avait envie de mordre dedans. Elle était appétissante. Serait-elle contrariée d'appendre ce que pensait le *gwai lo* ? Il y avait toutes les chances que non. Elle aurait peut-être regimbé au mot de « poupée », mais sans plus. D'autre part, elle devait être parfaitement consciente du magnétisme animal qu'elle dégageait. Annie avait devant lui une magnifique pièce de mécanique. Son rapport poids/puissance était formidable, sa structure délicate toujours prête à se bander. Elle avait des mouvements lestes et autoritaires, sans jamais être brutaux. C'était là un équilibre qu'Annie n'avait jamais pu obtenir de lui-même.

La carte sur le sol s'était enroulée sur elle-même, et elle prit l'une des chaussures d'Annie pour s'en servir de presse-papier. « S'il vous plaît, tenez le coin », lui demanda-t-elle. Ce qu'il fit, de son doigt, prêt à lui obéir comme un esclave. Elle dégageait une odeur sèche, forte, épicée, mélange de parfums artificiels et de corps de femme. L'odorat d'Annie réagit avec une profonde satisfaction de plaisir, et son sexe y fit écho avec tout le sang qu'il pouvait pomper. La couverture se bossela, frémit et, bien qu'Annie s'efforçât de dissimuler le coupable, il ne put empêcher Madame de remarquer le phénomène, même si elle feignit aussitôt de n'avoir rien vu.

Annie ne ressentait pas le besoin de parler. Elle était assise gentiment à côté de lui, admirant la carte comme elle l'aurait fait d'un bel objet. Elle avait le dos tout près de lui, plus précisément à l'intérieur de la jambe d'Annie légèrement pliée. Lui gisait sur son flanc gauche dans cette posture du Romain festoyant, telle que l'imagerie nous le rapporte, la tête appuyée sur sa main gauche. Il ajusta sa position, de manière à ce que, le moment venu, le geste qu'il concoctait fût à la fois imparable et langoureux. « Ouais, dit-il enfin, quand on est en mer, on ne se préoccupe plus de rien. Et personne n'est là pour vous emmerder. Sauf Mère Nature, quand elle vous baise.

— Baiser ? Ça veut dire quoi ? demanda Lai Choi San.

— Quand elle vous enfile, quoi. Quand elle grossit et défonce tout. Alors, on n'a plus qu'à se laisser faire et espérer qu'on restera en vie pour raconter l'histoire. »

Sur ces paroles profondes, il passa son bras droit autour d'elle, posa la main sur un sein tendre, et la serra contre lui. Il avait l'impression de tenir une enfant. Il la tint ainsi un instant puis détendit son bras et le laissa reposer autour de sa taille de manière à ce qu'elle puisse l'écarter sans peine, telle une énorme toile d'araignée, si l'envie lui en prenait.

Mais elle ne bougea pas. « Eh bien, cap'taine, je trouve que ça serait une vie sans intérêt si on devait attendre de se faire baiser par Dame Nature. »

C'était assez curieux de l'entendre s'exprimer ainsi. Elle se permettait de parler grossièrement, comme souvent les Chinois le faisaient dans leurs familles ou dans la rue. Ils déployaient alors un langage prodigieux, aussi riche d'obscénités qu'ils avaient une infinité d'expressions pour décrire le sublime et le métaphysique.

« Mme Lai, dit-il, je ne pense pas que ce soit une vie sans intérêt. J'ai ma musique et j'ai ma... » Il marqua une pause, là, comme frappé par le sentiment qu'il n'avait rien d'autre. « J'ai ma liberté, reprit-il. Ma vie est meilleure que bien d'autres, en tout cas aussi bonne que beaucoup. Quand on regarde un peu autour de soi, on est frappé de voir à quoi ressemble la vie de bien des gens. Je ne pense pas que ce soit mal, ce que je fais. En tout cas, c'est pour moi, rien que pour moi que je le fais. On ne laisse pas d'empreintes sur la mer.

— Bien sûr, pas empreintes. La mer est pas faite avec le sable, dit Mme Lai. C'est de l'eau, mais l'eau est miroir. » Elle souleva la carte, révélant le miroir de bronze, celui semblable à une boussole, avec les douze points, et qu'on appelait, du temps de la dynastie des Han, un miroir cosmique. Il gisait retourné sur sa surface réfléchissante, sa poignée formant sur le papier de la carte une bosse évoquant une grande vague. Elle le prit et s'examina dans son étrange réflexion. « Avant que les gens dans l'empire du Milieu fabriquent miroirs en métal, ils utilisent l'eau. L'eau dans une coupe en cuivre est comme une glace. Pas d'empreintes, pas de traces du visage. Rien que soi-même, à l'intérieur. Oui ? » Elle accompagna ce dernier mot en passant sa main dans la lumière que diffusait la lanterne, dont le miroir captait le halo comme pour mieux en exalter le mystère.

Elle dégagea la main d'Annie de sa taille et y posa le miroir.

Il replaça ce dernier sur le sol sans plus lui prêter attention et remit son bras autour d'elle, lui touchant le sein du bout des doigts à travers le coton de la tunique. Il n'avait pas envie d'entendre parler des miroirs chinois. Il acceptait qu'elle fût une sérieuse adepte des métaphores universelles ; c'était une spécialité chinoise. « Mme Lai, dit-il, parmi les amants que vous avez mentionnés en passant, comme disent les Français, y a-t-il eu jamais un *gwai lo* ?

— Non, mais j'ai tué plusieurs *gwai lo* », répondit-elle de ce même ton léger. Soudain, elle posa sa main sur celle d'Annie et la pressa contre son corps. Il y avait dans sa paume une sécheresse électrique, qui vous surprenait. « Je tue des *gwai lo*, poursuivit-elle. Je tue leurs chiens qui courent. Je tue les chiens des Chinois. Je tue les truands. Truands de Shanghai. Truands. Truands. » Elle aimait ce mot. En déduire que des sensations érotiques faisaient naître en elle des idées de massacre serait d'une simplicité trompeuse. « Chang Kaï-chek, dit-elle d'une voix douce et cependant métallique, il achète le gang le plus fort de Shanghai pour tuer les rouges. Ils tuent cinq mille, dix mille rouges. Un jour, peut-être, je tue Chang Kaï-chek. »

Annie lui caressait le sein avec grande tendresse et grand respect, quand elle prononça cette dernière remarque d'une voix voilée par le désir. Il la sentait frémir sous ses mains. Il n'était pas intéressé par les opinions politiques de Madame. Il était en rut. Il avait envie de la baiser à mort. Il n'y avait plus en jeu que de la luxure pure et simple, saupoudrée de toutes les épices de la fatalité. Il se demanda s'ils ne lui avaient pas ajouté un aphrodisiaque dans leur infect breuvage. Et il se retrouva soudain en perte de confiance ; on n'aurait pu appeler ça de la peur, mais ça lui rampait sur la peau depuis les bourses, comme un serpent venu lui siffler à l'oreille : « Putain, tu fais quoi, là, Doultry ? Avant que t'aies tiré ta crampe, la dame portera tes couilles en boucles d'oreilles. Serties de jade, naturellement. »

Bien entendu, cela changea le cours des bourses en question.

« Vous avez peur ? demanda-t-elle.

— Ça se pourrait bien », répondit-il. Et peut-être cette réponse franche déçut-elle Madame.

« Oui, cap'taine Doult'y, reprit-elle, vous avez peur. Trop peur. Alors, je dois apprendre à vous connaître. Et vous devez faire la même chose avec moi. Nous serons bons amis. Mais dans mon cœur — non, vous comprenez pas le cœur —, dans ma vie, l'amour et les affaires sont deux choses qui vont jamais ensemble. Jamais. Jamais. S'il vous plaît, vous enlevez votre main. »

Il fit ce qu'on lui demandait. Il n'avait pas le choix, Madame avait parlé avec une rigidité de nonne. Elle avait de nouveau les yeux sur la carte, les sourcils froncés. Annie se demanda si elle n'avait pas des difficultés à bien la lire. Mais il s'excusa aussitôt en silence, au cas où Madame devinerait ses pensées.

« Mme Lai, je ne tenterai pas de vous tromper en matière de cœur. Pour moi, le cœur est une grosse pompe rouge qui me maintient en vie. L'amour fait partie intégrante de mon corps, qui est imposant, aussi je ne crois pas que je sois en manque d'amour. J'aimerais être votre amant parce qu'à mes yeux, mes yeux sans honneur, vous êtes une beauté. » Et il se mit à chanter :

Oh, belle poupée,
Grande et belle poupée...
Laisse mes bras t'entourer,
Je ne pourrais jamais vivre sans toi.

Elle ne put s'empêcher de sourire. Alors qu'il chantait d'une voix plaisante et juste, son visage éclatait de sincérité. Il offrait là la meilleure image de lui-même. Lai Choi San s'en fit peut-être la remarque, elle qui avait une rare intuition de l'instant car, se détournant, elle gagna la porte. Là, elle s'arrêta pour s'incliner vers Annie en tenant ses mains jointes à la manière traditionnelle. Il entamait le couplet suivant, quand elle sortit, laissant la carte et le miroir, suivie de sa servante portant le plateau de thé et à laquelle Annie envoya un gros baiser. Confuse, la jeune fille détourna le visage. Sa maîtresse avait peut-être remarqué la chose; avec Mme Lai on ne pouvait jamais savoir.

6

Typhon

Il fallait deux jours à un vapeur pour aller de Hong Kong à Manille. Poussée par une mousson nord-est soutenue, la jonque passa le cap Bojeador, au coin nord-ouest de l'île de Luzon, le 4 avril 1927, dans l'après-midi, après avoir filé une moyenne de huit nœuds.

Il ne se passa rien de particulier durant ces quatre jours, mais ils n'en furent pas moins importants. Ils donnèrent l'occasion à Annie de réfléchir sérieusement à l'affaire. S'il y avait une grosse cargaison de lingots d'argent, comme le promettait Mme Lai, la compagnie Indo-Chine, qui assurait le transport, avait certainement pris de strictes mesures de sécurité. La piraterie avait déjà frappé plusieurs de ses bateaux sur les lignes côtières ; c'était une importante compagnie, et elle demeurait sur ses gardes. Mais il était tout aussi plausible que le plan de Mme Lai — faire main basse sur le *Chow Fa*, un navire jaugeant dix mille tonneaux et filant seize nœuds — eût une chance de succès. Une autre certitude c'était que lui, Doultry, incarnait le *sine qua non* de l'entreprise, sinon son *deus ex machina*. Certes, dur serait son rôle, mais lui-même était un dur. Le résultat de ces calculs, qui l'occupèrent pendant ces premiers quatre jours en mer, indiquait qu'il y avait soixante-dix, peut-être quatre-vingts pour cent de chances que l'opération réussisse. Cela faisait en gros un deux et demi contre un, et il se dit : *Annie, t'es dans le coup.*

On lui donna une cabine sur le pont supérieur, à l'arrière, juste au-dessus des quartiers de Mme Lai et du capitaine Wang. Le *tou-mou*, petit homme perpétuellement en colère et qui faisait office de second, occupait la cabine voisine, et le chef canonnier la suivante. Pendant ces quatre jours, Annie vécut ainsi côte à côte avec ses pairs chinois. Lesdites cabines, composant le quartier des officiers, ne faisaient guère plus d'un mètre cinquante de haut sur un mètre vingt de large, et il était bien difficile de s'y étendre ; cela revenait à dormir dans une malle. Annie s'amusa de découvrir des blattes, une belle espèce marine qui avait le sens de l'humour, espèce dominante parmi tout un choix d'insectes, sans parler des rats familiers, que l'équipage prenait soin de nourrir jusqu'à ce qu'ils soient bons pour la casserole, et enfin une race naine de souris, dont la petitesse lui valait l'indifférence générale.

Annie tenait à se rapprocher de ces quarante bandits, jusque dans leur bassesse, leur rugosité, leur joyeuse camaraderie. Il faisait même semblant de partager leurs superstitions. Ainsi, quand la brise nord-ouest tomba soudain, soufflée comme la flamme d'une bougie, alors que les côtes étaient encore en vue, tout le monde se dit que c'était là une de ces accalmies soudaines plutôt fréquentes sous ces latitudes en avril, bref, que cela ne durerait pas. On n'en pria pas moins, et un bateau en papier huilé, décoré de bouts de fer-blanc dorés et de petites feuilles de prière rouges, fut tendrement posé sur la mer du côté abrité du vent par le bourreau du bord en personne. Un gong accompagna de ses résonances l'esquif de papier chevauchant les vagues et dérivant vers le sud avec le courant.

Soudain, un coup de vent emporta le jouet brillant comme un oiseau rasant les flots. Le vent souffla encore et, cette fois, gonfla les voiles du *Tigre-de-fer*. Ils reprirent leur route.

Au regard de l'Occidental, l'équipage ignorait tout de l'hygiène, mais ces marins n'étaient pas plus sales que leurs congénères de la terre ferme. Ils ne se lavaient jamais, mais avaient passé leur vie à se faire rincer par la nature, et à l'eau de mer encore, si bien qu'ils étaient conservés dans le sel. Leurs peaux portaient les stigmates des gros temps essuyés et présentaient toutes les nuances de l'acajou. Leurs tronches seules vous racontaient des histoires à vous friser les poils du nez. Annie n'en était pas moins à l'aise parmi eux ; ils étaient des marins et, comme tels, avaient mauvais caractère et s'échauffaient vite, mais ils se montraient aussi tolérants et d'un esprit plus large que leurs frères terrestres, plus terre à terre, somme toute. C'était toujours dans la bonne humeur qu'ils épouillaient leurs frusques. Et, quand ils se savaient observés par Annie, ils croquaient quelques poux pour le choquer. Annie se gardait bien de cacher sa répulsion, et pourquoi l'aurait-il fait ? Sa réaction amusait toujours l'équipage. Il était un clown. Et clown il devint, un grand clown d'Ours blanc. Ce n'était pas une performance facile, mais Annie était un pro, après tout, et les Tanka étaient bon public. Ils riaient comme des enfants et lui offraient de tirer sur leurs pipes, lui donnaient du poisson qu'ils pêchaient. Ils pêchaient tous les jours, laissant traîner des lignes dans le sillage de la jonque, et les prises étaient abondantes.

Le plus difficile à séduire était Tang Shih-ping, le chef canonnier. Le bruit avait couru (sans doute soufflé par M. Chung) qu'Annie était expert en armes à feu. Annie se gardait bien de confirmer cette rumeur et se tenait à distance des 75 mm et de leur entretien amoureux. Ces hommes avaient pour les armes à feu autant de passion que les bandits mexicains qu'on voit dans les films. Mais Annie sentait sur sa nuque le poids du regard de Tang Shih-ping. Cet homme avait passé sa vie marié à un harem de canons, et il avait derrière lui vingt-quatre années de guerres seigneuriales. Son cœur battait maintenant pour les quatre canons de Mme Lai, des 75 mm montés d'après le modèle Schneider.

Et puis un homme jeune, costaud mais pas très futé, apporta à Annie une copie de colt 45, un modèle de l'armée reconverti pour tirer des cartouches de Luger 9 mm. Avec des signes expressifs, il expliqua que l'arme s'enrayait souvent et, à titre de démonstration, tira quelques coups de feu vers le ciel. Effectivement, l'arme s'enraya au quatrième.

Annie détermina sans peine l'anomalie, qu'il était facile de corriger, mais se contenta d'avoir un regard compatissant pour le jeune homme, occupé à démonter son arme. Puis, s'adressant à Ch'en, qui parlait anglais : « Dis à ce garçon que je suis désolé, mais que les revolvers, je les achète et les revends, et que je ne connais pas très bien leurs mécanismes. »

Arriva Tang Shih-ping. Il examina attentivement la chose et partit d'un grand éclat de rire en voyant que le cliquet destiné à une cartouche de colt 11,43 mm n'avait pas été suffisamment limé pour permettre le passage régulier d'une cartouche de calibre inférieur. Annie lui tapa sur l'épaule et le félicita. Le temps d'arriver à Manille, il s'entendait bien avec cette bande de coupe-jarrets ; le chef canonnier ne le regardait plus d'un œil torve et se montrait même fort poli.

Lai Choi San n'adressa pas la parole à Annie pendant les trente premières heures qui suivirent leur départ de Lantau. Sitôt que le pic Victoria eut disparu à l'horizon brumeux, elle retrouva son monde familier et ignora son invité. Annie connaissait ce stratagème, pour avoir eu vent d'excentriques nobles anglais qui n'adressaient la parole à leurs hôtes qu'au troisième ou quatrième jour d'une partie de campagne sur leurs terres. Mme Lai se comportait de la même façon. Mais cela lui était égal ; il ne s'ennuyait pas.

Il se fichait d'être sale. Il savait s'adapter. Mais il tenait à l'entretien de sa barbe, comme c'est souvent le cas chez les marins. Il y avait à bord un barbier, capable de vous raser une tête en dix minutes, aussi Annie lui demanda-t-il de lui tailler le poil.

C'était en fin d'après-midi ; il s élevait des réchauds à charbon de bois des odeurs de cuisine, et l'équipage se rassembla pour ne rien perdre du spectacle. Annie était assis sur le tabouret. Il s'était ceint le crâne d'une écharpe de soie verte à motifs bleus, dans ce style cher à ces hommes. C'était pour lui une manière de protéger ses cheveux qui poussaient dans tous les sens, mais dont il ne tenait pas à confier la coupe à ce barbier. Se servant de son miroir en cuivre, il indiqua : « La barbe, s'il te plaît. Bien taillée. »

L'homme étudia la chose sous tous ses angles. Finalement, après avoir reçu l'opinion de quelques spectateurs, il montra deux de ses doigts à Annie : vingt cents. C'était bien trop cher, et Annie n'était pas disposé à passer sur ce détail dans une affaire aussi importante. Il y eut marchandage, et le prix tomba à seize. Se mettant rapidement à l'ouvrage, le barbier tailla la barbe à la chinoise, avec deux pointes bien relevées.

Mme Lai observait la scène depuis son perchoir en poupe. Elle souriait, mais ne riait pas, et pas un seul dans l'équipage ne se permit de rire quand Annie examina le résultat dans son miroir. Ses doigts pincèrent les pointes. Il donna deux cents de pourboire à son tondeur puis, se levant, gagna l'endroit où le jeune Ch'en repeignait la partie gravée au-dessus du gaillard d'avant, gravure qui répétait un symbole signifiant « bien-être » (qui, retourné à l'envers, s'appelait en sanscrit *svastika,* et avait été pris pour emblème par un jeune dément charismatique qui dirigeait le Parti national-socialiste en Allemagne). « Excuse-moi, Ch'en », dit Annie, et, lui prenant le pot des mains, il y trempa les pointes de sa barbe. La peinture était d'un rouge vif.

L'effet était saisissant, et puisque le rire était maintenant permis, tous s'esclaffaient, les trilles aigus de Madame n'étant pas les plus discrètes. C'était pour elle qu'il avait sacrifié sa barbe, pour la faire rire. Cette barbe avait connu bien des formes et tailles. Et il s'en était servi comme d'un accessoire. Mais ce fut tout ce qu'Annie fit pour elle. Il aimait la voir rire, sa bouche ouverte révélant des dents incrustées d'or. Mais ils continuèrent de maintenir cette distance entre eux ; ils n'étaient jamais seuls.

Ils eurent cependant une conversation, sur le pont arrière dans la grande lumière de midi. C'était peu de temps après cette chute de vent passagère, alors qu'ils naviguaient ouest-sud-ouest sous le souffle chaud de la mousson d'hiver qui arrivait par bâbord du détroit de Formose (ou Taiwan, comme l'appelaient les Chinois). Il était évident qu'ils se dirigeaient vers les îles Pratas. Madame était assise à sa place habituelle, sur un coffre le long de la lisse, à bâbord, avec à ses pieds l'une ou l'autre de ses servantes, et souvent les deux. Le capitaine Wang faisait les cent pas en fumant et discutant de courses hippiques avec le barreur, dans la timonerie en dessous. Comme tous ceux qui avaient goûté au charme vénéneux de Hong Kong, ils s'étaient pris de passion pour le pari mutuel.

Mme Lai ne parlait jamais au *to-kung* ; elle ne s'adressait qu'au capitaine Wang. Il se chargeait du reste. Mais ce soir-là, ce fut sa première *amah* qu'elle chargea de dire à Annie qu'elle l'invitait, s'il n'était pas trop fatigué, à fumer une cigarette avec elle. Le message transmis par la servante était : Madame aimerait goûter à une de vos cigarettes.

Annie en alluma une pour elle. La deuxième *amah* était assise sous une ombrelle noire. « Vous vous dirigez vers les Pratas, dit Annie.

— Oui, répondit-elle avec un regard vers le ciel. Petit vent cette nuit, et grosse lune. Je connais îles Pratas très bien. »

Annie s'abstint de commentaire. Il ne connaissait pas de navigateur blanc qui oserait s'approcher à moins de cinq milles des Pratas la nuit par beau temps et, à moins de vingt, par temps incertain. C'était une règle à laquelle Annie s'était toujours plié, et pourtant il n'était pas conservateur.

Lui aussi regarda le ciel, et la surface des eaux. Il huma l'air de son odorat particulièrement aiguisé. « Si vous me demandiez mon avis, et si j'avais un baromètre, je parierais qu'il serait en pleine chute. Le gros temps est au nord, et il y a de grandes chances qu'il arrive ici. »

Le soleil luisait d'un éclat blanc. « Il y a un Tiet-Kiey qui vient de loin. Il vient de l'île de Bataan, et cap'taine Wang et moi on sait qu'on peut croiser son chemin. On va vite ; il passera derrière, mais il laissera à nous un bon vent pour Manille. »

Annie songea à lui demander d'où elle tenait ces informations car elle n'avait pas de radio, mais il préféra demander poliment par signes au capitaine Wang de lui prêter ses jumelles. Le capitaine, qui était en conversation avec le timonier, obligea Annie avec empressement.

Annie scruta l'est dans la direction de Bataan, à quatre cents milles de là. L'horizon était clair, peu brumeux, rassurant. Et puis, scintillant dans l'objectif des puissantes lunettes, bien au-dessus des cumulus couleur marine, se développait une spirale de vapeur qui devait monter jusqu'au niveau des strato-cumulus, à une hauteur de six bons milles au-dessus des eaux du détroit de Luzon et de l'île de Bataan.

« C'est quoi, ce Tiet-Kiey ? demanda Annie à Madame.

— Ça veut dire Tornade de fer. »

Annie l'ignorait mais il connaissait bien les typhons. Il avait côtoyé la rage de ce vieil homme qu'était le vent, sa fureur dévastatrice qui pouvait égaler celle des tremblements de terre, des éruptions volcaniques, des monts Pelée et Krakatoa et de tous les soubresauts du grand taureau qui supportait la terre sur son dos. Quand l'arène est aussi vaste que l'océan et qu'une pirate et un menteur s'assoient sur le banc de pierre de Néron, on peut attendre du vent qu'il donne tout son sens au mot catastrophe.

« Mme Lai Choi San, dit Annie, je suis persuadé que votre maître des voiles, ou *lio-dah*, peu importe comment vous l'appelez, est un homme compétent. C'est mon sentiment. Or, il me semblerait plus sage de prendre sans plus tarder un long bord sud-ouest, et de laisser cette belle brise est nous éloigner des abords de ce typhon, sans parler des récifs des Pratas. Essayer de lui passer devant est une pure folie.

— Cap'taine Wang est pas mon *lio-dah*, il est mon *tou-jen*, l'œil de ma tête. Sous la Bannière jaune, on appelle le capitaine "l'œil de la tête". » L'œil en question vint reprendre ses jumelles, bien qu'il n'en eût pas besoin pour sentir le Souffle du Dragon avancer sur eux. « Mon *tou-jen* dit qu'on peut couper facilement. On va tout droit, on passe sous le vent des îles Pratas et un bon vent arrière pousse *Tigre-de-fer* jusqu'à Manille pour prendre petit déjeuner demain matin. »

Sur ce, Madame éclata de rire. Comme si elle avait attendu ce signal, la première *amah* gloussa et battit des mains, le capitaine Wang souriait, et la panse du timonier tressautait sans bruit.

Toujours attentif à ce qui se passait sur le pont arrière, l'équipage aussi se marrait tout en ferlant les voiles, fermant les écoutilles et arrimant solidement les pièces d'artillerie à l'aide de chaînes et de haussières. Nombre de matelots se défaisaient de leur coiffe qu'ils balançaient dans l'écoutille avant. Et la jonque se porta en avant par un vent de travers, cap à l'est.

Annie se demanda s'il n'avait pas été la cible de cette gentille crise de rire. Mme Lai et son capitaine et tout son équipage étaient tombés d'accord — de manière démocratique d'ailleurs, comme c'était la règle chez les pirates chevronnés — de prendre de vitesse la Tornade de fer, parce que ça leur chantait. Peut-être en faisaient-ils une question d'honneur. Cela frisait aussi la saute d'humeur, car il n'y avait aucune raison de se presser, et arriver à Manille dans l'après-midi du lendemain serait parfaitement satisfaisant. Mais Annie se garda bien de tout autre commentaire ou plaisanterie. S'ils devaient y aller, eh bien qu'ils y aillent.

Puis la bosse d'un dragon noir de quatre-vingts milles de large et haut comme la stratosphère se dressa à l'est et commença d'avancer sur eux. Il suivait la lascive spirale de sa langue, repoussée de la tornade par son mouvement de maelström. L'océan prenait insensiblement une teinte ferreuse, translucide, qu'Annie avait déjà vue dans le bronze de son miroir. Une houle énorme commença de se former, creusant la mer de larges berceaux, tandis que le vent écumait la surface au rasoir.

Le timonier maintenait tout droit la jonque, voiles déployées en un défi doré, tandis que le soleil tombait du côté sous le vent, comme avec hâte, en se teintant de jaune vif là où la langue de vapeur noire léchait la lumière déclinante.

Annie enfila son ciré, serra sous sa barbe la patte de sa capuche et afficha une sombre expression. Parce qu'il savait à quoi s'attendre, et comme il portait son regard vers l'est, il vit le premier grain arriver, enfonçant dans l'eau un poing noir frangé d'écume. Le capitaine Wang était prêt, ses hommes parés à affaler. Ils laissèrent la grand-voile tomber dans les claquements de bambous, et ils l'arrimèrent alors que le vent frappait à bâbord. Ils amenèrent aussi la voile d'artimon, et le capitaine Wang ne garda que la misaine, avec trois ris. Il voulait conserver autant de voile que possible. On ne pouvait pas maintenir un cap quelconque dans un vent de typhon, parce qu'il virait si vite qu'il pouvait vous retourner, s'il avait l'esprit à ça.

Une grande vague souleva le bateau, mur d'eau à la crête blanchie d'une écume de désir. Elle emmena le vaisseau, qui penchait fortement comme saisi de panique face au vent, puis déferla sur le bastingage côté au vent. La jonque roula à presque se coucher sur le flanc, avant qu'elle ne glisse dans un grand trou d'eau noire qui s'était ouvert pour les recevoir. Hors le rugissement des vagues, Annie n'entendait plus rien. Mais il pouvait voir le visage de Mme Lai : elle souriait tel un démon en s'accrochant au mât d'artimon et, alors que l'eau s'abattait sur elle et la petite *amah* accrochée à sa taille, cette femme riait aux éclats.

La jonque s'arracha de l'eau mais on ne pouvait le voir car le vent vous frappait de plein fouet d'un mur de pluie. Le timonier bataillait à la maintenir poupe à la vague en s'aidant du petit bout de voile d'artimon qui la tirait, de façon à présenter sa proue haute pour mieux encaisser le poids des vagues suivantes. Cette vieille jonque à la coque en bois de fer était d'une solidité à laquelle seul un bâtiment en acier pouvait prétendre. Elle naviguait dans un monde aux noms métalliques, un monde où le Typhon et le Tigre étaient des adversaires fondus dans ce même métal noir que les Chinois admiraient et haïssaient à la fois. Elle avait été construite pour la Mer de fer. Elle grinçait et grondait telle une bête dans une cave marine, et la mer balayait ses ponts, tandis qu'elle plongeait au fond des puissantes lames et en ressortait, résistant à l'assaut des éléments.

Toujours accrochée aux haubans du mât d'artimon, Mme Lai était perchée sur le coffre à cordages, dans le coin du pont arrière, de manière à pouvoir reculer sous l'avant-toit de sa cabine, quand s'abattaient les déferlantes. Ses cheveux flottaient au vent, telle la crinière d'un petit cheval fou. Annie avait les pieds calés par les taquets disposés sur le pont à cet effet. Il regrettait de ne pas avoir enlevé ses chaussures ; il aurait dû emporter ses bottes de caoutchouc avec lui. Il se tenait à deux mains aux cordages arrimant l'un des canons. Il lui était arrivé de rencontrer des vents plus violents encore, et il détestait ça autant qu'il abhorrait la peur, pour la même raison, d'ailleurs. Tout cela pourrait passer pour désinvolte, mais il en était ainsi. Il s'efforçait donc de se détacher de la chose tout en gardant en tête une solide pensée : *Cette salope essaie seulement de m'impressionner. C'est elle qui nous a entraînés là-dedans. Pour me jouer ce tour.*

Ainsi Mme Lai — qui avait plus d'une fois rencontré des typhons dans sa vie, passée en grande partie sur les mers — utilisait-elle la Tornade de fer pour servir ses ambitions plutôt que de se laisser manipuler par les éléments. Elle cria quelque chose en chinois à Doultry, et il ne douta pas qu'elle lui disait : « Je l'ai fait exprès. Regardez ce que j'ai fait ! » car elle avait un air sauvage et triomphant, comme quelque héroïne dans une production de Cecil B. DeMille, à cette différence que ce n'était pas du cinéma. C'était une bien arrogante salope, mais cela faisait partie de ses charmes.

Le vent tomba soudainement comme le sifflement qu'accompagne un obus, et c'est toujours un horrible moment car on entend le rugissement du prochain grain, du prochain mur d'air fonçant sur vous à cinq milles de là. Quatre minutes plus tard, il était sur eux. Le capitaine Wang, qui se tenait au bastingage à l'arrière, hurla aux hommes d'amener ce qui restait de toile. Ce qu'ils firent. Sous eux le pont se cabrait, la proue pointée vers le ciel, tandis que la jonque grimpait l'une de ces immenses vagues, et pendant un instant Annie put voir jusqu'à l'horizon derrière eux. Le front du vent approchait telle une bande de mousse blanche à travers un paysage de collines grises et sans formes. Mais cette impression ne pouvait avoir duré qu'un instant, avant que surgisse la gifle suivante.

Le *tou-mu* était avec les hommes qui ferlaient la voile d'artimon, et sa voix aiguë fut le dernier son qu'Annie perçut. Le bout de toile qui restait se déchira avec un bruit sec comme un coup de feu, et la vergue de bambou ploya comme un arc avant de se briser. Le typhon, qui hurlait dans les vergues nues et quelques lambeaux de toile, emportait avec lui la jonque à travers la Mer de Fer. Mme Lai attrapa la main d'Annie et lui hurla dans les oreilles : « On vole, on vole, on va plus vite que Tiet-Kiey. » Elle leva le bras, le coton noir et trempé de sa manche battant dans la tornade, tandis que la jonque gîtait violemment, car le vent avait soudain viré et soufflait du nord-ouest.

Comme l'avaient prédit Madame et son capitaine, l'œil du typhon passerait derrière eux, et ils ne subiraient que le contour extérieur de la roue du vent. *Tigre-de-fer* avait traversé Tornade de fer sur une distance assez grande pour éviter le fameux œil qu'ils laisseraient à trente milles de sa poupe. En vérité, son salut était dans la fuite. Et elle fuyait dans la bonne direction, ce qui pouvait expliquer la joyeuse humeur de Mme Lai et de son équipage. Laissons-la filer. Le *to-kung* avait deux hommes avec lui au cabestan de la barre, et le capitaine Wang leur hurlait ses ordres par l'écoutille.

Le vent se déchaînait sur eux et il ne produisait qu'une seule note, tenue, semblable à la clameur d'une horde de loups, mais avec une tonalité caverneuse, et non ces cris aigus de douleur de certains vents qu'Annie avait parfois été contraint d'écouter. Et il se souvenait d'avoir entendu certains marins chinois dire des mers en furie qu'elles étaient les « meutes blanches de la chasse », une image qui sonnait juste à ses oreilles. Il était amusé de voir la petite *amah* toujours accrochée tel un coquillage à la taille fine mais solide de sa maîtresse. La crête d'une vague venait juste de balayer les ponts, alors que le vaisseau montait et se retrouvait perché tout en haut d'une lame, tel un télescope au sommet d'une montagne. Annie couvrait Lai Choi San d'un regard où l'agacement le disputait à l'admiration, parce que le spectacle en valait la peine. Ainsi la vit-il se mettre debout, ses petites mains remontant le mât d'artimon et, d'un geste impérieux de la main, désigner avec une expression de joie diabolique la direction du vent, celle du vaisseau et de ses occupants. Puis de la vigie à l'avant leur parvint un hurlement qu'Annie sentit plus qu'il n'entendit. Il chercha des yeux la raison de l'appel, et ce qu'il vit le fit blêmir.

S'étendant aussi loin que le regard pût porter — guère plus de deux degrés dans ces conditions —, on voyait une barrière blanche, telle la crête d'une chaîne de montagne vue d'un plateau tibétain. C'était l'énorme houle qui se fracassait sur le récif des Pratas. Puis, comme la mer se creusait, la jonque s'enfonça, et la vision s'effaça. Mais, dans son esprit, le regard d'Annie resta fixé sur cette barrière d'écume blanche située à un mille ou deux devant, parce qu'il était évident qu'il n'y avait pas la place de passer sous le vent du récif. Celui-ci ne faisait pas plus de dix milles de long, mais le tourbillon du typhon passait maintenant en poupe et, chaque bourrasque, atteignant son paroxysme toutes les cinq minutes, les portait vers l'ouest et les Pratas. Dans l'impossibilité de sortir la moindre toile pour dévier de la trajectoire, ils ne pouvaient s'empêcher de filer vers ces récifs qui avaient éventré tant de coques et broyé tant de marins en mer de Chine. Un vaisseau pouvait survivre à un typhon, mais poussé sur les îles Pratas, il ne pouvait aller qu'à la mort.

Annie, qui tournait le dos au vent, profita d'un vide dans les hurlements du vent pour crier à l'oreille de Mme Lai : « Nous allons droit sur les Pratas, chérie. »

Elle le regarda. Elle ne l'avait peut-être pas entendu, mais elle lui sourit. Annie comprit alors que, cette fois, elle avait vraiment perdu la tête. « Oh, la sale pute ! Oh, la sale pute ! beugla-t-il. Elle l'a fait exprès ! » Elle ne pouvait l'entendre dans cette clameur mais elle secoua la tête et elle eut un grand geste du bras qui faillit lui faire perdre sa prise sur le mât d'artimon.

« *Tigre-de-fer* vole ! » cria-t-elle avec orgueil.

Le capitaine Wang criait ses ordres au *to-kung*, mais le timonier avait vu ce qui arrivait. Quatre hommes étaient au cabestan du gouvernail, hissant l'énorme pièce de bois hors de son logement en cul de poupe, ne gardant dans l'eau qu'une trentaine de centimètres de safran. Les ordres auraient été les mêmes dans toutes les langues et sur n'importe quel vaisseau poussé vers un récif de corail noir. Ils pouvaient l'apercevoir de temps à autre, se rapprochant un peu plus de lui à chaque minute, tandis que les vagues balayaient ses ponts : un récif large, déchiqueté qui, par mer calme, émergeait de moins d'un mètre à la surface. Telle la muraille d'une forteresse, le récif protégeait un lagon constellé de bouquets de coraux noirs que les marins appelaient « têtes de nègres », que l'on distinguait clairement, car le lagon, bien que parcouru de vaguelettes, semblait calme comme une mare à côté de l'océan rugissant tout autour. Quand un vaisseau heurtait un récif de cette nature, il pouvait être repoussé par le premier impact ou se faire aspirer jusqu'à ce qu'il soit projeté de nouveau sur la barrière. Même une jonque en bois de fer se désintégrerait en peu de temps. Quant aux hommes, ils mourraient noyés, déchiquetés par le corail.

« Je passe à l'autre bord avant qu'on touche. Je survivrai à cette folle et imbécile aventure », dit tranquillement Annie au vent, alors qu'à travers le vacarme et les embruns cinglants, il voyait Mme Lai s'attacher à son mât à l'aide d'un filin, sans plus prêter attention à sa victime de *gwai lo*. Et, ses pieds nus bien plantés sur la dunette, son capitaine criait à son timonier la seule chose qu'on pût dire en de telles circonstances : « Droit devant, camarade.

— Droit devant ! » La jonque aspirée dans un creux semblait attendre la vague suivante qui la projetterait sur la barrière. « C'est parti », dit Annie, prêt à sauter par-dessus bord, parce que le vaisseau filerait avec la rapidité d'une déferlante, un bon trente nœuds, avant d'éclater sous le choc. Le récif noir se dressait dans toute son horreur au-dessus de leur proue, et Annie se hissait sur le bastingage en bois de teck en prenant appui sur la monture du canon, quand il se sentit s'élever comme dans un ascenseur du Waldorf Astoria. Le bateau porté par la masse d'eau n'en finissait plus de monter. Annie ne sauta pas, parce qu'il réfléchissait vite. La vague grossissait encore, bien au-dessus du récif, et le *Tigre-de-fer*, avec ses deux cent cinquante tonnes, grimpait avec elle. Puis sa proue piquant en avant, il fendit la vague en deux et poursuivit sa course sur le récif lui-même, où il s'immobilisa dans un sourd grondement. La jonque trembla d'un bout à l'autre, ensevelie sous un déluge d'embruns, qui se dissipa bientôt. Annie regarda le récif sur lequel ils étaient posés ; il était plat, aussi plat que l'était la coque de la jonque, qui se balançait lentement sur ses cales, frissonnant comme une bête.

Il en éprouva un étrange sentiment de néant au milieu duquel la plainte du vaisseau lui paraissait lointaine. Sa proue pointait vers le ciel, le vide. Une pluie d'écume emportée par le vent fit se retourner Annie. Il vit Lai Choi San, accrochée à son mât, comme un lémure. Elle aussi portait son regard vers la poupe, et son cri annonça ce que tous voyaient : une autre lame, aussi haute qu'une maison, arrivant sur eux.

Annie se pencha pour agripper à deux mains le bastingage, alors que la vague tombait sur eux d'une hauteur de douze mètres, poussant en avant la jonque sur le haut-fond mais en la soulevant assez pour lui éviter de s'éventrer, puis l'emportant de nouveau comme une noix de coco de l'autre côté de la barrière. Le vaisseau vacilla longtemps, avant que la queue de la vague ne le pousse hors du chaos écumant, le faisant tourner sur lui-même comme un jouet. Le fond du lagon était parsemé de grosses et coupantes formations de corail mais, droit devant, se dessinait un chenal vers lequel les petites vagues des eaux protégées poussaient maintenant la jonque, tanguant mais intacte, tandis que le vent hurlait dans la mâture, comme enragé que sa proie lui échappe.

Annie se releva. Le capitaine Wang était par terre. Il avait dû se donner un coup mais, le regard tourné vers sa maîtresse, il souriait avec une fierté que personne n'aurait songé à lui disputer. Encore encordée au mât, elle ressemblait à une chauve-souris noire ; ses cheveux battaient dans le vent, et elle riait de cette bruyante manière chinoise que les Occidentaux prennent par erreur pour de l'hystérie. Sa petite *amah* avait disparu (elle s'était réfugiée par l'écoutille dans la timonerie). Mais Lai Choi San ne s'inquiétait pas d'un tel détail. Annie ne pouvait s'empêcher de l'aimer tout en ayant envie de la tuer.

Un vent chaud et humide soufflait du nord dans le sillage du typhon. C'était le dernier souffle de la Tornade de fer, mais il était soutenu. Mme Lai lissa ses cheveux mouillés et désigna le récif, sur lequel les vagues continuaient de se briser avec monotonie, un récif qui était ici un peu plus profond, un peu plus plat, avec un lagon et un chenal de trois brasses de fond pour accueillir la jonque et l'amener en sécurité dans les eaux profondes.

« C'est ici, dit Madame, désignant le récif, que le frère de mon père a poussé sa jonque un jour de tempête. Il y a des années de ça. D'autres ont réussi à passer. On appelle cet endroit la porte de la Mer furieuse. Aujourd'hui, moi aussi je prends cette porte. » Elle paraissait prodigieusement fière et contente d'elle en disant cela. Sur le pont, les hommes criaient leur joie d'être toujours en vie. Certains chantaient.

Elle avait toutes les raisons d'être satisfaite, songeait Annie. Il éprouvait une grande fatigue dans tout le corps. Sa main gauche serrait encore le bastingage. Sa gorge lui brûlait, après qu'il eut hurlé au vent ses opinions et sentiments. Mais présentement il se contentait de hocher la tête lentement en direction de Mme Lai, tandis que le courant du lagon les poussait doucement vers le chenal entre les têtes de nègres. Les hommes dans la timonerie remettaient la barre en place.

Ils jetèrent l'ancre dans les eaux calmes et restèrent là pendant trois heures, à remettre le bateau en ordre et réparer le mât de misaine. Le typhon avait soufflé sur le sud de la mer de Chine. La nuit tomba, et bien qu'il y eût toujours fort vent et que la houle continuât de déferler sur les Pratas, les étoiles apparurent, apportant un peu de lumière.

Le récif formait une vague ellipse entourée par un peu de sable et d'arbustes qui avaient l'air de choux géants, auxquels se mêlaient quelques cocotiers aux troncs fortement inclinés. C'était l'île de Pratas. Les volubilis croissaient en abondance, empestant ce cimetière de leur écœurant parfum. Les pirates y avaient élevé un temple à Tin Hau, un temple construit avec le bois des navires venus mourir là, y laissant figures de proue, étançons en teck, bastingages en bois gravé, échelles d'écoutilles, miroirs de cabines, panneaux de bois précieux, et même les plats et pichets en étain de plus d'un salon de bateau. Et quand les solides naufrageurs et pirates ne venaient pas honorer la déesse, les oiseaux et les rats lui tenaient compagnie.

Quand les hommes poussant lentement à la perche le *Tigre-de-fer* passèrent devant le petit temple dans la faible lumière du lagon, ils entonnèrent un chant en s'accompagnant de gongs. Ils allumèrent de véritables fagots de bâtons d'encens, pour les jeter dans les eaux. Et comme pour répondre à leur sensibilité esthétique et à leurs rites religieux pleins de frivolité, la lune apparut à l'ouest au-dessus d'un horizon éclairci, telle une impératrice d'argent, servante de Tin Hau.

7

« Fermez cette foutue porte ! »

À l'aube, le capitaine Wang sortit la jonque du lagon par une profonde brèche, à l'est du récif, et poursuivit sous de bons vents pendant deux jours avant de faire escale au cap Bojeador à la pointe nord-est de Luçon, la grande île située au nord des Philippines.

Le bateau jeta l'ancre au crépuscule, mais il risquait trop d'attirer l'attention pour que Madame s'attarde davantage. Annie fut emmené à terre avec sa valise, et ce fut en taxi qu'il gagna l'hôtel Oriente, une confortable maison pour visiteurs nantis, qu'il avait souvent rêvé d'honorer de sa présence. Ce fut là que M. Chung le rejoignit deux jours plus tard par le vapeur de Macao-Manille.

Annie revenait de temps à autre en pensée à la folle et impulsive décision de Madame de devancer le typhon sur son passage. Elle voulait tirer profit de la tornade mais, dans ce cas, elle ne pouvait ignorer qu'elle devrait franchir la barrière de corail. Honorait-elle par là quelque dette à un ancêtre ? (En Chine, les seules dettes d'honneur véritables sont dues aux ancêtres.)

Annie en conclut que ce devait être un concours de circonstances, que Madame aurait sans doute qualifiées de fortuites, qui lui avait permis de prendre ce pari insensé : son navire et sa vie contre les éléments, et finir par gagner. Il se souvenait clairement de la conversation qu'il avait eue avec elle à ce sujet, alors qu'ils prenaient un cap sud-est, laissant les Patras derrière eux. « Vous avez eu de la chance, avait dit Annie.

— Bien sûr. Un peu de chance. Mais je connais mon bateau. Je connais mes hommes. Je connais endroit où le récif est plat et où il y a eau profonde juste après.

— Mme Lai, vous avez de drôles de caprices. Il n'y a aucune raison de prendre tant de risques sur un bateau en mer.

— Il y a raison », dit-elle. Elle était revenue à sa pipe en argent, abandonnant les Woodbines. « Quand il y a bonne fortune dans le vent, il faut prendre, même si on profite pas. Les signes parlent à mon astrologue, et Tin Hau me dit, c'est un bon voyage. J'aime montrer à mes hommes, à mon bateau, que j'ai la chance avec moi. Je gagne toujours parce que l'esprit de mes ancêtres me donne la force. »

Quelle belle logique !, songeait Annie avec un cynisme bien inutile. « Je ne crois pas à vos idoles, et je ne pense pas que vous leur fassiez vous-même confiance, Madame. Votre religion est un fatras de dieux et de déesses racolés un peu partout. Ce n'est qu'âneries et foutaises. Je n'ai pas de religion, pas plus que vous, mais je ne déconne pas non plus avec les idoles. »

Elle hocha gravement la tête en tirant doucement sur sa pipe. « C'est vrai, je joue avec idoles. Vous savez pourquoi ? Je vous le dis : il vaut mieux montrer à la mer qu'on est ses enfants. Il vaut mieux montrer... » Elle embrassa d'un geste les voiles, le ciel, l'univers.

« Croyez-vous que vos déesses apprécient qu'on lui offre des petits morceaux de papier brillants en prétendant que c'est de l'argent ? De bons dollars en argent, sonnants et trébuchants ? » Annie avait toujours espéré obtenir, de la part d'un Chinois porté sur la vérité, une réponse franche à cette question. Mais c'était peine perdue ; elle ne pouvait répondre raisonnablement. « Bien sûr qu'elles apprécient, dit-elle avec gaieté. Parce qu'elles savent que c'est un jeu d'enfants. La Reine du Ciel voit très bien qu'on fait des bêtises comme les enfants. Et qu'on a peur d'elle, et qu'on est pauvre, mais pas stupide. Pourquoi jeter des vrais dollars dans la mer ? Hein ? »

Annie n'avait pas de réplique à ça. Il bâilla à s'en décrocher les mâchoires. Elle se pencha vers lui et lui tapota le genou avec sa pipe, pour le réveiller.

« Mieux vaut jouer, cap'taine Doult'y, et pas cacher qu'on est des enfants. Comment s'appelle votre petite fille ?

— Maima, répondit Annie. Elle s'appelle Maima. »

Anatole Doultry, propriétaire de son bateau de commerce depuis quatorze ans, rempila dans la marine marchande le 1er mai 1927, en tant qu'officier radio sur le vapeur *Chow Fa*. Le plan de Mme Lai de l'installer à ce poste fut mené avec une précision qui fit l'étonnement d'Annie, qui se garda d'en faire part à M. Chung, qu'il voyait fréquemment, ou encore à M. Ting, qui résidait à Manille et veillait sur les intérêts de Mme Lai dans cette ville. C'était M. Ting qui avait mis en scène la soudaine maladie du jeune télégraphiste, un jeune homme répondant au nom de Chou Ah So.

Chou Ah So était un garçon intelligent. Il venait d'une bonne famille de Hong Kong, et il était passé par la très officielle école de télégraphie sans fil. Au bout de neuf mois de cours techniques et d'apprentissage de l'anglais, il avait passé ses examens avec mention. Chou Ah So était un bel exemple de cette nouvelle génération de Chinois de la colonie de la Couronne qui, brillants et passionnés de techniques, avaient acquis un savoir-faire leur ouvrant le marché international du travail. Le monde des communications radio était en pleine expansion. M. Chou, qui n'avait pas plus de vingt-quatre ans, s'entendait bien avec ses patrons anglais, et pourquoi s'en étonner ? Néanmoins, c'était lui qu'avait choisi M. Chung, après avoir mené son enquête. La coopération de Chou Ah So, ses informations et sa soudaine maladie (on soupçonnait le choléra) n'avaient pas coûté à Madame plus de trois mille dollars.

Le *Chow Fa* reliait régulièrement Manille, Hong Kong, Shanghai, avec de temps à autre une escale à Amoy. Sorti des chantiers Cammell en 1921, c'était un solide bâtiment à chaudières à mazout, deux hélices, jaugeant dix mille tonneaux, et faisant cent dix mètres de long. Ses turbines Brown-Curtis développaient six mille cinq cents chevaux-vapeur ; sa vitesse atteignait seize nœuds. C'était un bon et beau navire avec ses cheminées jumelles et pouvant accueillir deux cent dix passagers en première et deuxième classe, en plus de ses quatre soutes, dont une réfrigérée. Il transportait régulièrement huit mille tonnes de charge, car Manille était un port en pleine expansion, et le commerce entre les Philippines et la Chine était intense.

Tout reposait sur le timing. Le *Chow Fa* s'arrêtait d'ordinaire dix à douze jours à Manille, le temps de faire le plein de cargaison. Si l'un des opérateurs radio était tombé malade en mer ou à Shanghai ou encore Hong Kong, le capitaine aurait poursuivi sa route avec les deux télégraphistes restants. Mais, à quai à Manille, il n'avait aucune raison de le faire. Il fallait trois hommes pour assurer une écoute radio jour et nuit. Et à Manille il était possible de remplacer un homme malade. Le fait qu'Annie Doultry eût derrière lui une longue expérience internationale comme opérateur radio rendit son choix évident sitôt que la compagnie apprit, par Chou Ah So en personne, que M. Doultry se trouvait en ville et cherchait du travail. Le fait qu'il fût blanc et que son nom fût bien connu dans les cercles maritimes avait réglé l'affaire. Ses démêlés avec la justice pour trafic d'armes ne furent pas retenus contre lui, surtout en Asie, où les Blancs se serraient les coudes et tenaient la contrebande pour péché véniel. Il se trouvait aussi qu'une vieille connaissance d'Annie avait récemment rejoint le navire avec le grade d'officier en second. Il s'appelait Stoddart McIntosh. Annie avait partagé avec lui une traversée de soixante et onze jours entre Brisbane et San Francisco sur le clipper *Thermopylae*, transportant deux mille cinq cents tonnes de laine. Ce devait être en 1898 ou 96, songeait Annie, juste avant que le xxe siècle se lève à l'horizon.

Annie avait été quartier-maître sur ce bateau de légende, le *Thermopylae*, et McIntosh, qui avait quelques années de plus que lui, avait commandé en second. Chacun se souvenait bien de l'autre, bien qu'ils ne se soient jamais revus, après qu'Annie eut débarqué à Frisco pour partir dans le Klondike.

« Finalement, tu t'es rendu à ces saloperies de vapeurs, dit Annie, examinant les installations du *Chow Fa*. Tu disais : jamais de ma vie.

— La bouffe est bonne sur ce rafiot, et voilà ta cabine », dit McIntosh en entrant le premier. Il ouvrit la porte d'un placard et, se laissant choir sur la couchette, il testa les ressorts pour son ancien compagnon, vers lequel il leva un visage buriné et coloré sous la casquette défraîchie.

— T'as pas beaucoup maigri, mon pote. » Il fumait une des Woodbines d'Annie. « J'ai une famille à Melbourne. J'ai trois filles, peut-être quatre. J'ai été commandant sur le *James Dollar*, tu sais. Un quatre-mâts de Robert Dollar, une grande barque d'acier, construite à Port Glasgow. On transportait du sucre depuis Hawaii, mais ils ont jamais pu rentabiliser ce bateau, et ils l'ont mis en vente. »

McIntosh sortit sur le pont et contempla le port de Manille avec sa forêt de cheminées noircies au milieu des onze quais. « Si on peut pas les battre, vaut mieux passer de leur côté. » Le spectacle était vivant de couleurs et du parfum de l'huile de noix de coco, de la fumée des chaudières et de l'essor de l'Empire américain.

Annie fit deux fois le trajet Manille/Hong Kong/Shanghai/Hong Kong/Manille, neuf jours à l'aller et huit au retour. Sa tâche était facile, et il était payé quarante-deux dollars la semaine. Cela n'avait rien d'exceptionnel, surtout en Asie, de voir des officiers de marine, qui n'avaient pu ou pas souhaité évoluer avec le temps, finir leurs dernières années de mer dans des sinécures à bord de bateaux à vapeur. Annie avait pris comme adresse la maison de retraite des gens de mer, à Manille. Il pensait que Barney n'aurait jamais l'idée de venir le chercher dans un lieu synonyme de circonstances malheureuses et de marins perdus.

Au troisième voyage, il connaissait le *Chow Fa* de la passerelle de commandement aux cales. Il s'entendait mieux avec McIntosh que trente ans plus tôt. L'homme se souvenait parfaitement de ces jours anciens, qu'Annie avait — volontairement ou non — oubliés, et Annie se disait que le mieux était de payer un coup à boire à Stoddy, et de l'écouter bavasser. Il se disait aussi que ce serait sage de gagner sa confiance, car cela faisait partie du plan.

Ils allèrent dans un bar près du port dans Escort Street. Annie se souvenait de Manille, quand cette rue n'existait pas encore. McIntosh ne buvait que de la bière, car il avait des douleurs d'estomac. Annie essaya le schnaps au jus de citron que le barman avait baptisé Canon Krupp, et, comme Stoddy parlait de San Francisco, la mémoire revint à Annie, et il revit toutes choses comme s'il les avait quittées la veille.

C'était là une troublante sensation pour lui, mais il sentait qu'il n'était plus le même depuis qu'il avait avalé cette saloperie lors son initiation, et s'en tint à cette explication. Stoddy évoquait le souvenir du vieil homme qui avait mené le *Highland Glen* dans des mers monstrueuses au sud-ouest du cap Stiff. C'était en octobre, et ces immenses vagues partaient à l'assaut du cap Horn, lançant sur ses roches noires et glacées des paquets de mer hauts de quinze mètres, depuis leur barbe écumante jusqu'aux profondeurs de leur malveillance.

À présent, Annie voyait la scène. Il revoyait la mer se retirant telle une immense main. Et, comme le clipper remontait de l'abîme, il distinguait à travers un brouillard d'eau froide le gouvernail du *Highland Glen* qui, brisé, ressemblait à une étoile, et les chaloupes réduites en petit bois, ainsi que l'écoutille du rouf, et le timonier jeté à plus de dix mètres par cette grande main marine, hurlant, la jambe cassée et s'accrochant à un étai, tandis que la mer essayait de l'emporter. Le navire était secoué de tous côtés. Deux hommes avaient été balayés du pont, et le mât de misaine avait suivi quelques minutes plus tard ; toutes les voiles en lambeaux battaient tels les fanions du vaisseau du diable en personne. Mais soixante-huit jours plus tard, ils avaient jeté l'ancre à Liverpool et déchargé vingt-cinq tonnes de minerai de cuivre. Annie s'en souvenait, maintenant. Il revoyait tout, comme s'il y était.

En Chine, la situation devenait plus folle que jamais. La quatrième division de la sixième armée nationaliste, majoritairement communiste, avait occupé Nankin, et le général Cheng Chien avait encouragé ses troupes à piller les consulats étrangers, les commerces et les missions. Informés de la situation par le consul des États-Unis, les destroyers américains *Noa* et *Reston* décidèrent de bombarder la ville depuis la rivière, soufflant dans les rues un déluge d'éclats d'obus. Le *HMS Emerald*, un grand destroyer anglais, fut la cible de tirs au fusil, causant la mort d'un fusilier marin, et riposta au canon. Les journaux communistes prétendirent que les morts se comptaient par milliers, tandis que ces diables d'étrangers en avançaient quelques dizaines. Une semaine plus tard, à Shanghai, déjà occupée par le vingt-quatrième corps de son armée nationaliste, le généralissime Chang Kaï-chek avait frappé les milices communistes qui, armées de Mauser et de mitrailleuses, avaient tenu les rues jusque-là, et il tua autant qu'il put. La bataille fit rage pendant des jours dans les rues et ruelles. Le dernier carré de rouges se réfugia dans ses permanences et ses usines et combattit jusqu'au bout.

Mais pour Annie qui, pendant cette première nuit en mer après leur départ de Manille, le 9 mai, jouait aux dominos avec David Mogden, le chef mécanicien, dans le carré du *Chow Fa*, ces remous restaient lointains et sans importance, même si tout cela se passait dans une ville portuaire où ils faisaient escale. Le commerce continuait, les marines américaines et anglaises croisaient dans les parages, et les mers n'appartenaient plus aux Chinois, l'Occident les leur avait raflées. Et puis, il était onze heures du soir, temps de faire dodo dans le Sud, et il se pouvait bien qu'Annie n'arrivât jamais à Shanghai. Il avait observé en personne le chargement de quatre tonnes d'argent (dans quatre cents caisses) au quai 9, deux heures avant qu'ils n'appareillent. De nombreux passagers avaient pris place à bord, mais Annie, l'esprit tout à sa tâche, ne leur avait pas prêté attention.

Le quartier-maître du *Chow Fa*, le « cherche-pidgin », était un homme jeune assez détestable, du nom de Peter Storch. Une caricature de ce que le flegme et l'arrogance *british* ont de pire, à un détail près... il était australien, né à Port Adelaïde. Son impeccable tenue blanche était ridiculement ceinte du ceinturon réglementaire de la marine royale avec un étui garni d'un énorme colt de cow-boy, calibre 44. C'était l'arme de poing la plus puissante qu'on pouvait trouver à cette époque, avant l'arrivée des magnums. Annie avait le sentiment que le jeune Storch était un rien fanatique. Et crétin, en plus.

Sitôt après le déjeuner, une heure avant le départ (qui était à dix heures du matin) Storch s'était mis à son boulot de « cherche-pidgin ». En tant que plus jeune officier de pont, cette appellation désignait l'une de ses tâches. Le mot « pidgin » signifie en argot chinois « business », et il se réfère plus précisément aux marchandises embarquées en cachette à bord par les dockers, moyennant un bakchich, et ainsi transportées gratuitement. Pour combattre ces pratiques, il appartenait au « cherche-pidgin » d'ouvrir l'œil sur le chargement des cales, avant le départ. C'était aussi le moment où les passagers montaient à bord, et il s'ensuivait d'âpres discussions sur ce qui était un bagage légitime et sur ce qui s'apparentait à une cargaison.

Storch prenait plaisir à cet exercice d'autorité, et quel mal y avait-il à ça ? Avec son gros pistolet et son ceinturon serré sur sa tenue blanche, le manifeste du bateau au sceau de la compagnie fixé à la planchette de son bloc-notes, il arpentait la zone de chargement en sondant ballots et cartons insolites, dérangeant les caisses de poulets vivants que les Chinois avaient tendance à emporter avec eux où qu'ils aillent. La plupart des disputes impliquaient les femmes — vieilles et jeunes —, car c'était à elles que revenait toujours le soin de veiller sur les bagages.

Annie était lui aussi sur le pont, accoudé au bastingage de la passerelle. Sur le quai 9, quatre des gardes sikhs du *Chow Fa*, aidés de deux policiers philippins, vérifiaient si les passagers de l'entrepont étaient armés ou pas. Mais c'était une tâche inutile, tout le monde le savait. Ils ne fouillaient pas les femmes, par exemple. Et si des armes étaient à bord, elles y avaient été embarquées bien avant et dissimulées dans la cargaison. Aucun pirate de profession n'aurait pris le risque que le « cherche-pidgin » découvre des revolvers cachés dans les cages à poules ou des fusils sous les robes des femmes.

À 8 h 15, deux gros fourgons arrivèrent sur les quais, précédés par deux policiers en side-car, que suivait une Ford, dans laquelle avaient pris place deux responsables d'une banque. Le convoi s'arrêta à hauteur de la cale 2, mais ce fut avec les treuils du bateau, et non les nouvelles grues électriques dont la compagnie Luzon était si fière, que l'argent fut embarqué. Le rendez-vous pris pour le chargement était fixé au 21 mai, le prochain départ du *Chow Fa*. C'était une mesure de sécurité destinée à tromper le réseau de renseignements des pirates. Lingots et espèces étaient rarement transportés aux dates annoncées, et si c'était le cas, on y voyait aussi une règle de prudence, car il était peu fréquent que date prévue et date effective concordent. Mais le réseau de renseignements de Mme Lai était imperméable aux subterfuges. Elle avait su que l'argent partirait le 9 mai, et tel était le cas.

Les caisses de bois pesaient environ deux cents kilos chacune, et Annie en déduisit logiquement que chacune contenait six lingots d'argent. Il y avait vingt-huit caisses. Annie les compta.

Mme Lai avait dit qu'il y aurait plus de quatre tonnes et demie, ce que M. Chung avait confirmé. Et elles étaient là.

Les caisses furent descendues sur le pont puis poussées sur des chariots jusque dans la chambre forte. Celle-ci se trouvait en dessous de la passerelle, à l'intérieur de la « citadelle », en d'autres termes. C'était un grand compartiment sans accès extérieur autre que celui de deux portes en acier. La cargaison d'argent ne l'avait rempli qu'à moitié ; on y avait aussi entreposé d'autres objets de valeur appartenant aux passagers.

Annie descendit et les observa ranger les caisses. Le second, McIntosh, était là aussi, en compagnie du commissaire de bord, ainsi que leurs devoirs l'exigeaient. Annie leur tint compagnie pendant un moment, avant de se retirer, l'esprit à sa tâche.

L'importation et l'exportation d'argent étaient un vaste et mystérieux commerce en Chine. Ils étaient nombreux à penser que l'économie était fondée — si elle avait un quelconque fondement — sur le métal blanc. L'argent avait toujours eu pour les Chinois plus de sens que l'or, dans sa valeur pratique aussi bien que mystique. L'once d'argent chinoise, appelée taël, était la base de toutes les transactions sérieuses.

Étrangement, jamais le minerai n'avait été exploité en Chine. Mais son accumulation avait été jugée de toute première importance par les empereurs du Dragon depuis cinq mille ans. La première guerre de l'Opium avait été menée contre les Britanniques, en raison de l'inquiétude de l'empereur face à l'énorme quantité d'argent consacrée à l'achat de drogue. La Chine était le plus grand marché pour ce métal de Lune. L'or n'avait jamais couru dans la même catégorie, pour les Chinois.

À Manille, l'argent était emmagasiné selon les goûts chinois, en lingots de mille taëls de Shanghai, pesant chacun soixante-deux livres et présentant une pureté avoisinant les cent pour cent. Chacune de ces énormes briques valait mille six cents dollars de Hong Kong ou huit cents dollars américains. Vus en un énorme tas lumineux, tels que les imaginait Annie, ils étaient bien beaux à regarder. Allongé sur sa couchette, il se donna même le plaisir de graver cette belle vision dans sa tête, telle une lumière éclairant ses futures actions dont il projetait les images sur le plafond de sa cabine. Et il se disait aussi avec plaisir que c'était du bon argent américain, pas de la ferraille mexicaine, qui gisait dans la chambre forte du *Chow Fa*, juste en dessous de la cabine de télégraphie, située la porte à côté.

Les autres radios, tous deux chinois, occupaient une cabine de deux couchettes à tribord. Celle d'Annie était à bâbord. Chou Ah So avait été premier opérateur, sous l'autorité directe du capitaine Walter Denny, commandant le *Chow Fa*, ce pour toutes les opérations radio. Le transmetteur et le récepteur étaient des Marconi, le premier un Poulsen avec une lampe de douze kilowatts, le second un appareil à trois valves. Le poste de transmission était au milieu, entre les cabines des opérateurs, toutes trois ouvrant sur une coursive transversale. Le poste était sombre : un réduit sans fenêtre avec un ventilateur, résultat de l'étrange idée de quelques experts considérant que l'isolement et l'obscurité favorisaient la conduction du télégraphe sans fil.

En avant de ce couloir, on trouvait les quartiers des officiers subalternes et des mécaniciens. Au-dessus, il y avait les cabines relativement spacieuses du capitaine, du mécanicien en chef et du second. Au-dessus se trouvaient la passerelle et la salle des cartes. Ces trois ponts du rouf, comme on l'appelait encore, étaient dénommés pont A, pont supérieur et passerelle de commandement, et ils constituaient à la fois le centre des commandes, une enclave blanche et le cœur et l'esprit du navire. Cette zone pouvait être complètement coupée des cabines de première et de deuxième classe et de leurs annexes situées à l'arrière (dont une somptueuse salle à manger lambrissée de chêne, avec son grand lustre pendant au-dessous d'une verrière en vitrail, son fumoir aux fenêtres cintrées et ses tableaux anglais de scènes de chasse). Cette zone était également séparée du pont principal en dessous et de l'entrepont (qui abritait souvent jusqu'à mille passagers, jamais mentionnés sur la liste officielle du bateau).

Cela amusait Annie de penser que trois Chinois partageaient le toit de cette prétendue « citadelle », pour la seule raison qu'ils savaient faire marcher une radio et coûtaient un salaire moindre. Et cette confortable installation, ils la devaient à ce même « concept de citadelle » que recommandait expressément le rapport de la Commission sur la piraterie pour se défendre des loups de la mer.

Stoddy McIntosh avait fait visiter l'installation à Annie. Sur le pont principal et le pont A, il y avait de lourdes portes blindées avec meurtrières d'observation ; et des grilles protégeant les coursives menant au pont, et même des toiles de passerelle — en plaques d'acier, celles-ci — qu'on pouvait rabattre pour protéger les officiers sur le pont du feu d'armes de poing, dont les tirs pourraient venir du gaillard d'avant, où l'essentiel des cent vingt hommes d'équipage — chinois et philippins — avaient leurs quartiers.

McIntosh remit à Annie son arme réglementaire, un joli Smith & Wesson de calibre 38, à barillet, avec étui et ceinturon, plus trois douzaines de cartouches. Annie le glissa sous sa ceinture, comme le faisaient les autres officiers, toujours à pester contre leur arme, comme s'ils en avaient honte. Et il était vrai que porter une arme n'avait rien de commode quand on travaillait sous une forte chaleur. Mais les règles de prévention de la piraterie étaient catégoriques sur ce point : tout officier devait avoir un fusil Winchester 300 dans sa cabine, et il y en avait six autres dans un coffre sur le pont, avec assez de munitions pour contenir un bataillon.

On s'attendait, bien sûr, à ce que les pirates corrompent les membres d'équipage pour faciliter leurs opérations. C'était là où le système de garde traditionnel indien avait toute son utilité. Les Indiens de Hong Kong étaient là à la solde des Anglais. Ils n'avaient jamais eu affaire aux Chinois, si ce n'est comme policiers, gardiens de prison, soldats ou agents de sécurité sur les ferries et les chemins de fer. Ils étaient pour la plupart d'entre eux d'anciens soldats de l'armée indienne, et personne n'avait jamais douté de leur loyauté. La chose est étonnante, mais on ne connaît aucun exemple de soldat indien à la retraite qui eût trahi ses employeurs de Hong Kong.

Les gardes à bord du *Chow Fa* étaient des Sikhs, comme les matons de la prison Victoria. Cela pinçait une corde sensible dans le cœur d'Annie que de les voir arpenter le pont d'un pas solide, leurs tromblons Greener portés fièrement à l'épaule comme s'il s'agissait de fusils Lee-Enfield. Leurs turbans blancs, immaculés, coiffaient leurs longues chevelures, leurs barbes étaient ramenées de chaque côté du visage pour être nouées derrière la nuque. Ils cuisinaient de délicieux curry de poisson et du riz pilaf aux petits pois. Les cuisiniers chinois en concevaient une grande amertume, mais devaient s'en faire une raison.

« As-tu jamais étudié cette science qu'on appelle psychologie, Stoddy ? demanda Annie.

— J'en ai entendu parler, mais j'ai jamais pu me résoudre à l'étudier.

— Les Chinois n'ont pas de psychologie », reprit Annie. Ils étaient dans le carré, à boire de la limonade. Annie était de service à neuf heures du soir. Il s'était proposé pour prendre le poste de nuit, et personne ne s'y était opposé. « C'est pourquoi ils ne font confiance à personne, dit-il en plaisantant, conscient de l'absurdité de son propos.

— Ils croient aux démons. Ce sont des païens », dit McIntosh en bourrant sa pipe. Il irait au lit après ça. Une brise fraîche soufflait par la porte ouverte du pont A, et la mer brillait, bien que la lune ne fût pas encore levée. Le ciel était éclairé d'étoiles. Et ni Annie ni Stoddy n'étaient insensibles à la beauté de la scène.

« Les Chinois sont un sujet d'intérêt pour moi, Stoddy. »

McIntosh grogna. Lui s'en fichait des Chinois. Le second était un personnage terne, terne mais solide, et il n'avait jamais connu de femme chinoise. Enfin, pas vraiment. Et les Chinois, eux, avaient tendance à avoir de la sympathie pour un homme comme Stoddy McIntosh, un homme sans imagination, qui ne croyait pas aux démons mais aux causes et aux effets, à un système de lois naturelles, ordonnées par Dieu.

« Sais-tu en quoi ils croient ? Dans la puissance de la volonté, dit Annie, solennel. Les diverses volontés de la nature ne sont pas différentes de celles d'un homme ou d'un diable, juste un peu plus puissantes. » Il avait repris l'accent écossais. « T'as une réponse à ça, Stoddy ?

— Il y a les lois de la nature humaine, Annie.

— Si tu le penses, alors tu fais de la psychologie, mon pote. »

Cela eut l'heur de plaire à McIntosh, bien que son expression n'en laissât rien paraître.

« S'il y a une chose qu'ils adorent, reprit l'instant d'après Annie, c'est l'inconstance, le sort, la chance, l'improbable. C'est peut-être là un penchant qu'on a tous, blancs, jaunes, rouges, bleus, qu'en penses-tu, Stoddy ?

— J'aime bien parier de temps en temps, répondit le vieux marin. Mais il y a des lois, ici aussi, je parle des chances, des probabilités, sinon il n'y aurait pas de bookmakers.

— Très juste, Stoddy. Très juste. Je suis dans une impasse, mon pote, et faut pas faire d'erreur. » Secouant la tête, Annie sortit sur le pont. Il s'appuya au bastingage et enleva sa casquette, laissant la brise souffler dans ses cheveux.

Peter Storch était responsable des quarts de veille de nuit qui commençaient à minuit, et Annie monta le saluer avant de gagner son poste de travail, comme c'était l'usage. Le bateau était déjà à quatorze heures de Manille, et le temps ne pouvait être plus favorable. Storch était dans la salle des cartes, consignant son rapport sur le livre de bord.

La relève du timonier était déjà sur le pont. Annie dit à Storch : « Il y a une nouvelle station à Shanghai, monsieur, et elle diffuse de la musique de danse. Ça vous dirait de descendre l'écouter ? La réception est parfaite, cette nuit. »

Le « monsieur » était ironique, bien entendu. Annie n'avait pas d'attirance pour le quartier-maître Storch mais ce n'était pas sa faute, au bonhomme, plutôt celle de la nature. Storch le remercia poliment avec un sourire vide ; il n'était pas du genre à apprécier une chanson d'amour à la radio.

Annie descendit au pont A, gagna sa cabine et referma la porte. Il sortit de sous sa ceinture le revolver qu'on lui avait remis, le déchargea et le démonta. Il prit son couteau suisse et avec son aide entreprit de tordre la pointe du percuteur de deux ou trois degrés. Ce ne fut pas une tâche facile mais, après ça, on pouvait presser la détente sans que parte un coup de feu, parce que le percuteur frappait à côté de l'amorce.

Annie remit l'arme en place sous sa ceinture et puis ouvrit sa valise pour y prendre son Walther et le fourrer dans son caleçon de grand-père, tenu par une cordelette et non un élastique, ce qui était parfait pour soutenir un automatique peu encombrant juste en dessous de la panse à bière. Le canon reposait familièrement contre la large racine de sa bite, le tout invisible sous l'ample pantalon de treillis kaki doultryesque.

Annie sortit aussi le miroir en bronze (qu'il considérait comme le sien, pour le moment du moins, car Mme Lai ne le lui avait pas réclamé). Annie examina son reflet. Dans la cabine ombragée, dont le hublot donnait sur le pont en dessous de la promenade, la lumière était parfaite pour le miroir. Bien entendu, il s'était lui-même retaillé la barbe. Il avait sacrifié les deux formidables pointes, non pour des raisons esthétiques mais pour avoir l'air d'un capitaine de bateau, et non de quelque démiurge chinois à la sauce Mephisto. Pour dire la vérité, il les avait bien aimées, ces deux pointes, en dépit du résidu de peinture rouge à l'aspect de sang séché. Mais il ne pouvait plus maintenant se permettre de semer la surprise dans les regards, étant donné les très épineuses conditions de sa mission.

Il reposa le miroir et s'en fut prendre sa veille à la porte à côté.

M. Peter Justice, l'un des opérateurs radio du *Chow Fa*, était un métis chinois. C'était un homme agréable, cultivé et à la voix douce, qui rappelait à Annie le comédien Warner Oland, mais sans la malice de ce dernier. La raison pour laquelle sa mère ou lui-même avait adopté le nom de Justice était une question qu'apparemment personne, hormis Annie, ne lui avait posée. « Ce n'est pas vraiment un nom, avait répondu l'intéressé, c'était un espoir. Un espoir vain. »

Peter Justice accepta une des Woodbine d'Annie quand celui-ci vint prendre son quart. Justice l'informa qu'il venait juste d'envoyer un R.A.S. au cap d'Aguilar, à Hong Kong, ainsi qu'un appel de vérification à la station sans fil de Canton sur 1 800 mètres. Le signal émis de Canton était très faible, rapporta-t-il encore. Peter était un garçon scrupuleux, toujours soucieux de tester les conditions de transmission.

Annie lui souhaita bonne nuit et s'installa à son poste. Il régnait toujours dans la cabine radio une odeur âcre et acide provenant des batteries de secours entreposées dans un coin.

Il rabattit la clé de morse, qui était faite d'une manette de cuivre, d'un ressort dont on pouvait régler la tension, d'un espace entre les deux pointes ou cosses (qu'on pouvait ajuster) et d'un gros bouton noir de bakélite. L'instrument ne manquait pas d'élégance.

Annie coiffa les écouteurs, tritura le code pour voir si Shantou était bien là, à 1 800 mètres. Shantou avait été pendant un moment occupé par le maréchal Sun Chuan-fang ; cela faisait partie de son domaine. Quand il s'était retiré, les nationalistes avaient pris la relève, et depuis, la station émettait avec une irrégularité fantaisiste. Les communistes en faisaient la vitrine de leur intransigeance anti-impérialiste, mais Hong Kong, de son côté, faisait entendre clairement et fortement sa voix. La plupart des communications provenaient des bateaux marchands, qui signalaient leur position et relayaient pour la poste les télégrammes des passagers. Ceux de la première classe en avaient rapidement adopté l'usage : envoyer des dépêches pour affaires, c'était « classe » et moderne ; bientôt, disaient les plus convaincus, ils enverraient des câbles depuis leurs Cadillac et leurs Bentley.

Il fallait maintenant ajuster la clé, petite cérémonie importante qu'Annie accomplissait en réglant l'intervalle entre les deux cosses du petit levier de frappe. Ce réglage rappelle celui du violoniste avec ses cordes ou du poète, veillant sur la pointe de sa plume, ou encore le rythme de l'esclave maniant le grand éventail dans le salon de son maître le sultan. Annie altéra la course du piston de la manette jusqu'à son point le plus bas, un espace si réduit que même Peter Justice n'aurait pu manipuler. Annie aimait les clés serrées. Il pouvait envoyer vingt-cinq mots à la minute. Peut-être fallait-il chercher ici le soin avec lequel il entretenait la souplesse de son index.

Les gardes sikhs se relayaient toutes les quatre heures, au rythme des quarts de veille, mais à une demi-heure de décalage, afin d'éviter tout désordre. Ils avaient un système personnel de rotation, qui leur permettait d'être toujours six en service, de jour comme de nuit. Leur chef était un vétéran, ancien caporal des lanciers du Panjab, du nom de Jamal Singh. Il n'était pas jeune, aucun de ces hommes durs ne l'était d'ailleurs. Jamal Singh servait sur les bateaux depuis trois ou quatre ans. Il avait survécu à l'attaque du *Tung Chou* en 1925, et il prenait son travail au sérieux. Mais les Sikhs étaient toujours des gens fiables et très consciencieux. La police antipirates de Hong Kong était une unité bien organisée qui encourageait les soldats à la retraite dans la colonie de la Couronne à reprendre du service dans ses rangs, au point qu'en 1927, on en comptait deux mille. Mais l'efficacité qu'auraient pu avoir ces unités était sans cesse contrariée par les disputes à caractère paranoïaque déclenchées par le syndicat des officiers de marine chinois sur des questions touchant à l'autorité. À qui les gardes devaient-ils en premier témoigner leur obéissance ? Au superintendant de la police ou bien au commandant du navire sur lequel ils servaient ? Sur le plan strict de la discipline, la question restait sans réponse. Seule la valeur au combat de ces Sikhs restait indiscutable. Les pirates s'attaquaient d'abord aux gardes, et ces derniers avaient déjà payé un lourd tribut. Il appartenait au commandant d'abandonner son navire. Mais qu'il s'y résignât ou non, les Sikhs se battraient jusqu'à la mort.

Un système de sécurité n'est valable qu'en fonction des hommes qui l'appliquent. On savait ainsi par expérience que le navire était le plus vulnérable au moment de la relève de la garde, et ce moment était venu, comme s'en assura Annie en jetant un coup d'œil à sa Rolex.

La première faiblesse du bateau concernait sa configuration. Jusqu'à ce qu'on commence à dessiner des navires réservant au détachement de gardes indiens un espace situé dans les quartiers des officiers, ces hommes partageaient ceux de l'équipage, à l'avant ou (comme sur le *Chow Fa*) à l'arrière, avec les stewards et les cuisiniers. Placer les Chinois opérateurs de radio derrière les portes d'acier et les grilles de la « citadelle », sur le pont du rouf, avait déjà fortement bousculé les conventions et changé la nature (raciale) des installations. Il n'y avait donc pas de place pour les gardes. Ainsi, la relève devait-elle se faire dans les deux sens par les portes blindées. Sur le *Sunning* et le *Seang Bee*, sans parler d'une dizaine d'autres bâtiments, c'était ce moment que les pirates avaient choisi pour l'abordage, balayant les ponts sous la mitraille.

Annie laissa ouverte la porte du poste radio. Par le couloir, il pouvait entendre le pas lourd des hommes bottés, qui prenaient position. Il les avait déjà observés, et les imaginait avec leurs barbes et leur solide vigilance. On ne révélait pas laquelle des portes serait utilisée, bâbord ou tribord, jusqu'à ce que les quatre de relève viennent se positionner devant, leurs fusils Greener en travers de leurs poitrines. Derrière la porte, un homme déverrouillerait — il n'y avait ni meurtrière ni œil-de-bœuf sur le côté dangereux, comme ils l'appelaient — pendant que deux de ses compagnons le couvraient de derrière les plaques d'acier au pied de l'échelle menant au pont. Le quatrième homme restait en haut, près de la porte grillagée, protégeant ceux d'en bas. Aux côtés du Sikh se tenait le quartier-maître Storch, son 44 au poing, espérant de tout son cœur un peu d'action.

Annie écouta les ordres donnés avec politesse par le caporal Singh, relevé de son poste. Il écouta le martèlement de pas des entrants et des sortants, les joyeux échanges en panjabi, et puis tout fut de nouveau tranquille sur le *Chow Fa*.

En dessous, sous le pont, un exercice semblable se déroulait devant les portes de la salle des machines. C'était là un devoir que n'appréciaient pas les Sikhs, qui n'en demeuraient pas moins stoïques. Le fonctionnement des chaudières incombait au mécanicien en chef, mais les gardes se devaient d'être là, à supporter la chaleur. L'opinion générale inclinait toutefois — et ce d'un point de vue stratégique — à considérer superflue cette protection rigoureuse de ces régions motrices, bien que vitales. C'était le poste des opérateurs radio qui représentait la première des cibles ; si une attaque échouait à neutraliser sur-le-champ les transmissions, tout S.O.S. amènerait la marine de guerre. Bien sûr, il fallait à cette marine le temps de bouger mais, une fois en mer, elle serait tôt ou tard en vue du bâtiment tombé dans les mains rapaces des pirates. Avoir la marine royale aux fesses n'était pas une plaisanterie, même pour un pirate chinois.

Annie se cala sur son siège en position de somnolence et, le casque aux oreilles, écouta Hong Kong. À dix heures moins le quart, le garçon de cabine lui apporta un petit pot de café. Annie sirotait sa première gorgée, les lèvres en cul de poule, quand on frappa à sa porte, et Harry Stokes glissa la tête à l'intérieur.

« Salut, Annie.

— Ohé, Com », répondit Annie, le « com » désignant le commissaire de bord. Le bonhomme était comptable, comme M. Chung. C'était un type solide, respectueux des lois, amical et infatigable pédéraste, qui avait un mignon dans chaque port. Annie s'était montré très aimable avec lui, tout en maintenant ses distances. Se lier d'amitié avec les gens ne faisait pas partie de sa mission ; cela pourrait même se révéler une gêne, comme le prouvait la présence de Harry dans son poste. Annie se maudit, jurant à haute voix : « Putain de toi ! » Il avait pris l'habitude de bavarder avec le com et McIntosh devant une tasse de thé dans la salle à manger.

« J'ai pensé que je pourrais alléger un peu ta solitude », dit Harry Stokes, se glissant dans l'espace étroit.

Annie le regarda.

« Je peux apporter mon café ? » demanda Harry. Il tenait sous le bras le magazine *Everybody*. C'était un très bel homme, blond avec une légère taie sur l'œil, si petite qu'on la remarquait seulement quand il vous regardait droit dans les yeux. Ce qu'il faisait souvent, conscient du trouble que provoquaient ses beaux yeux bleus. Mais c'était aussi un rude gaillard, qui avait le coup de poing facile. On ne pouvait s'empêcher de l'aimer.

Annie garda le silence. Penché devant son petit bureau encombré du radio-télégraphe, l'extincteur accroché au mur et le ventilateur bourdonnant méchamment au-dessus lui, il sirotait son café avec un air de grande lassitude.

« T'aurais pas par hasard une Woodbine avec toi, l'ancien ? demanda Harry.

— Va te faire foutre.

— Je te demande pardon ?

— Va te faire foutre, putain de pédé, avant que je te pète la gueule, grogna Annie. Essaie jamais de te glisser dans mon froc, sinon je t'arracherai la bite et te la ferai bouffer. »

Harry le regarda comme s'il avait un dément devant lui. Cet homme jeune et costaud, dans la pleine force de son âge, était bien trop abasourdi pour se mettre en colère. « Mince alors ! » dit-il d'une voix sifflante. Puis il sourit, un peu embarrassé peut-être, mais sans plus, et promena un vague regard dans le poste radio. Il y avait une ou deux pin-up collées au tableau de permanence. Il y en avait une, une brune, qui retint brièvement son attention.

Pendant ce temps, Annie restait assis, se massant les tempes entre ses doigts, les yeux fixés sur le cadran de sa machine électrique. On avait l'impression qu'il remplissait tout l'espace. Finalement, Harry le laissa, refermant sans bruit la porte derrière lui. Il était très attaché à Annie, mais il devait admettre que le bonhomme était bizarre.

Annie écoutait une fois de plus Hong Kong. Un gros navire japonais, le *Manshu Maru*, rapportait sa position au large des Pescadores, par un temps de brume. La réception était irrégulière. *Le brouillard est le complice de tous les malfaisants et des Héros vertueux de la Bannière jaune, dont je fais partie à part entière. Alors, allons-y.*

Il alluma le transmetteur. Il fallut quelques secondes à l'appareil pour chauffer. Il le régla sur 1 350 mètres et transmit le message : « Humpty et Dumpty sont assis sur le mur. » Il le répéta deux ou trois fois et attendit, l'oreille tendue, jusqu'à ce que de tout là-bas lui parvienne une réponse.

Le garçon de cabine frappa à la porte avant d'entrer pour demander : « Un peu plus de café ? Il y a en plein à la cuisine.

— Non, merci », répondit Annie en feignant de griffonner dans son carnet. Le garçon parti, Annie ôta ses écouteurs et remonta le Walther de sa cache pour vérifier que le cran de sûreté était mis. Le problème avec un Walther, c'est qu'il est difficile de sentir le cran de sûreté avec un doigt glissé sous la ceinture d'un caleçon long. Quand il eut remis l'arme en place dans sa niche, il se leva, sortit en partie le transmetteur de son logement et, adroitement, avec un tournevis, ôta un petit mais indispensable composant de la radio. Laissant chuter ce dernier dans son ample poche, il poussa la porte et fit un pas sur le pont.

Il y avait là deux gardes. Ils bavardaient dans l'ombre, l'un d'eux appuyé au bastingage. Les deux hommes jetèrent un regard à Annie. Les Sikhs avaient toujours une allure un peu raide, même quand ils s'accordaient un moment de détente. L'un d'eux en frisa même sa moustache. L'autre, maternant son fusil dans ses bras, s'éloigna vers l'avant. La consigne exigeait qu'il y eût en permanence un garde devant chaque porte menant au pont A. En sentinelles exercées, ils échangeaient leur place et parlaient de sexe. Les Sikhs sont des chauds lapins. Celui qui s'éloignait regarda dans les yeux Annie qui, tel un amiral, surveillait la scène, et le salua avec une martiale élégance.

Annie, appréciant le geste, lui rendit son salut. Puis, comme l'homme s'éloignait, il s'approcha du bastingage, se pencha un bref instant vers les eaux noires et se tourna pour regarder le mât de misaine.

Il y avait bien une lumière là-haut mais ce n'était pas celle que cherchait Annie ; celle qui l'intéressait avait un éclat plus mystérieux. Fronçant les sourcils avec une expression de rage folle, il lança des injures à l'antenne de radio. Ce n'était qu'une longueur de câble nu d'une trentaine de mètres, tendu entre le mât de misaine et la première cheminée. À mi-distance, un second câble descendait sur le pont et, de là, suivait une voie intérieure jusqu'au poste radio.

« Saloperie de saloperie ! grondait Annie. Je vais la baiser, cette saleté ! »

Il tourna un regard furieux vers le garde, qui s'appelait Mohan et était un solide gaillard aux traits grossiers. « Quel est le crétin qui a trafiqué mon antenne ? » Et de pointer un doigt épais vers le ciel, le regard querelleur, vengeur.

Ce n'était pas la première fois que Mohan se faisait rabrouer, mais avec Annie ce n'était pas pareil. Le Sikh n'en garda pas moins son calme et son fier maintien. L'antenne dont parlait cet Angliche était là, exposée aux yeux de tous, traçant un trait qu'éclairaient les feux de position. Mohan n'entendait rien à ce que lui racontait Annie, et il le fit savoir d'un ton sec : « Je sais pas, sir ! »

Annie grimpa jusqu'au pont. Le quartier-maître chinois, qui était à la barre avec son équipier, sentit la colère dans les pas qui se rapprochaient et il évita le regard d'Annie. Peter Storch était en bordure du pont, fouillant la nuit avec les mêmes jumelles que celles du capitaine Wang. Annie s'approcha de lui. « Il y a une merde avec cette foutue antenne », dit-il en pointant son tournevis.

Depuis le pont, le câble aérien était beaucoup plus proche, et le câble entrant arrivait dans une boîte de dérivation fixée à la paroi de la timonerie, à deux pas. Et ce fut cette boîte qu'Annie entreprit d'ouvrir en marmonnant tout seul sous le regard étonné et les questions imbéciles du jeune Storch. Le gars n'y connaissait rien en radio, ce dont Annie s'était auparavant assuré.

« Pas de portée, je capte rien. » Il tapota la boîte de dérivation. « Là, ça va, tout est en place. » Il revissa le couvercle. « Il me faut un isolateur. Le haut du mât ou la cheminée, qu'en penses-tu, Peter ? »

Annie regardait la cheminée. Dans la lumière qui se reflétait depuis le pont-promenade en dessous, on pouvait voir au bas de la cheminée l'isolateur en verre, auquel l'extrémité de l'antenne était fixée. « Peter, dit Annie, faut que j'aille vérifier cet isolateur. Il est peut-être cassé.

— Ah, Doultry, dit Storch, ça pourrait pas être un sabotage, ça ? »

Annie lui jeta un regard sombre et descendit l'échelle. « Ça se pourrait bien, Peter. Il y a au moins une chance sur un million que ce soit un sabotage. »

Annie gagna la porte d'accès au pont A. « Ouvrez ! Ouvrez ! » cria-t-il à Mohan. L'autre garde était là aussi. « Antenne kaput, annonça Annie. Kaput, compris ? Kaput pont supérieur.

— Je parle anglais, sir, dit Mohan en sortant une de ses clés de la poche de son pantalon.

— Alors, tu peux venir avec moi, camarade, dit Annie. Il me faut une escorte. C'est peut-être un sabotage. »

Mohan comprenait parfaitement le sens de ce dernier mot. Il ouvrit le petit hublot de la porte à bâbord. Il pouvait voir le pont-promenade, sur lequel on pouvait compter quelques passagers de deuxième classe, tous asiatiques, se tenant devant l'entrée de leur salle à manger, située tout au bout, à une quinzaine de mètres de là. Mais l'ouverture de la porte était un exercice exigeant la prudence, et l'autre garde couvrit Mohan qui sortit derrière Annie.

Annie grimpa l'échelle menant au pont des embarcations, l'escorte dans son sillage ; de là, il monta une autre échelle réservée au personnel, comme l'indiquait la pancarte, et, de là, accéda au toit du rouf, encombré de ventilateurs et de bouches d'aération. La première cheminée était à quelques pas de là. Elle semblait immense. Sa couleur bleue pâlissait dans le ciel éclairé d'étoiles, et elle jetait un panache de fumée que la brise se hâtait de disperser.

Annie détacha le cordage qui montait le long de la cheminée jusqu'à l'antenne, et descendit cette dernière. Elle ressemblait à une corde à linge. De la musique montait du salon de première classe, qui s'ouvrait sur le pont-promenade juste en dessous et, à la voix de l'abominable Al Jolson, se mêlaient des rires. Il y avait cinquante passagers en première, des Blancs pour la plupart — Anglais, Américains, Allemands, et quelques hommes d'affaires philippins, impeccablement vêtus comme toujours, certains accompagnés de leur épouse. Même les Chinois aisés voyageaient en seconde ; pourquoi jeter l'argent par les hublots ? (Mais entre eux, ils prétendaient éviter ainsi toute promiscuité avec les diables blancs.)

Bien entendu, l'isolateur de l'antenne fonctionnait parfaitement. Mais Annie le tripatouilla en jurant dans sa barbe pour impressionner Mohan. « Trafiqué, ça ! Trafiqué ! répétait-il. Tu vois ça ? » Il exhiba une petite longueur de câble qu'il avait glissé dans sa poche avant de quitter sa cabine. « Du sabotage ! » dit-il entre ses dents.

Après avoir fait semblant de procéder à une réparation et hissé de nouveau l'antenne à sa place, Annie ouvrit le chemin de retour vers les portes du pont A d'un pas aussi rapide que furtif. Il ne cessait de grommeler à Mohan que l'antenne avait été volontairement détériorée, et le Sikh ôta la sûreté de son fusil à pompe Greener pour couvrir leur retraite en jetant des regards farouches de tous côtés. Il faut ici mentionner que ces Greener, de calibre 12, étaient chargés à chevrotines et représentaient un excellent choix dans des combats rapprochés avec une bande d'assaillants. Ces fusils étaient semblables aux Winchester dont le général Pershing avait équipé ses hommes combattant en France en 1917.

Annie tapa à la porte d'acier. Derrière lui, Mohan couvrait le pont-promenade. Le hublot bâbord s'ouvrit, et le regard de Peter Storch plongea dans celui d'Annie. « Sabotage, lui souffla Annie.

— Nom de Dieu ! s'écria Storch. Ah, les porcs ! »

La serrure claqua, le lourd battant s'ouvrit. Annie allait passer quand deux coups de feu claquèrent, presque à ses oreilles, et Mohan s'écroula sans un mot, deux trous dans la tête.

Annie pivota sur lui-même avec une pirouette exquise tout en sortant son arme. Un Chinois, armé d'un gros automatique, se pencha par le bastingage au-dessus et vida son revolver en direction d'Annie, sans le toucher, car cela faisait partie du plan. Ce dernier fit feu sur l'homme, qui n'était qu'à quelques mètres de lui. Clic ! fit le percuteur, dont il avait dévié la pointe, et clic ! et clic ! encore, tandis que deux hommes sautaient du bastingage avec une agilité de singe, et couraient vers la porte en faisant feu de leurs armes. Les balles ricochaient sur l'épais battant d'acier, épargnant toujours Annie qui, en gueulant « Putain de Dieu de flingue ! », se jeta au sol en travers de la porte non sans feindre de trébucher sur le corps de Mohan, et cela pendant que l'autre Sikh déchargeait son fusil sur les assaillants, bien qu'il fût surtout préoccupé de refermer la porte.

L'affaire avait été remarquablement bien calculée. La chute d'Annie était digne d'un numéro de cirque, et il dédia sa performance à l'amant préféré de sa mère, un acrobate d'origine italienne.

Au moment où Annie tombait, Peter Storch faisait donner son cher 44 à travers le hublot. Il tua un attaquant, le garde en eut un autre, comment auraient-ils pu les manquer à cette distance ? Mais les deux suivants parvinrent à la porte que le grand Sikh s'efforçait de refermer sur la jambe d'Annie qui ne cessait de jurer en pressant futilement la détente de son arme. Un pirate de petite taille, vêtu comme un représentant de commerce, lui marcha sur le dos en essayant de forcer le passage et, prenant une décharge de chevrotines en pleine poitrine, tomba sur lui dans un grand cri. Réagissant avec une grande présence d'esprit, Annie agrippa le corps pour rendre encore plus difficile la fermeture de la porte. Voyant cela, le Sikh entreprit de les haler, pour libérer le passage, mais la tâche était impossible, et le gaillard se fit tuer. Un bruit assourdissant de fusillade provenait maintenant de tout le navire, mais Annie pouvait entendre la puissante voix de McIntosh qui beuglait : « Fermez cette putain de porte ! »

Gisant aussi sur le ventre mais à quinze mètres de là sur le pont-promenade, Ying K'ou, qui commandait aux hommes de Mme Lai, visait très soigneusement avec un Mauser automatique. Il logea une balle à travers le hublot, d'où émergeait le canon du gros colt 44 de Storch, qui avait déjà trois pirates à son crédit. La balle vengeresse toucha le barillet du 44 et ricocha à cinq cents kilomètres à l'heure dans la bouche du quartier-maître, que celui-ci avait ouverte, tout à sa concentration sur sa visée. Émergeant derrière l'oreille, elle se perdit dans la mer, le fantôme du jeune homme la suivant de près.

Sur le seuil de la porte donnant sur la citadelle du *Chow Fa*, et de chaque côté de cette porte, il y avait maintenant un tas de corps, certains morts, comme Storch, d'autres blessés, comme le Sikh atteint deux fois, et le pirate qui l'avait touché avant d'encaisser lui-même une décharge de Greener qui lui avait arraché une bonne partie du bras. Il y avait enfin quelqu'un de bien en vie sous le tas sanglant... Annie Doultry.

Stoddy McIntosh, le second, arriva au pas de charge de sa cabine sur le pont supérieur. Armé de sa Winchester, il était en caleçon et ne cessait de brailler : « Fermez cette putain de porte ! » Il jeta un regard sur le pont-promenade en dessous et, découvrant le carnage, il fonça, tiraillant furieusement. L'une des balles passa en miaulant à quelques centimètres de la tête d'Annie, toujours à terre, et ce fut le seul tir qui frôla une cible quelconque. Il y avait maintenant six pirates en action à la porte, un pistolet dans chaque main et le cerveau saturé d'adrénaline. Deux d'entre eux étaient déjà dans le poste radio. L'un d'eux toucha McIntosh au ventre.

Le second se laissa choir sur une marche de l'échelle et se mit à secouer la tête d'un air navré.

Nu comme un ver, Peter Justice était dans le poste radio, s'efforçant d'envoyer un S.O.S., quand les assaillants firent irruption dans le réduit. Il leva bien haut les mains, et ce fut un miracle qu'ils ne le tuent pas.

Gisant sur le dos, Annie contemplait les étoiles à travers la fumée des tirs et l'âcre odeur de poudre. Deux morts gisaient sur lui. Il ne fit pas le moindre effort pour se dégager.

Ying K'ou, vêtu d'un élégant costume d'homme d'affaires, se pencha au-dessus d'Annie et lui fit un grand sourire. La fusillade se poursuivait maintenant devant les portes de la salle des machines, où l'un des gardes sikhs, armé d'une lance à vapeur, se taillait une légende. Le mécanicien en second était blessé à la main mais il gardait les portes fermées en dépit des horribles menaces que lui adressaient les pirates. Deux d'entre eux avaient été gravement brûlés par le jet de vapeur. Mais là où gisait Annie, tout était calme, à l'exception de quelques gémissements et jurons, certains en sikh, car le grand garde vivait encore, allongé à moins d'un mètre de cette porte qu'il avait si vaillamment tenté de fermer. Annie était couvert de sang. Du sang venant du pirate qui avait le premier goûté aux chevrotines. Annie lui-même offrait un triste spectacle : il semblait blessé et son regard était celui d'un homme proche de la mort. C'était peut-être pour l'encourager dans son passage dans l'au-delà que Ying K'ou lui avait souri.

Annie pouvait voir McIntosh, assis en haut de l'échelle, le menton contre sa poitrine. Ying K'ou, qui n'avait guère plus de vingt-cinq ans, gagna le pont supérieur, que tenaient ses hommes, n'accordant au passage qu'un bref regard au second qui, de toute évidence, n'en avait plus pour longtemps.

Annie s'extirpa des corps et se traîna jusqu'au bastingage, au pied duquel il s'assit. Deux autres hommes de Mme Lai passèrent la porte en enjambant les corps de leurs compagnons tués ; ils jetèrent un regard à Annie mais l'ignorèrent, car ils avaient pour consigne de ne pas s'occuper du *gwai lo* barbu, qu'il soit mort ou vivant. L'un d'eux ramassa les armes tombées, y compris les Greener de Mohan et de l'autre garde. Ce dernier avait perdu connaissance, et peut-être était-il mort. Annie espérait que ce ne serait pas le cas, parce que cela lui poserait un sérieux problème de témoignage, Peter Storch n'étant plus de ce monde. Annie réfléchit pendant un moment encore, écoutant d'une oreille distraite les coups de feu intermittents parvenant encore de la salle des machines et, beaucoup plus près, les détonations provenant du salon de première classe, où les pirates parquaient les passagers, les effrayant en tirant sur les lustres et les tableaux anglais. Il pouvait entendre la mer aussi, et le souffle court et laborieux de McIntosh. Mais Annie avait pris sa décision, et il plongea la main dans son pantalon, rentra son ventre et sortit son Walther de son caleçon. Puis, déchirant la chemise de son uniforme blanc, il saisit dans sa main gauche une poignée de chair dans sa hanche, ce bourrelet qu'on appelle « poignée d'amour », incluant sous sa couche de graisse les muscles obliques et massifs qui lui avaient donné au temps de sa jeunesse une plastique d'athlète grec. Et, tout en pensant à cela, il visa de son arme ladite poignée, tenant le canon à quelques centimètres de sa peau, afin d'éviter la marque d'une brûlure, et pressa la détente.

David Ogden, le chef mécanicien — un Londonien efflanqué et livide —, dormit pendant toute la première partie de l'action. C'était un buveur, avec dans sa cabine une armoire bien fournie en gin, et quand il se réveilla avec un flingue sur son front, il pensa aussitôt à une crise de delirium tremens. Homme de contrastes, Harry Stokes, le commissaire de bord — une fonction traditionnellement paisible —, se réveilla en sursaut et sauta sur sa Winchester deux secondes après les deux coups de feu qui abattirent Mohan.

Harry eut l'intelligence de monter sur le pont supérieur, au lieu de descendre comme l'avait fait McIntosh. En l'absence de Peter Storch, il restait le dernier officier de pont, et il courut fermer les grilles des deux échelles, qui n'avaient pas la solidité des portes du pont A. De derrière la grille à tribord, il voyait parfaitement le pont-promenade. Il déclencha un feu nourri sur les assaillants, et en blessa un à la jambe. Mais, comme aucun des deux timoniers ne tenait à l'aider et risquer une balle, il ne put défendre à bâbord, et il se retrouva sous un feu croisé. N'ayant aucun espoir de survivre à une situation pareille, il se rendit, indemne.

Les six autres gardes sikhs furent surpris dans les deux cabines qu'ils occupaient à l'arrière du navire par une volée de balles qui arracha chacune des serrures en même temps. L'un d'eux fut tué sans raison apparente, si ce n'est l'exubérance d'un pirate. Les autres furent ligotés avec un câble électrique et enfermés dans l'une des cabines.

Détail peu ordinaire chez un commandant de bateau, le capitaine Bristow portait un somptueux pyjama de soie à rayures vertes et blanches. Il s'était sagement rendu, après avoir tiré quelques balles symboliques. Les deux quartiers-maîtres chinois en avaient fait autant. Seul l'officier Storch, le second McIntosh et l'officier radio Doultry comptaient parmi les pertes du pont A.

Les défenseurs de la salle des machines défièrent Ying K'ou, jusqu'au moment où ce dernier amena le capitaine Bristow devant les portes closes et menaça de lui faire sauter la tête. Le capitaine Bristow, qui n'était pas un couard, ne proféra pas un mot, mais le mécanicien jugea enfin toute résistance inutile et leur ouvrit.

Ying K'ou avait, comme la plupart de ses vingt-huit hommes, voyagé en seconde classe. Bien vêtus, ils avaient un air respectable. Trois autres étaient montés en première classe : un honorable commerçant accompagné de sa secrétaire et de sa concubine, homme nanti aux pourboires généreux pour un Chinois. Ses bagages avaient fait l'objet d'une inspection toute formelle, qui ne risquait pas de mettre au jour le véritable arsenal dissimulé dans le double fond de ses malles.

Ils rassemblèrent les officiers dans la salle des cartes, qui jouxtait la timonerie. Le corps de Peter Storch resta là où il était tombé. Annie, qui offrait un terrible spectacle avec son corps couvert de sang, sa chemise déchirée et sa blessure bien visible, aida Harry Stokes à transporter McIntosh dans sa cabine, où ils l'allongèrent sur la couchette. Il n'y avait pas de médecin de bord, et aucun non plus parmi les passagers. Dans la première classe, l'épouse d'un homme d'affaires américain hurlait après un pirate qui s'était emparé de l'œil en verre de son mari et s'amusait à le faire rouler sur le comptoir du bar. Pendant ce temps, ses frères de la Bannière jaune fouillaient toutes les cabines, raflant toutes choses d'une quelconque valeur, qu'ils empilaient en tas dans le salon de première classe, sous la verrière. C'était leur très démocratique système de partage : tout ce qui valait quelque chose allait sur cette pile, et pas de tour de passe-passe. Mais les vêtements étaient une tout autre affaire ; deux hommes de Ying K'ou s'étaient coiffés de panamas, et un autre avait enfilé un smoking bien trop grand mais dans lequel il se plaisait énormément.

Dans la salle des cartes, le capitaine Bristow dit à Annie : « Vous feriez bien de nettoyer cette blessure, Doultry. Vous avez fait tout ce que vous pouviez, et plus encore, mon vieux. »

Il était 22 h 45. Le *Chow Fa* continuait de filer ses seize nœuds. Ying K'ou ordonna au timonier de garder le cap sur Hong Kong puis, pointant un fusil Greener sur Annie, il lui ordonna d'une voix sèche : « Toi descendre poste radio et envoyer message Hong Kong.

— Va te faire foutre », répondit Annie.

Harry Stokes était occupé à poser un pansement sur la blessure d'Annie. Le capitaine Bristow se racla la gorge. « Faites ce qu'il vous dit, Doultry. C'est un ordre. »

Escorté par trois hommes, Annie descendit au poste radio. Là, il sortit de sa poche le petit composant escamoté quelques heures plus tôt, le remit en place, envoya le signal « négatif » et réceptionna aussitôt la réponse de Hong Kong, à cinq cents milles de là. « J'ai envoyé ce message dans les règles de l'art, dit Annie à Ying K'ou. Parce que je me doute que l'un de vous trois connaît un peu le morse, d'accord ? Alors vous direz au capitaine de ce bateau que vous connaissez le télégraphe et que vous avez surveillé ce que je faisais

— Moi connais morse, dit Ying K'ou. Tu veux moi envoyer message ? Tip-tip-tip ? En chinois ? » Il était de très bonne humeur. C'était un fort bel homme, avec un visage d'aristocrate mongol et le corps d'une panthère. Quand il ne souriait pas, il avait un visage cruel aux traits lisses, avec des mâchoires finement dessinées. Harry Stokes ne pouvait en détacher ses yeux, une fois que le chef pirate eut regagné la salle des cartes, laissant Annie devant sa radio. Mais il ne faut jamais tirer de conclusion hâtive. Choisissant le bon moment, Harry sortit un trousseau de clés de sa poche et l'agita sous les yeux de Ying K'ou en disant : « Tu vois ces clés ? La petite, là, et la grosse ? Ce sont elles qui ouvrent la chambre forte, salopard. » Et il balança le trousseau à la mer par le hublot ouvert de la timonerie.

Pour toute réponse, Ying K'ou lui rit au nez et redescendit au poste radio, où Annie était enfermé et ostensiblement sous bonne garde. À la vérité, il était en train d'envoyer un autre message : « Humpty Dumpty sont tombés de très haut. » Il dut l'envoyer deux fois, sur la bande d'ondes convenue, avant d'obtenir une réponse : « Reçu cinq sur cinq », en chinois. Après quoi, en raison de la possibilité que leur dialogue ne soit capté par hasard par un tiers, plus rien ne parvint de l'opérateur radio de Mme Lai, un garçon de dix-huit ans, opérant sur un Marconi flambant neuf à bord du *Tigre-de-fer*.

Mme Lai avait capturé le *Chow Fa* avec vingt-neuf hommes dûment choisis, sans parler d'Annie Doultry qui s'était sélectionné lui-même. Il y avait quatre pirates tués, cinq blessés, dont deux mourraient le lendemain. La compagnie maritime avait perdu l'officier Storch, deux gardes sikhs et un chauffeur malais qui avait pris une balle perdue lors de l'assaut de la salle des machines. Parmi les blessés, le second McIntosh et le grand Sikh étaient dans un triste état.

Il n'y avait pas de morphine dans la pharmacie de bord. Quelle ironie dans cette Chine saturée d'opium ! Ils avaient allongé Stoddy sur sa couchette, et Annie vint lui tenir compagnie. L'homme souffrait beaucoup ; il avait les deux jambes paralysées, car la balle qui lui avait traversé le ventre s'était logée dans la colonne vertébrale. Le capitaine Bristow était là aussi.

Un des pirates, un très jeune homme, vint avec de l'opium et une pipe, qu'Annie prépara lui-même. McIntosh ne voulait pas fumer mais Annie insista, et l'effet calmant ne tarda pas à se manifester.

Bien entendu, les pirates avaient fait main basse sur le revolver d'Annie en même temps que toutes les autres armes du bord. Mais Annie s'était arrangé pour le récupérer, vidé de ses cartouches, bien sûr. Le second de Ying K'ou, un gros mais sinistre pirate en costume bleu marine d'homme d'affaires et répondant au nom de Li Yung Fen, le lui rapporta alors qu'Annie était au chevet de McIntosh. « Mauvais pistolet », dit-il à Annie en faisant une grimace.

Annie le démonta aussitôt. La courbure du percuteur était douloureusement visible. « Ah ! les salauds ! Regardez ça ! »

Le capitaine Bristow se pencha vers la pièce et secoua la tête. « Vous l'aviez laissé quelque part ? » demanda-t-il. Annie le regarda. « Non, il était dans ma cabine, murmura-t-il. Dans le placard. » Bristow secoua la tête derechef.

« Ces Chinetoques, balbutia Stoddy McIntosh, j'ai jamais pu avoir confiance en eux.

— C'est le sabotage de l'antenne qui nous a perdus, dit le capitaine.

— Ouais, c'est bien vrai, approuva McIntosh en tendant une main vers Annie. T'es un gars chanceux, mon gaillard. Un gars chanceux. » L'opium faisait maintenant son plein effet sur lui. « Non, pour être franc, ajouta-t-il, je les ai jamais aimés, ces bâtards. »

Annie détestait la vue du sang. Sur un ring, par exemple, une coupure au visage d'un boxeur le faisait grimacer d'empathie. Aussi, quand ils l'escortèrent de nouveau jusqu'au poste radio sur le coup des trois heures du matin, il en profita pour demander à Ying K'ou de nettoyer à la lance le pont A. Sa requête fut acceptée et aussitôt exécutée.

Il envoya de nouveau le message « négatif » sous de bruyantes menaces de mort pour impressionner la galerie. En vérité, l'affaire était idiote, car aucun commandant de navire n'aurait permis à un opérateur radio de s'exposer par son refus aux couteaux de pirates furieux, si toutefois un tel héroïsme était concevable.

Stoddy McIntosh mourut à quatre heures du matin. Il était seul avec Annie ; Harry Stokes était parti à la recherche de l'homme au complet gris qui avait fourni l'opium et s'était montré très obligeant. Stoddy serrait la main d'Annie dans la sienne, et ce dernier sentit les doigts se relâcher peu à peu et il observa le visage de l'homme qui rendait son âme.

Comme beaucoup ont pu le remarquer, on avait réellement l'impression d'une exhalation, d'un lâcher, semblable à l'essor d'un oiseau. Et bien qu'Anatole Doultry fût un mécréant et qu'il n'accordât pas la moindre foi à une quelconque notion mystique ou religieuse, chrétienne ou païenne, il n'avait aucun moyen de savoir si cette incroyance était fondée et reflétait fidèlement ses convictions. Annie était un penseur, après tout. Les couches de ses illusions étaient comme les pelures d'oignon. Il n'empêche, Annie rêvait d'un grain de vérité. Mais comme le sait quiconque en a pelé un, il n'y a pas d'oignon à l'intérieur d'un oignon, seulement une multitude de couches qui font sa substance même, nécessairement limitée, et rien d'autre après.

Quand il fut trois heures du matin, Ying K'ou envoya lui-même le signal, pour bien montrer qu'il n'avait pas menti. Il ne demanda même pas à Annie comment ça fonctionnait ni quel était le code. Il lui avait suffi d'observer deux fois la manœuvre et de lire les lettres naissant sous la clé de frappe. C'était un jeune homme très intelligent.

Le garde sikh qui avait reçu deux balles dans la poitrine ne mourut pas. Il avait une constitution très robuste et vécut encore bien des années avec un seul poumon. Ils l'avaient installé dans la cabine de Peter Justice, et ils se relayaient pour lui tenir compagnie. Ying K'ou accorda aux officiers une relative liberté de mouvements, puisqu'ils se montraient raisonnablement coopératifs. Son hémorragie arrêtée, le Sikh fut capable de faire au capitaine Bristow un compte rendu cohérent de ce qui s'était passé aux portes de la citadelle. Il se fit un devoir de vanter la bravoure de l'officier Doultry, qui avait tenté de repousser les assaillants avec un revolver défectueux (une attitude que dans son for intérieur l'homme attribuait au goût des hommes blancs pour l'exhibitionnisme, mais il était trop bien éduqué pour le dire). Il ne mentionna pas non plus qu'Annie, touché à la hanche, n'avait pas trouvé mieux que de tomber sur le pas de la porte blindée, empêchant sa fermeture et scellant ainsi le destin du navire.

Après cette conversation, le capitaine Bristow dit à Annie qu'il le recommanderait pour une médaille auprès du gouverneur de la colonie de la Couronne de Hong Kong.

Le *Chow Fa* poursuivit sa course et, le lendemain matin, sous un beau soleil, il adressa des signaux à un navire marchand et à l'*Athena*, un destroyer en patrouille. Ces signaux absurdes furent envoyés de la manière la plus conforme à la station du cap d'Aguilar (bien qu'en plein jour, la réception fût mauvaise). Des repas furent servis aux passagers sous les directives d'un des pirates, qui avait revêtu le complet sombre du maître d'hôtel, casquette à galons dorés comprise (coiffe qui se retrouva plus tard sur la tête d'un des canonniers de Mme Lai).

Comme on pouvait le prévoir, de nombreux passagers voulaient télégraphier qu'ils arriveraient en retard. Évidemment, cela n'était pas possible, mais Ying K'ou les autorisa à envoyer des messages personnels ou professionnels, à la condition qu'ils ne soient pas de nature à éveiller les soupçons. Il revint à Annie d'expliquer cela aux passagers, car c'était lui-même qui avait suggéré cette dérogation, afin de maintenir le flot de communications habituel sur un navire comme le *Chow Fa*, car un silence radio n'aurait pas manqué de surprendre. Plusieurs passagers sautèrent sur l'occasion en remerciant vivement ce beau diable de Ying K'ou, qui tenait son Luger pointé dans le dos d'Annie. Personne parmi les passagers ou les membres d'équipage ne soupçonna la raison de cette tolérance, tant la méconnaissance des liaisons radio était grande en ce temps. De toute façon, comme Annie le fit remarquer au capitaine Bristow, les pirates auraient pu envoyer de faux messages eux-mêmes, voire des vrais destinés à rassurer leurs propres familles.

À deux heures de l'après-midi, Ying K'ou ordonna au timonier de prendre huit degrés au nord. À sept heures du soir, dans l'aurore du soleil couchant, Annie pouvait apercevoir depuis la passerelle où il fumait en bavardant avec le capitaine Bristow le scintillement des récifs des Patras là-bas, à l'horizon, au nord-ouest.

À la nuit tombante, le *Chow Fa* jeta l'ancre sur une mer calme à un mille au sud des Patras, par douze brasses environ. Trois jonques étaient amarrées dans le lagon à l'intérieur du récif, où seule une jonque pouvait oser se risquer. Deux d'entre elles tenaient leurs toiles prêtes; elles s'engouffrèrent dans un passage, leurs voiles se détachant avec beaucoup de majesté dans la lueur crépusculaire. Le *Tigre-de-fer* restait dans le lagon, en partie dissimulé par le relief bas de l'île Patras. Mais ces grands mâts, Annie les connaissait. Et il parvenait même à distinguer l'antenne à l'éclat neuf tendue entre le grand mât et celui d'artimon.

La blessure d'Annie n'était pas une éraflure. Elle lui faisait un mal de chien. Comme tout le monde, il avait bien peu dormi. On parlait peu, et Annie, depuis la mort de McIntosh, n'avait plus rien dit, si ce n'est en assurant les communications radio.

Les deux jonques vinrent se coller à bâbord et s'arrimèrent au *Chow Fa*. C'étaient là les deux bateaux les plus rapides de la flotte de Mme Lai, deux fois plus petits que le *Tigre-de-fer* mais aux carènes si lisses, comme elle les avait décrites de ses mains. Des cris d'accueil explosèrent de part et d'autre, et Ying K'ou ordonna à l'équipage du vapeur de descendre les échelles de coupée, et quarante hommes de plus montèrent à bord.

Ceux-là étaient des pirates pur jus, panoplie au grand

complet, et non ces faux commerçants voyageant en seconde classe. Ils portaient leurs foulards rouges, leurs bandoulières et leurs couteaux, et tiraient des coups de feu pour le plaisir, de préférence sur les cheminées. Enfin, ils fichèrent aux passagers une trouille du diable, car ils étaient dévorés de passion par une seule chose : l'argent ! Le métal de lune !

8

La sagesse des perles

Les vrais pirates, bandits aux têtes ceintes de bandanas écarlates, abordèrent le *Chow Fa* avec la détermination sanguinaire des fourmis rouges. De sa position douloureusement inconfortable, Annie devina promptement leur dilemme, et ressentit un pincement de sympathie dans sa hanche blessée. Car c'étaient là des garçons qui se prenaient pour des pirates et qui avaient sans doute vu Douglas Fairbanks ou autres fiers-à-bras foncer à l'abordage d'un navire, hisser le drapeau noir à la tête de mort et ravir une jeune beauté hurlant de terreur. Ils savaient ce qu'on attendait d'eux. Et bien qu'Annie eût appris à respecter la discipline et la perspicacité de Mme Lai, il devinait chez ces jeunes Chinois un trop-plein d'énergie et un désir d'en découdre qui pourrait bien dégénérer. Il croisa les doigts avec l'espoir que ces têtes brûlées sauraient se rappeler qu'Annie Doultry était des leurs.

Les hommes du *Tigre-de-fer* étaient tout simplement de trop. La prise du *Chow Fa* — difficile et dangereuse — avait été menée à bien par quelques hommes déguisés en honorables commerçants voyageant en seconde classe et par Annie, sans parler de la sécurité défaillante du *Chow Fa* lui-même. Il était naturel que ces hommes coiffés de rouge eussent cruellement ressenti le manque d'action. Or, il se trouvait que le plus déconfit par cette situation était Tang Shih-ping, le maître des canons de Mme Lai. Pas un seul obus n'avait été tiré depuis le *Tigre-de-fer*. Qu'était devenu le tigre ? Où était passé le fer ? Aussi Tang vint-il à bord du vaisseau capturé avec tout un paquet de dynamite (matière fort abondante dans l'exercice de ses fonctions) et un besoin pressant de s'en servir.

Sa cible, bien entendu, ne pouvait être que la chambre forte, avec ses caisses d'argent. Certes, ces portes auraient pu être ouvertes en les forçant patiemment à la barre à mine ou soufflées avec une petite charge d'explosif. Mais le maître des canons voulait une grosse explosion, et tout le monde lui faisait confiance pour trouver la dose adéquate. Hélas, il posa quatre bâtons de dynamite, quand un seul aurait suffi. Et si ces trois de trop répondaient à un besoin émotionnel, ils se faisaient aussi l'écho de la ferveur des pirates. Annie remarqua en passant que les bâtons de dynamite étaient du même rouge que les bandanas serrés autour des têtes enfiévrées.

Le grondement de l'explosion fut tellement inattendu qu'Annie n'eut pas même le temps de se baisser ou de détourner la tête. Deux des pirates, impatients d'être les premiers à entrer dans la chambre forte (une belle histoire à raconter à leurs petits-enfants), furent soulevés et emportés comme des pantins de chiffon. De sa place, Annie pouvait voir les restes calcinés et épars des deux corps, définitivement perdus pour la reproduction. Le vacarme et la mort de deux de leurs compagnons ne firent qu'exacerber l'impatience des autres. Des mains se tendaient déjà vers les lambeaux de fer brûlant et, dans la fumée qui se dissipait, les caisses s'offraient pour la première fois aux regards. Ce fut alors que Ying K'ou, toujours vêtu de son impeccable costume à rayures grises de passager nanti, s'avança avec une poignée de ses Loups secrets et entreprit de haler les caisses dans la lumière.

C'était là le point culminant de toute l'affaire. Mme Lai était à présent sur le pont, impératrice recueillant le butin de quelque razzia aux marches de l'Empire. Ying K'ou la regardait, attendant les ordres, et Annie vit la pâle main de Madame griffer l'air, mimant inconsciemment le geste de rafler, comme si elle désirait elle-même éventrer ces caisses.

Mais ce fut Ying K'ou et sa barre à mine qui accomplirent la besogne. Ce fut lui qui déchira le bois et les épaisseurs de journaux protégeant la cargaison.

Et ce fut lui aussi qui découvrit le premier le saumon de fer — de grossiers lingots de métal, qui ne valaient guère plus que la barre à mine dont il venait de se servir. Il souleva l'un des blocs, comme si c'était le cœur d'un animal sacrifié, et le bruit des voix se tut, comme tombe parfois le vent sur la mer. Ce moment de silence funèbre et de désolation fut tel qu'Annie perçut de nouveau le clapotis contre la coque du bateau. Et ce fut dans cette bonace que l'implacable vérité s'imposa. Oh, d'autres caisses furent éventrées avec une frénésie porteuse de vengeance : sept autres en tout, et du minerai de fer compacté dans chacune. Annie lisait la consternation sur le visage de Mme Lai quand elle se tourna dans sa direction et le regarda, comme si elle lui demandait : « Cap'taine Doult'y, c'est vous qui nous avez joué ce tour ? » Et il comprit qu'il ne rencontrerait jamais personne sur terre (pas même son ex-épouse) dont il aurait tant à redouter, si jamais elle le déclarait son ennemi.

Annie sentait maintenant les pirates proches de la mutinerie ou du carnage, car un tel sort était trop injuste. Très vite, les survivants de l'équipage et les passagers furent rassemblés, tandis que Ying K'ou hurlait son intention de massacrer tous les officiers restés en vie, et son regard furieux incluait Annie Doultry. Mieux, il se proposait d'éventrer le capitaine Bristow et d'offrir ses entrailles à Mme Lai. Mais celle-ci s'était déjà éclipsée. Avait-elle jugé qu'il valait mieux se montrer discrète dans une situation aussi embarrassante pour son autorité ?

Il y aurait eu massacre sans la présence de Tang Shih-ping, le sage canonnier. C'était un homme de devoir, soucieux d'exactitude, comme le sont les gens de sa discipline. Il était horrifié par son propre excès de zèle, qui avait coûté la vie à deux de ses compagnons. Aussi, en véritable marin, il grimpa sur une caisse en brandissant un sabre volé à l'armurerie du navire.

« Êtes-vous devenus fous ? cria-t-il à ses hommes. Avez-vous oublié le coffre-fort du bateau ? Qui vous dit que l'argent n'est pas caché ailleurs ? Qu'attendez-vous pour fouiller partout ? »

Ce fut ainsi l'appât du gain qui calma les ardeurs des pirates et la honte qui les fit courir çà et là, tels des rats en quête de fromage. L'idée de Tang s'avéra payante. Dans la chambre forte, on découvrit dix mille dollars d'or, qui devaient servir de bakchich auprès de quelque seigneur de la guerre. Cette découverte, qui avait valeur de pourboire, comparé à ce qui avait été attendu, poussa les pirates à fouiller une fois de plus les passagers, ce qui leur valut de précieux bijoux, de l'argent de poche et de beaux étuis à cigarettes de chez Tiffany, sans parler des violences faites à leurs infortunés propriétaires.

Ce fut à ce moment que Mme Lai reparut sur le pont autant pour féliciter ses hommes de leurs trouvailles que pour garder le compte de celles-ci. Elle ne se donna pas la peine d'adresser un mot à Annie. Il n'était pourtant pas de mauvaise compagnie. Il présentait une blessure par balle (que cet idiot s'était lui-même infligée). Il avait couru le risque de se faire pendre pour le quart d'une cargaison de vulgaires lingots de fonte, plus quelques milliers de dollars à partager entre cent pirates et plus, sans parler de quelques bijoux. Il avait aussi assisté à la mort de Stoddy McIntosh, ni un vieux pote ni même un nouvel ami, mais un homme qui avait su ressusciter le passé. C'était lui qui, dans la cabine de Stoddy, avait rassemblé ce qui restait d'une vie de marin, et dans ces maigres affaires il y avait une vieille photo jaunie du *Thermopylae*, ce beau navire sur lequel Stoddy et lui, encore tout jeunes, avaient navigué, le seul bâtiment capable de rivaliser avec le fameux *Cutty Sark* dans la traversée de l'océan Indien. Annie éprouvait bien plus que du remords à la pensée que le pari qu'il avait fait eût d'aussi tragiques conséquences pour quelques-uns.

Puis il fut poussé durement jusqu'au pont-promenade où

Ying K'ou (qui s'était défait de sa veste grise) rassemblait des otages. Il avait choisi trois riches Chinois, dont il exigerait auprès de leurs associés une rançon de cent mille dollars. Et puisqu'il était lancé, il prit aussi Harry Stokes (dont il avait peut-être remarqué les regards avides) et... « Toi aussi, le *gwai lo* », dit-il d'une voix sifflante en pointant son index vers Annie Doultry, sans la moindre lueur de connivence.

Ce fut ainsi que Doultry et Stokes et les trois Chinois furent emmenés sur l'une des jonques. La nuit ne tarderait pas. Les Loups secrets détruisirent le poste radio, sabotèrent les machines du *Chow Fa* et laissèrent celui-ci dériver avec ses passagers. L'équipage procéderait à des réparations de fortune et finirait par rentrer à bon port, et, parmi les passagers, ce serait à celui qui raconterait la plus terrible histoire de piraterie, comment les pirates leur avaient pris jusqu'à leur dernier dollar, manquant égorger tout le monde. La légende de la piraterie ne meurt jamais.

Pendant ce temps, alors que la nuit tombait sur une mer calme, les jonques repartirent vers leur bateau mère et, aux premières heures du matin, s'arrêtèrent le long du *Tigre-de-fer*, toujours ancré dans le lagon de l'île Patras. Le lieu était plein de douceur à cette époque de l'année, mais Annie Doultry ne pouvait s'empêcher d'y voir le seuil du destin.

« Alors, qu'est-ce que tu en penses, Annie ? » C'était la dixième fois au moins que Harry Stokes lui posait la question. Ils étaient enfermés dans une cabine étroite, et Stokes n'avait certainement pas songé une seule seconde à poser sa main sur Annie. Non, il ne cessait de lui poser cette question qui n'avait pas de réponse mais à laquelle un homme s'accroche pour se convaincre qu'il n'est pas dans une cellule en train d'attendre la mort.

Annie allait lui faire une réponse brutale quand la porte s'ouvrit ; deux pirates lui firent sèchement signe de les suivre.

« Que Dieu te vienne en aide, murmura Harry.

— À toi aussi, mon mignon », grogna Annie.

Annie fut emmené à la cabine de Mme Lai Choi San elle-même, qui l'attendait dans la lumière tamisée d'une lampe. Son attitude n'avait rien de séduisant.

« Cap'taine, dit-elle d'une voix soupirante, nous avons perdu la chance. Vous avez trahi Montagne de Richesse ?

— Moi ?

— Tout le monde pose la question.

— Parce que je suis le *gwai lo*, le seul Blanc dans le décor ? Vous pensez aussi que je me suis blessé volontairement ?

— Je pense que c'est possible. Vous avez parlé à la compagnie du bateau ? Pour les avertir ?

— Si je parle à la compagnie, qu'est-ce que je gagne ? Une médaille, une récompense ? Combien ? Cinq mille dollars ? Et pour ça, je vais risquer de me faire trancher la tête par un de vos hommes ? Alors que je pouvais m'en faire quatre cent mille ? Ça et plus encore. Dites-moi, madame Richesse, qu'en pense une personne aussi intelligente que vous ? »

Mme Lai le regarda pendant un moment en semblant prendre du recul, comme pour mieux jauger cet homme étrange. « Peut-être que vous m'aimez, cap' ?

— Aimer ?

— Oui, aimer les femmes chinoises ? »

Annie réfléchit. « Aimer serait beaucoup dire. »

Cette conversation aurait pu se réchauffer et prendre une tournure intéressante. Du vin attendait sur une table, remarqua Annie. Mais, la seconde d'après, M. Chung entrait dans la cabine, une petite mallette de cuir à la main. Il avait le visage figé, comme gelé, pas seulement parce qu'il s'interdisait la moindre réaction au fait de la présence d'Annie chez Madame, mais parce qu'il avait aussi d'importantes nouvelles.

« Alors, M. Chung, dit Madame avec une impatience non dissimulée, pas d'argent ?

— L'argent, je pense, ça être seulement couverture.

— Couverture ? Pour couvrir quoi ?

— Ceci », murmura M. Chung.

Et il posa la mallette sur une table. « Je trouve ça sous la banquette d'un passager de seconde classe. Je remarque le cuir très neuf. Très bon cuir anglais. Je demande à moi pourquoi. »

Et sur ces paroles, M. Chung souleva le couvercle de la mallette et rapprocha la lampe. La lumière révéla un lit de velours de coton blanc sur lequel reposaient, tels des yeux, disposés en rangées bien nettes... des perles. Un long soupir échappa à Mme Lai. Ce n'étaient pas des perles ordinaires. C'étaient des perles blanches, fumées, crémeuses, des perles larges comme ses ongles, certaines comme des boules de roulette, et surtout il y en avait une douzaine d'un vert presque noir, les plus précieuses que la mer pût offrir.

« Combien ? » demanda Mme Lai. Elle savait que M. Chung avait déjà fait le compte et qu'il pouvait aussi en avoir glissé une ou deux dans sa poche, en souvenir.

« Trois cent huit, dit M. Chung. J'ai compté deux fois.

— Et la valeur ? s'enquit Annie, reprenant du service dans l'entreprise.

— Minimum, dit M. Chung, et on sentait qu'il était un homme prudent, quatre cent mille dollars. » Un bref silence. « Américains », il ajouta.

Mme Lai et M. Chung étaient maintenant très occupés à faire des plans et des calculs, sans parler de la pure jouissance éprouvée à tenir les perles dans leurs mains, à les soupeser, à roucouler devant leur beauté. Annie avait du mal à partager leur enthousiasme. Il sortit sur le pont du *Tigre-de-fer* et dut enjamber les corps des blessés et des morts. Il n'en fit pas le compte. Il n'avait pas l'esprit comptable de M. Chung. Il préférait ne pas savoir combien de pirates, de membres d'équipage et de gardes sikhs étaient morts par erreur, à cause de trois cent huit perles.

Il se retrouva appuyé à la lisse, sur la passerelle, là même où

Mme Lai aimait se tenir. Puis, sans se soucier de prendre une décision, il ôta l'uniforme qu'il avait porté sur le *Chow Fa* et le balança à la flotte. Il avait quelques vieilles frusques à bord, un habit comme en portaient tous les hommes, ici ; il y était un peu serré aux entournures, car il était de loin l'homme le plus grand et le plus gros parmi l'équipage, mais il s'y sentait plus à l'aise, comme un bateau débarrassé du faux pavillon sous lequel il aurait trop longtemps navigué. Accoudé au bastingage, il alluma une de ses dernières Woodbines.

Tôt ou tard, il lui en faudrait une nouvelle cartouche sinon viendrait le temps de la dernière bouffée, voire du dernier soupir...

« Vous êtes mélancolique, cap'taine ? » demanda Mme Lai. Même dans le cœur de la nuit, dans une position aussi avantageuse, il ne l'avait pas entendue approcher. On aurait cru un fantôme. Cependant, sous la robe de chambre rouge sombre, légèrement entrouverte, on devinait la chair couleur de perle que dévoilait la lune.

« Je regrette la mort de McIntosh, lui dit-il.

— Il y a trois mois, vous connaissez pas McIntosh.

— Il y a trois mois, très chère, j'ignorais votre existence.

— Vous voulez dire, vous êtes triste si une balle me tue ? »

Annie la regarda attentivement. Son diagnostic n'avait pas changé : elle était belle, très belle, mais mortelle, comme l'est un cobra quand il vous a repéré. « Ma foi, pour ce qui est de ça, dit-il, retrouvant soudain le parler d'Édimbourg, faut que j'le voie pour le croire.

— Alors, vous êtes désolé pour ce McIntosh. » On aurait dit qu'elle parlait de la perte d'un imperméable. « Vous êtes désolé pour vous-même, cap'taine. »

Elle avait raison, il le savait, et n'en ressentait ni rancœur ni colère. Il était conscient de manquer de cette impétuosité qui portait cette femme aussi bien à s'éprendre d'une chose qu'à la détruire. Et malgré le secret dont elle savait s'entourer, pourquoi était-elle manifestement attirée par lui ?

« Cent mille dolla's, cap'taine Doult'y, dit-elle avec l'accent le plus chinois possible pour l'agacer.

« Qu'est-ce que cent mille dollars, dit-il. Quand on en a vu un, on les a tous vus.

— Vous voulez venir dans ma cabine ? lui demanda-t-elle. Pour tenir les perles ?

— Non, merci, chérie. Je vais m'en griller une et réfléchir un peu.

— Après, peut-être que plus personne vous invite. »

À l'aurore, pendant que l'équipage prenait son premier repas (un petit déjeuner qui n'avait rien de l'idée que s'en fait un civilisé), Mme Lai Choi San parut sur la passerelle et demanda le silence. Elle portait une robe rouge, que semblait étreindre un tigre brodé de fil d'or, et elle avait pris soin de se placer dans l'axe du soleil qui se levait. Il était difficile d'échapper au sentiment qu'elle était la nouvelle aube, en tout cas une force capable de se mesurer au soleil lui-même. Et Annie pensa : *Quel succès elle aurait remporté à Broadway ou Hollywood !*

« Mes enfants », commença-t-elle, et un soupir de reconnaissance monta de cette bande soudée aux visages rudes. Ils donnaient l'impression qu'un vent réparateur soufflait sur eux. Plus encore, et avec une profondeur de sentiment comme ils n'en avaient jamais connue, ils voyaient en elle leur mère.

« Mes enfants, dit-elle, vous avez beaucoup souffert. »

Il se fit un murmure d'approbation.

« Vous avez donné votre courage et votre adresse pour cette grande aventure. Et vous avez été horriblement déçus. J'ai pleuré pour vous. Ma tristesse était si grande que je ne pouvais pas vous parler. Mais ce matin je suis là devant vous, mes enfants, et ma tristesse s'est envolée. »

Et on pouvait dire qu'elle était vraiment la mère de ces pirates, car ils souriaient à présent. Les cicatrices de leurs visages s'estompaient. Leur mère était là pour leur annoncer que c'était leur anniversaire. Ils savaient que quelque chose d'énorme allait se produire.

« Où la tristesse trouverait-elle place, reprit Mme Lai, quand c'est un tel triomphe ! » Elle hurla ce dernier mot, et Annie vit les pirates se tourner les uns vers les autres en demandant : « Qu'est-ce qu'elle a dit ? » Ce dernier mot était tellement audacieux, si peu en rapport avec leur situation.

« Les dieux sont avec nous, et je suis avec vous. Pendant la nuit... je ne pouvais pas dormir, dit Mme Lai en glissant discrètement un clin d'œil en direction d'Annie. Et je suis allée fouiller les bagages des passagers. Et nous avons été sauvés, mes enfants. Parce que dans une petite mallette en cuir j'ai trouvé des perles, des perles merveilleuses. »

Sur ces paroles, elle plongea la main dans la large coupe que lui présentait sa première *amah*, et la ressortit ruisselante de perles qui étaient en vérité si grosses que bien des années plus tard ces mêmes pirates retirés de la course jureraient qu'elles atteignaient la grosseur d'une balle de golf. Sur le pont, ce n'était que joie, émerveillement, extase. Ils formaient de nouveau une famille, une force, les enfants de leur mère. « On m'a dit, cria-t-elle par-dessus le tumulte, qu'elles valaient au moins trois cent mille dollars américains ! »

Pandémonium !

Le soleil se levait, et on aurait dit qu'il le faisait sous les effets de l'enthousiasme régnant sur le *Tigre-de-fer*. Tous les gongs et les tambours du navire battaient, et la joie folle et collective de l'équipage se fondit rapidement en un seul et même rythme. Annie s'étonnait plus que jamais de voir comment une bande d'individus pouvait devenir une foule — une force unifiée bien plus puissante que la somme de ses membres.

Des pétards explosaient. Et puis l'effigie de Tin Hau, déesse de ces lascars, fut promenée sur les ponts, chacun se prosternant à son passage. Le repas sommaire se faisait festin. Une file patiente de pirates avançait en piétinant pour passer devant la coupe de perles, chaque visage se figeant à la vue de leur opalescente beauté, et leurs mains se tendaient malgré eux, oh, pour les effleurer seulement, mais M. Chung était là qui veillait, et on ne touchait pas !

C'est au milieu de ces célébrations que Mme Lai retrouva Annie sur le pont.

« Vous ne buvez pas, cap'taine ?

— Le jour est encore trop jeune, répondit-il avec un sourire narquois.

— Je comp'ends », dit-elle, forçant de nouveau sur l'accent chinois, comme pour se moquer de l'accent même d'Annie qui se promenait entre Édimbourg et San Francisco. « Peut-être je vous montre une chose intéressante ? »

Annie suivit Madame dans la salle des cartes. Il y avait encore moins de place qu'auparavant, car sur une table qui prenait la moitié de l'espace trônait un poste sans fil, un Marconi, de loin le plus performant du marché.

« Cadeau pour vous, cap'taine, dit Mme Lai.

— Pour moi ?

— Si vous allez naviguer avec nous, il vous faut une radio pour jouer avec. C'est la meilleure. Vous aimez ? »

Oh, Annie était ravi, il devait l'admettre. Il prit place sur la seule chaise de la pièce et vit qu'il s'agissait du dernier modèle dont il avait entendu parler. Comment Mme Lai avait-elle pu mettre la main dessus ?

« Cap'taine, dit-elle, avant qu'il ait le temps de lui poser la question. Je voulais faire à vous un beau cadeau. Rien est trop beau pour mes amis. »

Annie contemplait l'appareil d'un air épaté, quand il lui vint soudain une bouffée de ruse, en même temps qu'une plaisanterie, le tout aux frais de Madame. « Je peux ? demanda-t-il en désignant le poste ?

— Bien sûr », dit-elle avec un sourire. Elle leva une main, et un pâle garçon, qui ne devait pas avoir plus de seize ans, apparut et s'inclina devant Annie. « Voici Mai Ying, dit-elle. Il sort de l'école de télégraphie sans fil, à Hong Kong, vous connaissez ?

— C'est la meilleure.

— Il est télégraphiste deuxième catégorie. Vous lui apprenez, cap'taine. »

Eh, voilà, Annie recevait un cadeau mais celui-ci était accompagné de ce jeune homme, qui avait mission de le surveiller et de limiter son champ d'action. *Très bien,* se dit Annie. S'il voulait frapper, il devait le faire vite.

Il alluma le transmetteur et le régla sur la longueur d'ondes de *Fortune-de-mer* (pas un seul détail de cette histoire n'est superflu). Puis, en dépit de ses récentes aventures et blessures, il raffermit sa main et se mit à taper :

Ils s'en vinrent à la mer dans une passoire,
Dans une passoire ils s'en virent à la mer.
Avec pour toute voile, une belle voilette rose...

« C'est quoi ? demanda Mme Lai au jeune Mai Ying.

— Trop rapide pour moi, répondit tristement le garçon.

— C'est juste une chanson de M. Edward Lear, expliqua Annie. Une chanson qui n'a pas de sens.

— Pas de sens ? » répéta Mme Lai. C'était un concept difficile à saisir pour elle. Cela fit sourire Annie, et lui confirma qu'il n'y avait pas de place dans l'âme de dame Chinoise pour le pur plaisir, qui était pour Annie la vie en soi.

« M. Lear aimait jouer avec les mots, dit-il. C'est idéal pour faire des essais de transmissions. Il aimait, par exemple, écrire des poèmes qui n'avaient aucun sens.

— Comment c'est possible ? » demanda la Chinoise méfiante qui sommeillait en Mme Lai. Le jeu, pour elle, exigeait toujours un chat et une souris, et ça n'était amusant qu'à la condition d'être le chat.

« Ma foi, répondit Annie, c'est quelque chose de très britannique que de paraître parfaitement sensé tout en étant fou comme un lapin. Tenez, en voici encore un exemple. » Et ses doigts tapèrent si vite sur la clé de morse que l'image de celle-ci se brouillait. Jamais encore il n'avait envoyé un message plus rapidement.

Dans une passoire, ils s'en virent à la mer
Mais ça les amena à Chep Lap Kok,
Ils s'en virent à la mer dans une passoire
Et soit pile là-bas lundi au plus tard.

Le visage juvénile de Mai Ying reflétait une grande perplexité. « On nous apprend pas ça à l'école, dit-il.

— Mais je vais t'apprendre, fiston, dit Annie. Ce p'tit gars est mon pote », ajouta-t-il en serrant le garçon contre lui. En vérité, la musique des mots qu'il venait de lâcher sur les ondes lui procurait une légère ivresse.

« Mai Ying, dit Mme Lai d'un ton sec, tu as beaucoup de travail devant toi. » Et le garçon s'inclina et rougit tout en s'émerveillant de la dextérité de la frappe d'Annie Doultry. Cela ne dérangeait pas du tout Annie d'apprendre le métier au gamin, qui se montrait attentif et poli, récitant des heures durant les sublimes sottises d'Edward Lear. Pendant ce temps-là, le *Tigre-de-fer* et ses jonques de soutien voguaient en mer de Chine dans une ambiance de fête, tandis que la radio du bord télégraphiait *Le Hibou et la Chatte* ou la *Tarte au calicot.*

Quelques heures plus tard, la flotte pirate parut en vue de l'île de Lantau, au large de Macao. C'était un bon mouillage de repos, car la côte à cette époque de l'année avait ses brumes comme un ivrogne ses migraines. Brouillées, les côtes et le relief semblaient se déplacer. Mais Annie était sûr d'avoir aperçu à un moment la forme particulière de l'île de Chep Lap Kok, un petit coin de terre entre Lantau et la côte.

La flotte jeta l'ancre, et en dépit de la brume, le mot de leur arrivée avait déjà circulé, car des sampans commençaient d'arriver de Lantau, amenant des filles de joie pour parfaire la fête qui se poursuivait à bord du *Tigre-de-fer.* La joie n'avait jamais cessé ni ralenti, et les ponts grouillèrent bientôt de corps encastrés dans de furieux coïts, au point de ressembler à une boîte d'asticots. En se rendant dans la cabine de Mme Lai, Annie Doultry dut veiller à ne pas marcher sur quelque partie tendre. Et bien qu'il affichât un grand calme au milieu de cette orgie, il n'était pas insensible à la vision de toutes ces filles qui, en pleine activité, souriaient à ce *gwai lo*, avec un air de dire : « Tu veux être le suivant ? »

Dans la cabine du commandant de cette exceptionnelle bande de pirates, Annie dit à Mme Lai : « Vos hommes dormiront bien cette nuit.

— Ils ont mérité, dit-elle. Nous avons tous mérité. Vous dormez bien aussi, Annie Doult'y ? »

Il n'y a pas lieu de s'étonner si, arrivés là, nos lecteurs et notre rude héros poussent de concert un soupir, car ne l'avaient-ils pas vu venir, cet instant où Anatole Doultry, Anatole comme M. France, et Mme Lai Choi San (une femme extraordinaire et très fatale) allaient avoir leur première nuit d'amour ? Si toutefois le mot « amour » est adéquat — une question à laquelle Annie lui-même n'avait jamais su répondre, aussi vaut-il mieux la laisser à votre appréciation. Mais, attention, si vous êtes facilement dégoûté par les choses que peuvent se faire deux êtres mûrs de sexe différent dans la cabine d'un bateau à l'ancre en mer de Chine par une nuit câline, vous avez toujours la ressource de sauter quelques pages. Sinon...

Elle était parfaitement nue dans la lumière de la lampe, et Annie était frappé de stupeur, à moins que ce ne fût la vérité qui enfin s'imposait à lui. Mme Lai était d'une beauté ineffable et prometteuse, mais le voyageur du monde qu'était Annie découvrit un bien délicieux contraste : les seins, les épaules, le derrière (Oh ! le ravissant petit cul !) étaient clairement chinois, mais les jambes longues, le ventre plat et cette courbe de sa gorge trahissaient du sang de femme blanche. À la vérité, cette authentique guerrière chinoise était peut-être (comme lui-même) une sang-mêlé, une espèce d'Eurasienne, la conjonction de tous les bienfaits et les péchés du monde, toute frémissante du désir de se faire empaler par le *gwai lo*, son *gwai lo*. Et cela excitait Annie, car il n'aimait rien tant que le mélange des mauvais genres.

Lorgnant à travers le trou de la serrure, l'œil novice de Mai Ying (qui avait tant à apprendre) vit les vêtements d'Annie tomber en tas à ses pieds, telle une statue qu'on dévoilerait, et le garçon eut un hoquet de stupeur — et peut-être ne serait-il plus le même après ça — en découvrant l'autre monument, la tour de pisse, l'énorme rostre du cap'taine Annie. Mme Lai ne pouvait détacher ses yeux de la chose. Agenouillée sur sa couche telle une petite fille disant ses prières, elle inclinait son visage vers le gland turgescent couronnant la hampe massive, et le garçon n'en crut pas ses yeux quand il la vit ouvrir si grand sa petite bouche pour engloutir quelques centimètres de ce gourdin écossais. Annie n'en revenait pas ; Mme Lai était comme une plante grimpante qui l'enserrait de tous côtés. Elle tenait dans sa petite main l'une des plus grosses perles noires, et sentant Annie proche de l'orgasme, elle la lui enfonça dans l'anus. « Ah ! s'écria-t-il. Je vais juter ! »

Elle ne pouvait lui répondre. C'est l'une des contraintes de la fellation que de priver de la parole qui s'y adonne. Mais rien n'est parfait en ce bas monde, et pourtant pour Annie la délicate mais ferme pression perlière exercée sur ses arrières (pour user d'une métaphore) était en parfaite symbiose avec l'éruption de sa queue. Il giclait, giclait, giclait — nous avons ici affaire à un héros. Il se recula pour inspecter les généreuses giclées, tel un plombier qui dirait à sa cliente : « M'en veuillez pas, ça s'arrêtera quand le réservoir sera vide. »

Finalement Annie Doultry se calma, et Madame, dont le menton luisait de semence, considéra d'un air satisfait le grand membre qui retombait lentement.

« Cap'taine Annie, dit-elle, vous avez de l'eau pour un désert.

— Et surtout pour vous, ma beauté, répondit-il.

— Vous m'aimez ?

— Moi ? dit Annie, feignant la surprise. Est-ce que je vous aime ?

— Oui, vous m'aimez, dit-elle.

— Dites-moi, chérie... votre maman...

— Oui ?

— Elle serait pas de Liverpool, Marseille ou Galveston, Texas ? »

La stupeur qui saisit d'abord son visage se mua en colère. Car Annie venait de soulever une inquiétude qu'elle n'avait jamais été capable d'oublier, et il était possible que sa position de chef de pirates fût mise en danger si pareille nouvelle s'ébruitait.

« Je l'ai vu dans votre chatte, ajouta Annie.

— Et moi, j'ai mis perle dans votre cul », répliqua-t-elle avec un sourire insolent.

L'œil brutalement déniaisé de Mai Ying vit ensuite Annie se lever et s'approcher de la table où était posée la coupe de perles. Il ramassa une poignée de ces grains de caviar géants et regagna le lit, son poing serré lâchant quelques perles.

« À nous deux, chérie », dit-il, et — Mai Ying en béa de stupeur — il poussa sa main entre les jambes de Madame et remplit sa précieuse cavité, y introduisant joyau après joyau. Elle poussa un cri de stupeur mêlé de douleur, mais la seconde d'après ou presque elle gémissait et exhalait un soufflement rauque, parce que le cap'taine l'avait retournée comme une crêpe, sur le ventre, pour lui enfoncer son majeur dans l'anus, de telle manière qu'il pouvait de l'intérieur sentir les perles et les faire bouger. Madame Lai les entendait presque se heurter entre elles, et elle ne savait pas si elle survivrait à ce plaisir infernal. Mais Annie savait ce qu'il faisait, et ainsi les perles roulaient sur la partie interne du clitoris, plongeant cette femme dans un plaisir et une reddition qui tenait à la fois du ciel et de l'enfer : le ciel, parce qu'elle n'avait encore jamais connu de telles sensations et un abandon aussi total, mais l'enfer parce qu'aucun homme ne l'avait jamais vue aussi offerte. Et Mme Lai Choi San tuerait tôt ou tard tout homme à qui elle se serait abandonnée.

Combien d'heures plus tard ? Qui s'en soucie ? Qui a compté ? Il faisait encore nuit. Annie Doultry se réveilla et sentit le doux balancement de la jonque à l'ancre. Il se trouvait toujours dans la cabine de Madame, réalisa-t-il à la vue de la lampe qui avait jeté une lumière tamisée sur leurs ébats. Il ressentait quelque échauffement dans son membre au repos, et ce glorieux furoncle de perle toujours logé dans son trou de balle. Mais qu'y avait-il d'autre ? C'était quoi, cette odeur ? Ce mélange de rose et de pourriture ?

Il lui fallut un moment pour accoutumer sa vision à la faible lumière, mais la chose était là, sur lui, exactement sur son nombril, formant une petite pile très artistique de... crème au chocolat ? Puis il perçut un léger ronflement et, tournant la tête, vit Mme Lai dormant enroulée sur elle-même d'un sommeil extatique. Bon Dieu ! comprit enfin Annie, cette petite salope lui avait déféqué dessus, en gage d'amour probablement. Il ne savait pas trop s'il devait s'en amuser ou s'en offusquer. Il tâtonna autour de lui à la recherche de quelque chose pour s'essuyer, et ne trouva qu'un couteau. Celui-ci convenait parfaitement à la tâche, car la lame était large, à ce détail près qu'il ne pouvait pas ramasser la pile sans se raser quelques poils. Œuvrant avec soin, il fut bientôt debout, avec un couteau chargé des excréments de Madame. Avec le soin d'un chef de cuisine et sans déformer la très féminine pyramide chocolat, il glissa ce dessert sur une assiette. Il contempla la chose un instant, et puis compris soudain ce qu'il devait faire. Il porta la main à son cul et, une seconde plus tard, elle était dans sa main, comme la cerise sur le gâteau... la sublime perle noire. Oui, son reflet lui tapait dans l'œil ; c'était précieux, élégant et mystérieux.

Tout ce qu'il avait à faire, maintenant, c'était de prendre une de ses grosses chaussettes de marin et d'en garnir tout ce dont il avait besoin dans cette cabine.

Annie déboucha sur le pont aussi discret qu'un fantôme, un fantôme qui ne portait qu'une chaussette. Mais, après l'orgie, il ne risquait pas de provoquer l'attention. Et ce fut sa pâle silhouette qui enjamba le bastingage du *Tigre-de-fer* et se servit d'une corde en prenant garde de ne pas se brûler les burnes pour se glisser dans les eaux chaudes du sud de la mer de Chine. À partir de là, il ne possédait plus rien d'autre que sa brasse lente et disgracieuse, car l'une de ses jambes ne cessait de plonger de biais, ce qui le contraignait à rectifier la direction.

Le jour se levait quand Annie sortit de l'océan et s'avança vers le rivage rocheux de Chep Lap Kok. Il s'arrêta, se demandant s'il n'était pas seul, nu et sans arme ni nourriture sur une grève déserte. Et puis, il aperçut les voiles de *Fortune-de-mer* se profilant dans la brume. Il sourit et redescendit la rive rocheuse.

À bord de *Fortune-de-mer*, Barney en personne était à la barre, restant aussi près du rivage que la prudence l'autorisait. Quelques oiseaux de mer tournaient autour du bateau. Puis, comme une nouvelle anse apparaissait, Barney aperçut une silhouette familière au bord de l'eau. Les deux hommes s'adressèrent un salut silencieux, et Annie fit quelques dernières brasses pour rejoindre son navire. En remontant l'échelle, sa blessure se remit à saigner et cela suffit à convaincre Barney qu'Annie sortait sûrement de la plus terrible des aventures.

« Dieu du Ciel, Annie ! gémit-il. T'as encore tout paumé ?

— Comme tu vois, il y a que moi et mes chaussettes, répliqua Annie.

— J'me suis demandé si t'avais pas pété les plombs avec ce truc d'Edward Lear !

— Ça t'a plu, hein ?

— T'es vraiment dingue !

— Le dingue te remercie, dit Annie en enlevant l'autre

chaussette qu'il avait solidement attachée à sa cheville, ce qui ne l'avait pas aidé pour nager. Il défit le nœud et, plongeant la main, en retira une poignée de perles.

« Dieu, Annie ! Combien ?

— Trois cent sept. »

Le nez de Barney était plongé dans les perles. « Elles sentent l'huître, Annie !

— Que veux-tu, soupira son capitaine, tout est dans la fraîcheur, Barney.

Barney le regarda enfin avec un sourire. « Annie, tu bats tous les records.

— Merci, Barney. Merci d'être venu ici comme je te le demandais. Maintenant, j'aimerais bien me mettre quelque chose sur le dos, et puis qu'on se tire vite fait d'ici, et je casserais bien une croûte aussi.

— On a des types après nous ? demanda Barney.

— Ouais, tôt ou tard ! »

Au même moment, une beauté profondément satisfaite, femme aux origines incertaines, se réveillait du sommeil lourd de la chair rassasiée, sans savoir qu'elle était proche de la ruine et de la fureur. Il vaut mieux, parfois, se rendormir.

Mme Lai Choi San ouvrit un œil, puis l'autre. Elle décroisa les jambes et sentit monter vers elle l'odeur de son sexe. Elle se sentait en paix... jusqu'à ce qu'elle se soulève sur un coude pour voir son amant endormi. Elle les connaissait, ces Blancs. Après l'amour ils dormaient pendant des jours. Mais Annie Doultry n'était plus là. Et puis elle vit le petit déjeuner qu'on avait disposé sur un plateau. Était-ce une plaisanterie ou le présage d'une cruauté plus subtile ? Elle vit alors la coupe vide sur la table et comprit que chaque perle qu'avait contenue son con avait été reprise.

Elle gémit. Hurla. Rugit.

Ses propres officiers s'étaient rassemblés devant la porte de sa cabine, mais ils avaient bien trop peur pour frapper et entrer. Il y avait dans les cris de leur mère trop de douleur pour s'approcher.

Mais Ying K'ou ordonna au jeune radio de regarder par le trou de la serrure et de leur raconter ce qui se passait.

« Madame... elle est nue. Elle est agenouillée devant la déesse Tin Hau. Elle a un couteau... oh ! elle s'est coupée avec ! Elle jure vengeance éternelle. »

Sur ce, Ying K'ou, prenant le commandement, regagna le pont et ordonna de lever l'ancre, toutes voiles dehors.

C'était une belle journée, et *Fortune-de-mer* fendait par fort vent le détroit de Hainan. Destination ? Haiphong, peut-être. Ou Singapour. Pour le moment, Annie jouissait de la vitesse de son bateau et du sac de perles en sécurité sur lui. Barney avait sorti le piano sur le pont et donnait de la voix :

« Oh, ma belle poupée,
Ma belle et grande poupée ! »

Mais un appel interrompit le charme. C'était un jeune marin, qui leur disait que la radio faisait des bruits. Annie se leva avec un grand sourire. Il se tourna dans la direction d'où ils venaient. Rien en vue. Il prit ses jumelles. Toujours rien en vue. Il descendit dans l'entrepont, pour y boire le filtre magique. La communication était tellement claire qu'il lui semblait voir le jeune Mai Ying taper durement la manette, un Mai Ying flanqué de Madame penchée sur son épaule. Le garçon progresserait vite. Pour le moment, le message était haché, avec des erreurs de-ci de-là, mais Annie lisait parfaitement ce qu'il disait :

« J'arrive, Annie Doultry. Tu ne m'échapperas pas. »

« On est pris en chasse, Annie ? demanda Barney.

— Pris en chasse ? répéta le flegmatique flambeur de vie et de vent.

— Pas de problème, cap', dit Barney. On va les semer!

— Barney, dit Annie Doultry, on n'a que le reste de notre vie devant nous. On est des hommes morts.

— Des hommes morts? Qu'est-ce que tu veux dire?

— C'est toujours ainsi que se termine le jeu, non? Ça n'a jamais été différent. Alors, profitons-en tant qu'on peut! »

Sur ces paroles, il tapa le message de réponse : « Salut, ma perle. Je mets cap à l'ouest. »

Il y eut un peu de confusion à bord du *Tigre-de-fer*, quand le radio rapporta le message d'Annie.

« Un mensonge! » siffla la voix de Ying K'ou, attendant les ordres de sa maîtresse.

Mais Mme Lai Choi San eut un sourire. Un mensonge? Ou bien une insolente vérité? Peu importait. Si elle prenait la direction la plus éloignée de sa proie, ma foi, la rondeur du monde remédierait à la faute. Et elle parcourrait les mers pour le restant de ses jours dans le seul but de lui trancher la tête, mais pas avant de lui avoir ôté bien d'autres parties. Mais... mais si Annie était bien l'homme qu'elle connaissait?

« Cap à l'ouest! » hurla-t-elle au vent.

Épilogue

Mystère d'une collaboration

par David Thomson

Plus de vingt ans après avoir été écrit, un roman paraît, *Fan-Tan* [1], aussi saisissant qu'inattendu. Il serait difficile de dire lequel de ses deux auteurs exerça le plus d'ascendant ou d'audace. Mais ils avaient bien des points communs, notamment un penchant pour une autodestruction flamboyante et un goût pour la création expérimentale, enfin les deux hommes s'appréciaient beaucoup. Le commun des mortels tombant sur ce livre pense savoir qui était Marlon Brando, et il vous demande de lui parler de Donald Seton Cammell. Comme si avec ce dernier la tâche était plus simple. Je ferai de mon mieux, mais ne vous étonnez pas trop si cette étrange histoire nous ramène finalement à l'énigmatique Brando.

Donald Seton Cammell est né à Édimbourg en 1934 ; son père, Charles Richard Cammell (1890-1969), était l'héritier des grands chantiers navals Cammell. Charles avait emmené sa première femme et leurs trois enfants vivre en France et en Suisse dans de magnifiques châteaux, où ce passionné de livres collectionnait les ouvrages. Mais après le krach de 1929 et ayant entre-temps divorcé, il revint en 1932 à Édimbourg, où il épousa Iona Macdonald, belle et jeune femme dont le père était médecin dans les Highlands. Donald (l'un des trois fils de cette deuxième union) était beau, brillant, et sujet à l'anxiété (il avait

1. Titre original du livre. *(N.d.E)*

traversé une période très dépressive dans son enfance). Mais son éducation avait été formidablement enrichie par les cercles littéraires et artistiques que son père cultivait.

Contraint de travailler après ses lourdes pertes financières, Charles publia des romans, fit du journalisme, et devint le rédacteur en chef du *Connoisseur*.

L'enfance de Donald semble avoir été protégée et heureuse, entre un père excentrique mais tendre, une mère aimante qu'il adorait, ainsi qu'un jeune frère, David, qui deviendrait un peu le disciple de Donald, qu'il soutiendrait dans tous ses projets les plus fous. Encouragé par ses parents, il dessina et peignit pendant une grande partie de sa prime jeunesse. C'est ainsi qu'il entra à l'Académie royale à l'âge de seize ans, mais tout cela n'était-il pas trop facile ? Quand son père publia une nouvelle étude sur Piero Annigoni, un portraitiste hyperréaliste qui était capable de reproduire la lumière de la peinture de la Renaissance et qui s'était rendu célèbre par un portrait flatteur de la jeune reine Elizabeth, Donald suivit Annigoni à Florence pour étudier. La bohème régnait dans la maison de l'Italien, et le jeune homme se lança dans ses premières explorations sexuelles.

À l'âge de vingt ans, en 1954, Donald Cammell était un homme en vue à Londres, un peintre de société très recherché, un grand séducteur de femmes, enfin un homme du monde, parfois sujet à des accès de mélancolie.

Donald ne tenait pas en place dans le Londres des années 50, un monde qui ne connaissait pas encore la révolution sexuelle et la Nouvelle Vague et le bouleversement des expressions littéraires, toutes choses dans lesquelles il courrait bientôt se plonger. Il s'installa à New York pendant un temps et visitait souvent Paris. Ce fut là qu'en 1957 un ami, l'acteur de cinéma Christian Marquand, lui présenta Marlon Brando (Brando qui prénommerait son fils Christian, en souvenir de son amitié pour le comédien français). Marlon était en France pour le tournage du *Bal des maudits* (*The Young Lions*), où il tenait le rôle d'un officier nazi. Donald fut frappé par sa beauté et par son esprit comique aussi bien que par son talent. Un lien se créa entre les deux hommes, même si Brando avait tellement d'admirateurs qu'il avait appris à les traiter avec désinvolture, sinon cynisme.

Au même moment, Donald se liait avec un mannequin d'origine texane, Deborah Dixon. Ils s'installèrent à Paris mais, alors qu'un courant de nouveauté commençait dans les années 60 à bouillonner à Londres, ils se rendaient souvent dans cette ville où ils connaissaient tant d'artistes et d'écrivains et de musiciens comme Mick Jagger des Rolling Stones, sans parler du nouveau cinéma londonien. Paris et New York en avaient fait un homme d'une élégance toute particulière — le comédien James Fox disait de Cammell qu'il était le bohémien le plus séduisant de Paris. Donald vouait un véritable culte à l'écrivain Jean Genet et au poète Borges et, en dépit du fait qu'il habitait le très chic Chelsea, il était séduit par l'idée d'une société sans loi. C'était aussi un vrai libertin, et Marianne Faithful, alors pâle enfant-fleur et compagne de Jagger, noterait le goût de Cammell pour les trios.

Ce fut à cette époque qu'il abandonna la peinture et se prit d'une véritable obsession pour la réalisation cinématographique. Certains observèrent qu'il paraissait soulagé de l'obligation parentale de peindre les portraits de gens riches. À New York, il s'était essayé à l'expressionnisme abstrait, mais la passion de peindre l'avait déserté. Il fréquentait des stars du rock, des hors-la-loi, des marginaux. Il avait un ami dans East End, David Litvinoff, qui lui présenta des gangsters patentés.

Ami des Stones, Donald se réjouissait de leur insolence envers la société comme envers leurs propres admirateurs. Les Rolling Stones étaient beaucoup plus proches de l'anarchie, du surréalisme et des arts d'avant-garde que la plupart des groupes de rock. Quand Mick Jagger faisait la moue en chantant « I Can't Get No Satisfaction » (un tube de l'été 65), il chantait un appétit sexuel jamais assouvi, tout en conseillant à ses fans de ne pas se frotter à lui. Jagger affichait un air de dépravation, un véritable exhibitionnisme, et cela était patent chez Brian Jones, le moins démonstratif lors des concerts du groupe, mais titubant littéralement de désir sexuel. Quand la compagne de Jones, Anita Pallenberg, le quitta (pour Keith Richards), il chercha refuge chez Cammell à Paris. À cet égard, il incarnait parfaitement Tuner, la rock star réfugiée dans sa cave dans *Performance*. Et Pallenberg, qui avait aussi couché avec Cammell, inspirerait le rôle féminin du film mais aussi sa sensibilité. C'est dans les manières et les regards dévorants de Pallenberg qu'on a l'impression, en visionnant le film, que les comédiens jouent leur propre psychodrame, avec Donald Cammell dans la position du voyeur, de l'instigateur, du participant et du metteur en scène de ce breuvage enivrant.

En 1968, deux films parurent, signés de Cammell : *The Touchables* et *Duffy*. Dans le premier, d'après une histoire originale du frère, David Cammell, au scénario écrit par Donald et Anita Pallenberg mais finalement attribué à Ian La Frenais, une rock star est kidnappée par des admiratrices et gentiment torturée. Dans le deuxième, deux frères s'associent pour voler son argent à leur riche géniteur. Ils se font aider par un Américain, Duffy, joué par James Coburn. Les rôles des frères sont tenus par James Fox et John Alderton.

Aucun de ces deux films n'était bon, mais Donald trouva un supporter en la personne d'un jeune Américain, Sandy Lieberson, devenu producteur après avoir été l'agent de Donald. Ce fut lui qui encouragea Cammell à un nouveau projet, une longue histoire intitulée *The Liars* dans laquelle un gangster américain trouve refuge à Londres chez une rock star déchue. Cammell voulait Mick Jagger dans le rôle de la star, et Marlon Brando dans celui du gangster. Il discuta du projet avec Brando, mais celui-ci préféra passer la main. Le gangster devint alors anglais et le rôle revint à James Fox (qui s'était fait remarquer dans *The Servant*), un acteur aristocratique que Cammell rêvait de transformer en voyou.

Fox s'engagerait si profondément dans son jeu, qu'il en sortirait passablement troublé. Le film terminé, il abandonna le cinéma pour entrer dans un ordre religieux, et n'apparut plus à l'écran pendant dix ans. Regardant aujourd'hui en arrière sans manifester le moindre grief, il pense que Donald « pouvait être dangereux, à la fois par la matière de sa création mais aussi par sa capacité à tirer de vous ce qu'il désirait. Il allait toujours plus loin que son rôle de metteur en scène. Mais c'était aussi la raison pour laquelle nous étions nombreux à être attirés par lui. Il avait des idées neuves, et bien qu'il eût un côté dilettante et des idées pas toujours réalisables, il y avait dans *Performance* une dimension bisexuelle qui était nouvelle ».

Cammell demanda à Nicolas Roeg de diriger la lumière de *Performance*, mais Roeg était impatient de réaliser lui-même. Généreux, Cammell l'accepta comme coréalisateur, tout en lui laissant la direction de la photographie. Mais il était clair pour toute l'équipe du tournage que le script et les idées appartenaient à Donald Cammell. Et par idées, je n'entends pas seulement la poétique des mutations de personnalités entre Chas et Turner (Fox et Jagger), mais la scène criminelle à Londres (inspirée des imprévisibles et très violents frères Kray) et aussi de la maison de Powis Square, sentine de sexe et de drogue, coupée du monde extérieur.

Performance est un film culte dont la renommée a perduré au-delà de l'engouement immédiat. C'est un film violent, d'un érotisme où le suggéré est peut-être plus prégnant que le montré. Il se clôt sur la balle de revolver que Chas tire sur Turner, une balle qui touche ce dernier en plein front et, lui traversant le crâne, finit sa trajectoire sur le portrait de Jorge Luis Borges. Il y avait bien peu de spectateurs qui savaient qu'il s'agissait de Borges ou quel pouvait en être le sens, mais il y avait dans *Performance* de l'audace et une fierté élitiste : c'était du cinéma de divertissement qui avait en même temps un charme très secret.

Le film a toujours provoqué de vives réactions, pas seulement des Frères Warner, la compagnie qui avait financé le film. Ils interrompirent le tournage, le temps de visionner les rushs.

Contre toute attente, le producteur du film, Frank Mazzola, prit Cammell en sympathie, et les coupes restèrent sous la responsabilité de ce dernier (bien qu'il eût accepté, à la demande des frères Warner, de faire apparaître plus tôt Jagger). La sortie en Amérique compta un faible taux d'audience et un bon nombre de critiques incendiaires. Dans *Time*, Richard Schickel écrivit : « C'est le film le plus écœurant et le plus nul qu'il m'ait été donné de voir depuis que je suis critique de cinéma. » Or, quand le film parut sur les écrans londoniens, en 1971, on y décela la quintessence de la postmodernité et le magazine *Time Out* y vit un peu de l'Angleterre atteindre sa maturité.

Pour Marlon Brando, c'était précisément à ce cinéma d'avant-garde qu'il rêvait de participer, mais qui ne se réalisait jamais aux États-Unis. Pour d'infinies raisons pendant la fin de ces années 60 — Viêt-nam, droits civiques, le sort des Indiens d'Amérique, sans parler de Hollywood même —, Marlon Brando était très critique envers son pays et envers sa propre carrière. *Performance* débordait d'audace artistique en même temps qu'il affichait des prétentions (un mélange qui composait la personnalité créatrice de Brando lui-même). Le film semblait aussi pousser le jeu des acteurs au-delà des limites définies par le show-business, allant puiser jusque dans leur propre capacité créatrice. Quelques années plus tard, dans *Le Dernier Tango à Paris*, Brando trouverait le moyen de puiser dans sa propre existence les traits de caractère et les sentiments du personnage qu'il jouait, et je soupçonne cette démarche d'avoir été encouragée par la vision de *Performance*.

Son expérience du cinéma avait naturellement entraîné Cammell aux États-Unis, où il espérait qu'on découvrirait et saluerait le metteur en scène de cette œuvre de génie ou de grande prétention, peut-être les deux, en tout cas un film dressant un prodigieux portrait de la décadence romantique qui avait ravi Londres à la fin des années 60. Pour Cammell, le cinéma paraissait désormais bien plus gratifiant que la peinture.

En 1971, avec Frank Mazzola et le cameraman Vilmos Zsigmond, il se rendit dans le désert de l'Utah pour tourner un court métrage, *The Argument.* Y jouait sa nouvelle maîtresse, Myriam Gibril, mais seulement pour faire un essai photographique. Le film ne fut entièrement terminé qu'en 1999, soit trois ans après la mort de Cammell. Mais en 1977, il dirigea pour la MGM *Demon Seed*, d'après un scénario de Robert Jaffe et Roger O. Hirson, tiré d'un roman de Dean Koontz. Julie Christie y incarnait une femme violée et fécondée par un... ordinateur sauvage. Ce fut un échec partout où le film passa, et la critique fut indigente. Le peintre en Cammell avait une facilité presque lassante, mais il est possible que, metteur en scène, il eût débordé d'idées neuves mais été incapable de trouver la justesse de ton.

C'est à Los Angeles dans les années 70 que s'approfondit l'amitié entre Brando et Cammell. C'était l'époque d'un retour de Marlon sur les écrans, avec *Le Parrain* et *Le Dernier Tango à Paris* — et puis son plus grand virage encore vers le désespoir et le cynisme, culminant dans *Apocalypse Now*, où il jouait jusqu'à la limite du sabotage. Mais en 1974, il eut une brouille sérieuse avec Cammell, quand celui-ci entreprit de séduire la bien trop jeune China Kong, l'exquise fillette d'Anita Kong. L'affaire n'était pas banale, car Anita avait été longtemps la maîtresse intermittente de Brando, grand passionné de la Chine. La famille disait pour plaisanter qu'il était leur parrain. Brando invitait souvent la gamine et jouait avec elle, et il fut choqué et irrité quand Cammell (qui avait alors quarante ans) commença à attendre la petite à la sortie du lycée pour l'entraîner dans de romantiques promenades dans le désert. Brando avait toujours été attiré par les femmes asiatiques et les sang-mêlé. Ce fut après *Les Mutinés du Bounty* (1962), tourné à Tahiti, qu'il acheta l'île où il se retira, l'atoll de Teti'aroa.

Cammell épousa China en 1978 et, peu de temps après, Brando lui présenta ses excuses en même temps que ses félicitations. Ce fut à cette époque, en 1979, que Brando proposa à Cammell de collaborer avec lui. Il s'agissait de *Fan-Tan*, une aventure en mer de Chine qu'il avait imaginée. Il avait envie d'en faire un film mettant en scène un Américain d'origine écossaise, dans la cinquantaine (en 1979, Brando avait alors lui-même cinquante-cinq ans), qui rejoint une bande de pirates chinois menés par une redoutable femme. Brando cherchait quelqu'un de confiance qui fût capable d'écrire le scénario, voire de le mettre en scène. Mais il tenait à ce que cela restât une production indépendante, décidé à se soustraire à ces détestables compromis chers à Hollywood.

Il ne semblait pas s'apercevoir que *Fan-Tan* n'était qu'une aventure assez conventionnelle, une bonne histoire, mais le genre de film qu'on aurait pu tourner il y a longtemps. À une exception près : il ouvrait des horizons à la fois intellectuels et sexuels entre l'Orient et l'Occident. Cammell se déclara intéressé.

Le travail réalisé en 1979 comptait cent soixante-cinq pages et il était daté de mai 1979. Il s'appuyait sur le décor de l'île de Teti'aroa et débordait d'amour pour les mers du Sud. L'action prenait un tiers du texte, le reste comprenait un voyage à Tahiti. Annie Doultry et Mme Lai partageaient l'action avec d'autres personnages. Brando apportait beaucoup, improvisait des sketchs, et il paraît évident dans le roman qu'Annie Doultry était une version de lui-même : joueur, désagréable, provocant, pensif, nourrissant des sentiments partagés à l'égard de la loyauté. Dans *Missouri Breaks* (1976), on découvre un Brando/Doultry qui s'essaie à toutes sortes d'accents et de costumes, déguisé comme une vieille femme. Ce mélange Marlon/Annie a toujours été le moteur du projet.

Voici, tiré d'une des cassettes enregistrées, un extrait dans lequel Marlon joue le personnage d'Annie Doultry ; la scène ne figure pas dans le roman. C'est Marlon qui parle.

« D'accord, d'accord, dit Doultry, je vais me bourrer la gueule, ce soir. Je m'en vais m'en donner, du bon temps. Qui sait de quoi demain sera fait ? Même pas les mouettes. Au revoir, chérie, passe une bonne nuit. Elle s'en va... et merde !

Elle est peut-être d'une nature insouciante et se dit qu'elle n'en a rien à foutre... Et moi, je suis là, et je ferais aussi bien de m'amuser. Donc elle s'en va, et je pense que Doultry la voit s'asseoir et la rejoint avec deux verres... "J'en ai peut-être pas l'air, mais je suis patient et vous êtes tout ce que le docteur m'a recommandé..." Il lui dit ça, et elle reste un peu raide et distante. Il lui dit : "On est dans le Pacifique Sud, ici... Mon nom est Doultry." Elle lui répond : "Combien de fois déjà vous avez dit ça ?" "Je ne sais pas... 328. Pourquoi ?" Elle lui demande si on l'a jamais traité de balourd ? "Ma mère me le disait souvent", répond-il, et ce genre de dialogue continue. »

Il n'y a pas de meilleure description de Teti'aroa que celle qu'en donne China Kong. Elle a accompagné son mari dans l'île, quand il y allait pour travailler à *Fan-Tan*, car on ne pouvait souhaiter meilleur plateau de cinéma avec la vue et le bruit de la mer.

Brando se montra un hôte très généreux envers le couple. Un contrat avait été signé entre Donald et la compagnie de Brando, Penny Poke Farms, et l'argent passait de l'un à l'autre. Mais Marlon était très réticent désormais à faire appel aux studios, seuls capables d'assurer la réalisation. Il détestait l'idée qu'une grosse compagnie prenne le relais, car cela signifiait pour lui la perte de son indépendance. Ou bien était-ce une fuite ? Ce projet n'avait-il été qu'un rêve oisif, une manière de s'amuser à Teti'aroa pendant quelques saisons ?

Toujours est-il que Donald appela son frère David, à Londres, pour lui dire : « Je ne vais pas aller plus loin. Marlon prend son pied à torturer les gens. » Après quoi, les deux frères envisagèrent de tirer d'abord un roman de cette histoire. Le bouquin une fois paru, il serait plus facile d'en faire l'adaptation au cinéma. Marlon accepta : si c'était un best-seller, cela pourrait financer le tournage !

David appela d'abord Caroline Upcher, directrice littéraire chez Pan, puis Sonny Metha, l'éditeur. Caroline se souvient de l'enthousiasme de Donald. D'après lui, c'était une « bonne histoire ». Sonny était intéressé. David engagea un agent littéraire, Ed Victor, un Américain installé à Londres, et un arrangement fut conclu. Le contrat, daté du 7 juillet 1982, incluait les deux auteurs et présentait un caractère particulier : il était rédigé sous la forme d'une lettre adressée par Marlon à Donald. Brando prévoyait quelques réunions éditoriales, au terme desquelles, « vous (Donald Cammell), vous vous chargerez de son écriture. Après quoi, nous corrigerons ensemble, le droit de contrôle sur le manuscrit proposé me revenant ».

Dans le même temps, il y eut un contrat signé avec Pan, assorti d'une avance de cent mille dollars. Bien que Marlon Brando ait eu de droit une part de cette somme, il semblerait que la totalité des cinquante mille dollars dus à la signature aient été payés à Cammell seul.

Donald Cammell écrivit ainsi, en 1982-1983, ce roman intitulé *Fan-Tan*, du moins une version incomplète, en référence à leurs précédentes conversations, version qui gardait les premières scènes imaginées et aussitôt jouées par Brando. Cammell fit des recherches à la bibliothèque de l'université de Los Angeles et découvrit l'existence d'une femme pirate qui servit de modèle pour Mme Lai. Marlon aussi avait entendu parler de cette femme, qui avait fortement excité sa curiosité. Donald et China se rendirent à Hong Kong pour se renseigner sur la construction des bateaux, et Donald, que la marine avait toujours passionné, fit des croquis de *Fortune-de-mer*, le bien-aimé navire du capitaine Doultry. China se souvient des coups de fil à Marlon depuis Hong Kong, les deux hommes corrigeant certaines pages.

Le roman est élaboré à partir des premières cinquante pages du premier jet de 1979, mais il développe certaines scènes qui ne faisaient pas partie du premier texte, notamment le jeu de fan-tan, le rituel de l'initiation, le typhon (peut-être les plus belles pages), la capture du *Chow Fa*, et bien sûr ce que devint le chapitre 8 dans ce volume.

Cammell rédigeait à la main mais ce fut une version dactylographiée qu'il présenta à Brando. Il s'ensuivit de longues conversations téléphoniques. Cammell finissait par se demander si Marlon prenait la peine de lire ce qu'il lui envoyait. (Il n'y a aucune trace d'une réponse ou d'une critique détaillée.) Finalement, Brando fit savoir à Cammell qu'il ne désirait pas poursuivre *Fan-Tan*, roman ou film. Par contrat, il gardait les droits d'auteur. La chose lui appartenait.

Donald Cammell était furieux. Il se sentait trahi. Il pensait que le livre avait de remarquables qualités, et il rêvait toujours d'en faire un film. Il reconnaissait parfois que Brando l'avait bien manipulé, que le grand comédien s'était montré capricieux et n'avait jamais eu l'intention d'aller jusqu'au bout. Je reviendrai sur ce dernier point mais, pour le moment, il est important de retracer l'histoire de *Fan-Tan*.

Ce qui sortit pendant l'été 2004 (après la mort de Brando) était un texte dactylographié remis par China Kong Cammell à Ed Victor, avec l'espoir que le roman aurait une seconde chance. Il comptait deux cent quatre-vingt-trois pages de narration, et douze autres qui formaient un résumé des dernières trente pages de la première mouture (résumé que Donald Cammell avait rédigé de sa propre main).

En d'autres mots, Donald avait tout écrit sauf le dernier chapitre ou épisode du roman, bref, son dénouement. En même temps, sa référence à la première version dévoile la conscience qu'il avait de l'ensemble du projet. Ce furent les douze pages de synopsis décrivant la fin que je suivis dans le moindre détail pour écrire le chapitre 8, tel qu'on peut le lire dans cette édition. Je fus choisi par les deux parties (Marlon et Donald) et à la demande de Sonny Metha (aujourd'hui chez Knopf, à New York), qui se retrouva une fois de plus dans le rôle d'éditeur de *Fan-Tan*. Mon travail était de finir l'histoire selon les indications laissées par Cammell et de réviser l'ensemble. Il y avait quelques répétitions que Cammell aurait lui-même corrigées. Il y avait aussi quelques vides à combler, et il est clair que Donald comptait toujours sur Brando pour l'aider.

J'espère que cela clarifie la provenance de ce texte, et je pense que le résultat est proche de ce que Donald Cammell aurait voulu voir imprimer. Puis-je en dire autant de Brando ? C'est plus compliqué. Par exemple, il est difficile d'expliquer cette autre découverte dans les papiers de Brando d'une version de *Fan-Tan*, écrite en 1993, identique dans les grandes lignes et enregistrée à la Guilde des auteurs. Je me demande si Cammell avait seulement connaissance d'une telle chose.

Vous pourriez penser que Brando et Cammell ne s'adressèrent plus jamais la parole, mais ce n'est pas aussi simple. En janvier 1986, l'avance de cinquante mille dollars fut renvoyée à Pan par… Brando. C'était le signe qu'il reconnaissait sa responsabilité dans ce gâchis, et cela aurait pu réconcilier les deux hommes.

La carrière de Cammell ne décollait pas. En 1987, il avait mis en scène un nouveau film, écrit en collaboration avec China, *White of the Eye*, dans lequel David Keith joue le rôle d'un tueur en série, et Cathy Moriarty celui de son épouse. C'est un film percutant, qui gagna beaucoup à être tourné près de Globe, dans l'Arizona. Mais sa sortie fut ignorée par les critiques et ce fut un nouvel échec au box-office, car la compagnie, en difficulté, avait sacrifié sa promotion.

Marlon Brando vit *White of the Eye* et fut impressionné par son « originalité, sa qualité artistique et sa force ». Ces mots sont tirés d'une lettre de Brando à Richard Hefner, président de la commission des classements, missive, qui fut couronnée de succès, dans laquelle il demande au président de changer la qualification X (porno) en R (interdit aux moins de seize ans). Donald Cammell possédait réellement un talent et une originalité comme en avait rêvé Brando.

À ce moment-là, Brando maternait un projet appelé *Jericho*, mettant en scène un ancien tueur de la CIA nommé Harrington (du nom de son psychiatre préféré), un homme qui connaît les plus noirs secrets de l'Agence et qui se voit contraint de reprendre son métier. L'histoire n'est qu'une série de meurtres, car Harrington tue les personnages les uns après les autres. Comme Cammell le décrivait : « L'image globale du film est un homme vivant avec sa culpabilité face à l'horreur de ce qu'il a perpétré. Je l'ai vu comme un interprète et je devais orchestrer cette interprétation, le voir mettre son âme à nu, pour une fois. »

Cette fois, Brando commença par prétendre que c'était un script qu'il avait écrit lui-même. Dans le passé, bien trop d'entreprises avaient échoué — il reconnaissait que *Fan-Tan* en faisait partie — pour l'unique raison qu'il avait laissé l'écriture à d'autres. Ce n'était pas une idée rare chez les grands de Hollywood que de s'imaginer qu'ils pourraient écrire si seulement ils avaient le temps, la patience, une plume, et l'orthographe. Puis, au début de l'année 1988, *Variety* annonça que Donald Cammell écrirait et mettrait en scène *Jericho*.

La question de savoir ce que Brando voulait écrire et mettre en scène est importante. Avec *One-Eyed Jacks* (1961), on avait perçu bien des signes de sa volonté d'être un metteur en scène indépendant. Stanley Kubrick s'était retiré du projet quand il avait réalisé que Brando ne voulait en faire qu'à sa tête. Le tournage s'éternisa à cause de l'indécision ruineuse de l'acteur. Mais cela n'était rien comparé à sa consternation lors du montage. Était-ce un manque d'énergie ou de concentration de sa part ? Ou la conscience des limites de son intelligence créative dans d'autres domaines que celui de jouer la comédie ? Finalement, Brando quitta *One-Eyed Jacks*, laissant aux autres le soin de le terminer.

Durant toute sa vie, il y a eu chez lui une incapacité à rester longtemps engagé. Mais, au sujet de l'écriture, il y a peut-être un autre problème. Depuis ses premiers jours d'école à l'âge adulte, Brando souffrait d'une forme de dyslexie, jamais identifiée ni traitée, mais qui a peut-être eu une influence sur sa stupéfiante capacité à mimer et absorber les autres. De temps à autre, des amis me racontent que partager l'intimité de Brando consistait à se faire observer jusqu'au tréfonds de votre être, jusqu'au moment où il était capable de parler et de se tenir comme vous. Je ne prétends pas comprendre et encore moins expliquer le personnage, mais je pense qu'il a entretenu avec l'écriture des sentiments partagés. Et j'en entends la confirmation, comme un écho, dans ce que Cammell a dit, après que Brando eut refusé *Fan-Tan*, devenu roman : « Il ne voulait même pas le lire parce qu'il ne l'avait pas écrit lui-même. »

La tragédie était-elle inévitable ? S'il en fut ainsi, on ne peut que s'étonner du tendre portrait que Cammell fait de Brando sous les traits d'Annie Doultry... un solitaire, un penseur, un rêveur aussi, original et sensuel, un joueur et un mime, un magicien d'accents, un homme qui joue avec son propre destin tout en se récriant du contraire, un homme follement amateur de femmes exotiques, enfin quelqu'un fatalement né pour trahir sa propre parole.

Jericho ne sortit jamais sur les écrans. Vous vous en doutiez, peut-être. D'après Cammell, Brando prit le scénario que Donald avait réécrit et le bousilla, jetant ce qui était bon, et ajoutant à ce qui était mauvais. Mais, dans ce cas, vous demandez-vous, pourquoi Donald se mit-il à nouveau en position d'être trahi ?

On peut avancer quelques réponses, la première étant qu'à l'intérieur du système de Hollywood, Marlon avait du pouvoir, et que Donald était réduit au rôle de demandeur. En dépit de sa taille de plus en plus volumineuse et de sa réputation de se lancer dans des projets dans le seul but de les abandonner, Marlon Brando était encore un nom qui intéressait les commanditaires. Et plus que jamais il déversait du lointain de sa réclusion tout le mépris que lui inspirait l'industrie du film, dont le seul nom lui faisait dresser l'oreille. D'après China, « Donald était un maniaco-dépressif. Marlon ne l'était pas mais il pouvait aussi bien se montrer chaleureux que froid et cruel. Tous deux formaient un drôle de couple. On avait l'impression qu'ils étaient attirés l'un vers l'autre ».

Ce ne sont pas là des traits de caractère faciles à prêter à nos héros, mais il y avait de toute évidence chez Cammell et Brando un penchant pour le fatalisme et l'autodestruction, qui s'accordait avec la sinistre musique de Hollywood et du show-business. Et n'oublions pas non plus la question de la beauté physique et de ses avatars. Le Marlon Brando d'*Un tramway nommé Désir* et des dix années qui suivirent dut sa célébrité à sa beauté, une beauté qui ne pouvait mener qu'à une éternelle conquête sexuelle. Donald Cammell n'était pas aussi célèbre mais il incarnait le charme, le goût des plaisirs charnels, ainsi qu'une identité sexuelle qui échappait à la rigide classification entre l'homo et l'hétérosexuel.

Il n'y a pas la moindre preuve d'un lien homosexuel entre Brando et Cammell, ce qui ne veut pas dire que les deux hommes n'y aient jamais pensé. Notons cependant que Cammell resta un bel homme jusqu'à sa mort, alors que Brando avait dès les années 70 dilapidé un physique qui était un véritable don de Dieu. Il y eut aussi la question de China Kong, une délicieuse enfant, fille d'une de ses maîtresses, avec laquelle Brando adorait jouer les grands-pères. Quand Donald la séduisit, la gamine était encore mineure. Cet acte qui tenait de la provocation ne méritait-il pas vengeance ? *Fan-Tan* lui-même n'était-il pas l'histoire d'une trahison, perpétrée par Brando abandonnant et dépouillant une femme qui venait de devenir sa maîtresse ?

Jericho fit un flop, comme bien des espérances de Cammell au fil des ans. Il avait eu l'intention d'adapter à l'écran *Feu pâle* de Nabokov — pouvait-il y avoir plus belle preuve d'ambition alliée à une prétention sans espoir ? — et Nabokov lui avait répondu dans une lettre où il remerciait Donald pour son synopsis « fascinant et remarquablement présenté ». Il y avait aussi un projet en collaboration avec Kenneth Tynan sur *Jack l'Éventreur*. Et avec son frère David, il voulait faire un film basé sur la vie d'Emma Hamilton, projet qui avait le soutien du producteur Andrew Braunsberg. Il y avait *Machine Gun Kelly* (que tournerait Roger Corman). Il eut même une idée de scénario qu'on retrouvera dans *Pretty Woman*, mais le film se fera sans lui.

Cette histoire de *Pretty Woman* est exemplaire de la malchance de Cammell. Le projet avait pour titre *3 000 $*, et c'était une très médiocre version du film que nous connaissons. Cammell travailla au scénario. Dans le même temps, alors qu'il auditionnait des comédiennes pour *Jericho*, il fit la connaissance de Julia Roberts et la recommanda aux producteurs de *3 000 $*. Il avait vu juste concernant le choix de l'actrice, mais il n'en fut pas moins écarté de la mise en scène, et le film s'enfonça dans l'eau de rose.

Nous savons plus ou moins comment Brando est mort, nous n'avons pas oublié le sentiment de perte qui accompagna la nouvelle, et beaucoup regrettèrent qu'il n'eût pas joué plus souvent, au cinéma comme au théâtre. Au lieu de cela, il nous reste une liste de projets abandonnés, tel *Fan-Tan*, et cela par la volonté vengeresse de cet idéaliste déçu par l'industrie du cinéma.

Donald Cammell tourna un dernier film, *Wild Side*, sorti en 1996. Il mettait en scène Christopher Walken, Anne Heche et Joan Chen, et le résultat n'est pas sans intérêt — rien de ce qu'il fit ne fut jamais sans intérêt ni lourd de prétention. Ce film parle de sexe, d'intrigues, de trahison, et du danger d'une trop grande lucidité. On y retrouve tout ce qui fit la vie de Donald Cammell. Mais *Wild Side* fut revu et corrigé par la compagnie qui l'avait commandité. On effaça le nu, on coupa, on appauvrit, bref on falsifia et détruisit. Ce fut, par ailleurs, un échec commercial.

Le 24 avril 1996, à l'âge de soixante-deux ans, chez lui à Los Angeles, et en présence de sa femme, China, Cammell se tira une balle dans la tête. Il resta cependant en vie pendant près de quarante minutes et fut même capable d'informer China de l'état de ses affaires et de ce qu'elle devait faire. On raconte, mais ce n'est pas confirmé par cette dernière, qui ne tient pas à évoquer cette triste histoire, que Donald aurait eu pour derniers mots : « Maintenant, je vois Borges. »

James Fox, fidèle ami, se souvient : « On était tous tellement surpris, non par ce qu'il avait fait mais par tant de violence. Plus vous en entendiez parler, plus cela vous fichait la chair de poule. Et puis j'ai repensé à la scène finale de *Performance*... une balle dans la tête. »

Brando en conçut de la peine. Il disait qu'il y avait un lien entre China et lui — elle avait perdu Donald et, à ce moment-là, Brando venait de vivre le procès de son fils Christian qui avait tué Dag Drollet, le petit ami de sa demi-sœur, Cheyenne. Et puis Cheyenne s'était suicidée. À un moment, Brando et Cammell avaient même pensé à donner un rôle à Christian dans *Fan-Tan*. Mais en 1994, Brando avait publié ses étranges mémoires — *Songs My Mother Taught Me* — et Donald n'y était mentionné nulle part. Peut-être ce dernier y avait-il vu une dernière marque d'indifférence, un ultime échec. (Plus ironique encore, le chapitre 40 de ces mémoires décrit Brando naviguant dans les mers du Sud et touchant un récif de corail, un incident qui rappelle curieusement l'île Patras dans *Fan-Tan*.)

L'histoire de Hollywood se confond avec tous les films qui y furent réalisés. Et cela suffit à en faire une longue et folle aventure. Hollywood est aussi la sombre fosse commune de tous les grands rêves, de tous les projets mirifiques qui y aient jamais été conçus. Finalement, peut-être les ambitions déçues, comme celle de *Fan-Tan*, sont-elles plus émouvantes que celles qui portèrent leurs fruits.

NOTE

Lors de mes recherches et de la rédaction de cet épilogue, j'ai reçu l'aide de bien des gens. Je veux remercier China Kong, David Cammell, Mike Medavoy (qui m'a fourni une abondante matière sur Brando), Sonny Metha, Caroline Upcher, James Fox, Chris Rodley et Kevin MacDonald (pour leur excellent documentaire sur Cammell), Colin MacCabe (pour les entretiens qu'il m'accorda et son ouvrage sur *Performance*), Chris Chang, Sean Arnold (pour ses recherches à Londres), et Sam Umland, coauteur avec Rebecca Umland de *Donald Cammell : Une vie dans le Wild Side*, publié par Fab Press. Je suis enfin reconnaissant envers Peter Manso pour les longues conversations que nous avons eues.

Achevé d'imprimer
par la Société Nouvelle Firmin-Didot
à Mesnil-sur-l'Estrée, en février 2006
Dépôt légal : mars 2006
Numéro d'imprimeur : 77575

ISBN 2-207-25801-7/Imprimé en France

139689